JN066355

エリア・スタディーズ
59
リビア
を知るための
60章
【第2版】
塩尻和子（編著）
明石書店

はじめに

北アフリカの大国リビアは、二〇一〇年一二月にチュニジアから始まった一連の北アフリカの民衆蜂起、いわゆる「アラブの春」の余波を受けて、その政治体制や社会的状況が大きく変化した。九年を経た今日もなお、複数の武装勢力による政権抗争が止むことはなく、国内は戦乱と破壊のるつぼとなっている。二〇一一年一〇月に四二年間もリビアを支配した特異な独裁者カッザーフィー（カダフィー）が殺害された直後は、リビアで初めて、という歴史的な総選挙も実施され、一時的には民主的な政権が発足したものの、わずか二年後には部族間闘争が激化してしまい、二〇二〇年二月現在まで、国内を安定的に統治できる政権は現れていない。

本書は、二〇〇六年六月に出版した『リビアを知るための60章』をもとにしながら、二〇一一年二月以降の内戦と混乱によって大きく変化したリビアの現状を、できる限り新情報を収集して紹介するものである。この種類の現地情勢を紹介する著作には、著者本人が現地で詳細な調査を実施して、現地の実情を赤裸々に紹介することが必須である。しかし、リビアの政情が安定せず、飛行場もたびたび閉鎖され、現地の住民たちにも被害が及んでいる危険な現状では、著者が直接、現地調査をしに渡航することは不可能であり、現地の様子を詳細に把握することが極めて困難となっている。その中で、この度、リビアの社会や政治を研究テーマとする若手研究者二人（上山一、田中友紀）の協力を得ることができ、細い糸のような連絡網を駆使して、できるだけ現地の住民たちと連絡を取り合った成果を持ち寄って、ようやく改訂版を出すことができたものである。

初版に執筆したように、リビアは広い国土を持ち、石油や天然ガスなどの豊かな資源や、三〇〇〇年を超える歴史的遺産が手つかずのまま保存されている魅力的な国であり、歴史のロマンとともに将来の可能性を秘めた国である。特異な政治思想をもった独裁者カッザーフィーの指導のもとに、第二次世界大戦以降の複雑な国際関係の中をかいくぐり、二〇〇四年からは、ようやく国際社会との関係を修復し、豊かな天然資源からもたらされる資金をもとに安定した政権運営が動き出していた。それからわずか七年後の二〇一一年二月に、北アフリカ一帯に吹き荒れた民衆蜂起のあおりをうけて、リビア国内でも反政権闘争が勃発し、同年一〇月にカッザーフィーはNATO軍の攻撃によって追い詰められ、民兵集団によって殺害された。いまや広大な国土は、NATO軍の軍事介入の後遺症によって、崩壊の危機にさらされている。

ほぼ同時期に北アフリカの民衆蜂起を起こしたチュニジアとエジプトが曲がりなりにも国内を安定方向へと進めるなかで、二〇二〇年二月現在も、リビアでは複数の民兵集団による内戦が続いている。しかもさらに危惧することは、リビアの危機を解決するという口実で、欧米だけでなく近隣のアラブ諸国やトルコも、それぞれの利害対立を伴う軍事的・政治的な介入を強めてきていることである。

二〇一八年二月にフランスのマクロン大統領は、チュニジア国会での演説のなかで「リビアへの軍事介入は大きな誤りであった」と発言した。欧米によるこのような経緯は、二〇〇三年に始まったイラク戦争と相似形をなしている。二〇一五年一〇月にイギリスのトニー・ブレア元首相はCNNの単独インタビューで、アメリカ主導による二〇〇三年のイラク進攻について、「誤りだった」と認めて謝罪したことがある。世界の大国による不用意な軍事介入が、その地域の反政権闘争や内乱を終息させるのではなく、逆にさらに大きな内部対立を引き起こし、問題をいっそう複雑にしてしまい、いつまでも解決の糸口さえも見つからない泥沼に陥れるという事態は、これまで幾度もあったのである。

　二〇一五年二月に私はリビアの友人から以下のようなメールを受け取った。

> 　リビアの混乱はひどくなっています。殺人や誘拐、戦争などで、ここで暮らしていくことは、もう無理です。子供たちも怖がっているので、私と家族六人をしばらくの間、日本に人道的避難をさせてほしい。どうか助けてください。

　その友人は私の夫がリビアで勤務していた際に、とてもよく助けてくれた優秀なスタッフであった。当時の日本国大使館のスタッフには英語能力を期待して、周辺のアラブ諸国やアフリカからの出稼ぎ労働者を雇用することが多かったが、彼は生粋のリビア人であった。リビア人であるということは、なにか問題が発生して、リビア側と交渉をしなければならないときには、非常に大きな力を発揮した。それは、いわば本国人として有利な立場でもあったが、彼はそれ以上の能力と真面目な人柄で、夫を助けてくれていた。

　その彼が一家を連れて日本に難民として避難したいと悲痛なメールを送ってきたときに、悲しいことに私たちにはできることがなかった。それでも夫はあちこちに問い合わせをして、なんとか可能性のカケラでもないかと探し続けたが、政治犯でもない彼の一家が、遠い極東の日本で暮らす可能性は、言語の壁、生活費、子供の教育などを考えるだけでも、ゼロでしかない。私たちは彼に謝ることしかできなかった。せめてものお見舞いにと、人づてにわずかな支援金を送ったが、それが一ヶ月ほどでトリポリの彼の手に無事に届いたと聞いた時には、リビアにはまだ望みがあるように思えたものである。

リビア社会の一日も早い安定回復を願うために、初版の「はじめに」の一部を抜粋して以下に転載し、内戦前のリビアの実情を知っていただきたいと願う。

＊　＊　＊

はじめに（初版から抜粋）

（上略）

多くの日本人は「リビア」と聞いてまず何を思い浮かべるであろうか。ほとんどの人々が、「テロを支援する強硬派の国」、あるいは「気違いじみた独裁者カッザーフィー（カダフィー）のいる砂漠の国」などといった恐ろしいイメージを連想することであろう。日本人にとって、意識的に遠い中東諸国の中でも、リビアはさらに遠い、地の果ての不気味な国という印象がつきまとっている。

本書はこのようなリビアのイメージを一新する役割を担っているかもしれない。

たしかに、一九六九年九月一日の自由将校団によるクーデターが成功して以降、今日にいたる三七年近い歳月、リビアは革命の指導者カッザーフィー大佐の指揮のもとで、特異な政治体制を採用し独自の路線を突き進み、「大リビア・アラブ人民社会主義ジャマーヒーリーヤ」は国際社会だけでなく近隣の中東諸国からも疎んじられることが多かった。国内のゆたかな石油資源や天然ガスなどから得られる莫大な資金を国民生活の向上や経済的発展に用いることはほとんどなく、世界各地の諸民族の解放闘争を背後から支援することに専心してきたことも事実である。

しかし、リビアの政治的な活動や多大な軍事支援は、その理念とは裏腹に、つねに世界各地で物議を醸しており、その努力は評価されることが少ないものであった。いつのまにか国際社会は、リビアがいま何をしているのか、ということにほとんど関心を示さなくなっていた。

そういう意味ではリビアは、革命以降の長い年月、欧米を中心とする国際社会に背をむけて、国全体が「別世界」のなかでひっそりと生きていたかのようにみえる。とくに一九九二年に国連安全保障理事会による経済制裁が発動されてからは、まるで眠っていたかのような印象がある。ゆたかな天然資源があったために、国際社会からつまはじきされ経済制裁を受けていても、貧しいながらも国民が飢えに苦しむこともなく、誰もがひっそりと慎ましく暮らしてきたのである。

そのリビアが、二〇〇三年一二月一九日に突然、大量破壊兵器（ＷＭＤ）の廃棄を世界に向かって宣言し、国際社会復帰への道を歩みはじめた。この傾向はその一、二年前からみられたが、カッザーフィーによる大量破壊兵器廃棄の宣言は、世界中から驚愕と同時に大歓迎をもって迎えられた。おりからイラク戦争のあおりで国際市場では原油価格の高騰が話題になり、どの国もエネルギー資源の確保にやっきになっていた時期である。不思議なほどのタイミングのよさである。

私事になるが、私の夫、塩尻宏がリビア駐在特命全権大使として首都トリポリに赴任してから、わずか三ヶ月後の二〇〇三年九月一二日に国連安全保障理事会による対リビア経済制裁が正式に解除され、六ヵ月後の一二月一九日に先ほど述べた大量破壊兵器廃棄の宣言が出されたのである。私どもは、まことに運よく、リビアが変身しようとするまさにその時期に居合わせたことになる。

「テロ支援国」と非難され、「気違いじみた独裁者の国」と恐れられたリビアの素顔は、私にとって、そのような事前のイメージとはまったく異なるものであった。紺碧の地中海の白い砂浜、透き通った青い空、その下にひっそりと佇む世界遺産のローマ遺跡や白壁の隊商都市、どこまでも広がるリビア砂漠に咲く野の花の愛らしさ、そして、なによりも素朴で穏やかな人々。せわしない現代社会が忘れてしまったものが、ここにはまだ残っている。リビアの人々は、国際社会から阻害されていた苦しい時期をたがいに助け合ってしのいできたためか、いまでも助け合いの精神にあふれた穏やかな人たちである。リビアはまさに歴史のロマンと古きよき時代のノスタルジアを感じさせてくれる国であった。

私は、夫がリビアに赴任していた二年九ヶ月の間、毎年通算して約三ヶ月を首都トリポリで調査を兼ねてすごした。最初に訪れた時のトリポリの印象は、若い頃に暮らしたスーダンの首都ハルトゥームをすこしだけ立派にしたようにみえたものである。広い道路は舗装がはがれていたり穴があいていたり、いつもどこかで地下の水道管から水があふれて道がぬかるんでいたり、家並みも埃でくすんでいて、商店も開いているのか閉まっているのかわからないようであり、街全体に寂しく疲弊した雰囲気があった。

しかし、その後、数ヶ月おきに飛んで行く度に、目をみはるほどの変化が見えてきた。道路の補修もかなり行き届くようになり、新しい商店が次々に開店して華やかなショーウインドーも出現し、もとからあった商店も改装して明るくなり、ヨーロッパや中国からの物資も豊富に出回るようになった。車、電気製品、コンピューターなどの日本製品も次第に見かけるようになった。なによりも、広い道路を新品の自動車が埋めるようになり、これまでリビアの人たちが経験したことがないほどの交通渋滞も起きるようになってきた。海外から物資が豊富に流入するようになると物価が上がりはじめ、早くも貧富の差が目立つようになってきた。

二年九ヶ月の任期を終えてリビアを離任する夫とともに帰国してから二ヶ月目の今年、二〇〇六年五月一五日、アメリカのライス国務長官が、「一五日以内に在リビア・アメリカ大使館を開設する」ことと「四五日以内にリビアをテロ支援国リストから削除する」という発表をした。アメリカの資本はすでにかなりの割合でリビアに入り込んでいるといわれているが、アメリカとの正式な国交再開によって、リビアはこれからさらに急速に国際化を成し遂げていくことになるであろう。

しかし、リビアは革命以降、長期間、国際的な政治交渉や商習慣から隔離されており、しかも、いまだにカッザーフィー指導者の指揮のもとで独自の政治体制を保持している。ゆたかな天然資源、とくに世界最高品質を誇る石油をもとにして、大幅な経済発展を遂げていき、国民の生活も教育も福祉も向上していくことは、決してやさしいことではない。現代の国際社会とうまくつき合っていくためには、解決しなければならない大きな問題が多数、前途に控えている。

歴史のロマンとノスタルジアがあふれる国には、急激な経済発展が実現されなくても、多くの外国資本が流入してこなくても、砂漠と地中海というゆたかな自然、五つの世界遺産の佇まい、そして、素朴で穏やかなリビアの人々の恥じらいを含んだ笑顔が曇ることのないような安定した暮らしが保たれることが、私には何より大切なことのように思える。

（中略）

本書は、いわばリビア・トリポリ在住の多くの友人たちの多大な協力と友情の賜物である。感謝をこめて、この本を「リビアの心やさしい人々」に捧げたい。

二〇〇六年六月吉日

東京にて　塩尻和子

*　*　*

二〇一一年一〇月にカッザーフィーが異常な形で殺され、四二年間続いた特異な独裁体制が終焉を迎え、自由な国政選挙も実施されたころから、私は『リビアを知るための60章』の改訂版を出す必要を感じてきた。しかし、時間がたつにつれて、政治的状況は不安定となり、国内の分裂は次第に武力闘争に変化していき、二〇一四年八月には、旧首都のトリポリと東部のトブルクとに分かれて、二つの議会が置かれるようになり、それぞれが正統な政府を名乗るという混乱状態となって、紆余曲折を経ながらも今日に至っている。

独特の政治思想を掲げて、リビアという大国を四二年間も支配したカッザーフィーがいなくなっても、この四二年間の政治的社会的影響はいまだ色濃く残っている。

本改訂版では、第Ⅰ部から第Ⅴ部までは、カッザーフィーの政治思想の詳細は削除して、その他多少の訂正・加筆を加えながらほとんどそのまま収録した。以前と変わりないリビアの地理・歴史・民俗などの「リビアの成り立ち」などは反植民地闘争から、カッザーフィーの政治体制に至る近代史へ、さらにテロ支援国という悪名高きリビアが国際社会への復帰を目指す経過は、カッザーフィーにまつわるエピソードと共に要点だけを記述した。

とくに第Ⅱ部では、二〇一一年二月以降のリビアの反政権闘争について北アフリカの民衆蜂起と重ねる形で、分かりやすく説明した。反政権闘争の推移については第Ⅶ部から第Ⅷ部で、リビアを専門領域とする若手研究者の上山一が詳細に説明している。上山は内戦中の二〇一二年と二〇一三年に現地を訪問して、危険を顧みずにリビアの研究仲間と会い、国内の政情を調査してきた。こうした作業によって、本書は以前からの変わらないリビアの姿を下地として、そこに民衆蜂起から九年間のリビア内紛の状況を重ね合わせたものとなった。

この困難な編集作業は、上山のほかにも、田中友紀、リビア人のアメッド・ナイリ博士（現駐日リビア国大使館臨時代理大使）、インティサール・ラジャバーニー氏（リビア女性経済的自立促進計画のリーダー）、ハーテム・ムスタファ氏（前サブラータ市長）、それに私の夫、塩尻宏（元駐リビア日本国大使館大使、現公益財団法人中東調査会参与）らから情報と原稿を提出してもらったおかげである。また塩尻宏は民衆蜂起後の詳細な年表を作成するとともに、複雑に入り組んだ政治的および軍事的集団についても、時事情報を収集してくれた。

各氏に厚く御礼を申し上げる。

本書の編集・出版作業がスムースに進行したのは、明石書店社長の大江道雅氏のご尽力と、編集者の長島遥氏の大奮闘のお陰である。お二人にも厚く御礼を申し上げる。

日本に避難したいと言ってきた友人からは「お金が欲しかったわけではないが、本当にありがとう」とメールが届いた。未だに深刻な内戦と混乱が続く新生リビア国に、一日も早い政治的・経済的安定が訪れることを祈り、リビアの心優しい人々の平和と幸福を、遠くから祈っている。

二〇二〇年二月

塩尻和子

リビアを知るための60章【第2版】

I　リビアの成り立ち――地理・歴史・民族

CONTENTS

Ⅵ　天然資源と日本との関係

Ⅶ　カッザーフィー政権の崩壊

Ⅷ　新生リビアの生みの苦しみ

Ⅸ　統一国家再建への期待

凡　例

一　リビアに関する地理的数値や人口統計などは、二〇二〇年二月現在のところ、確定した数値が存在せず、それぞれの文献や資料においても統一されていない。把握できない数値は二〇〇六年当時の数値を代用した。

一　本書で使用したアラビア語の表記については、原則として正則語の発音に近いカタカナ表記を心がけた。またアラビア語の固有名詞についても、正則語の発音に近い表記となるようにしたが、一部にはリビアで使用されている発音表記を選択した名称もある。そのために、新聞や雑誌で一般的に採用されている発音表記とは異なる用語があるが、読者が理解しやすいように、重要なものは、最初の記述の際に、丸括弧の中に一般的な発音を記入して併記した。また索引はどちらの表記でも引くことができるように配慮した。

例：カッザーフィー（カダフィー）、スルト（シルテ）、サブハー（セブハ）、バイダー（ベイダ）

一　よく知られている国名や都市名については、アラビア語ではなく、国際的に通常使用されている名称による表記を採用したものもある。

例：タラーブルス　→　トリポリ　　リブダ・クブラー　→　レプティス・マグナ

一　本書に記載されている人名、機関名、役職名、地区名、道路名などは、すべて二〇〇六年六月から二〇二〇年二月現在のものである。

一　本書で使用した写真には、撮影者の氏名が明らかな場合は氏名を、個人名が特定できない場合は出典を記載した。ただし、本書の執筆者が撮影した写真については省略した。

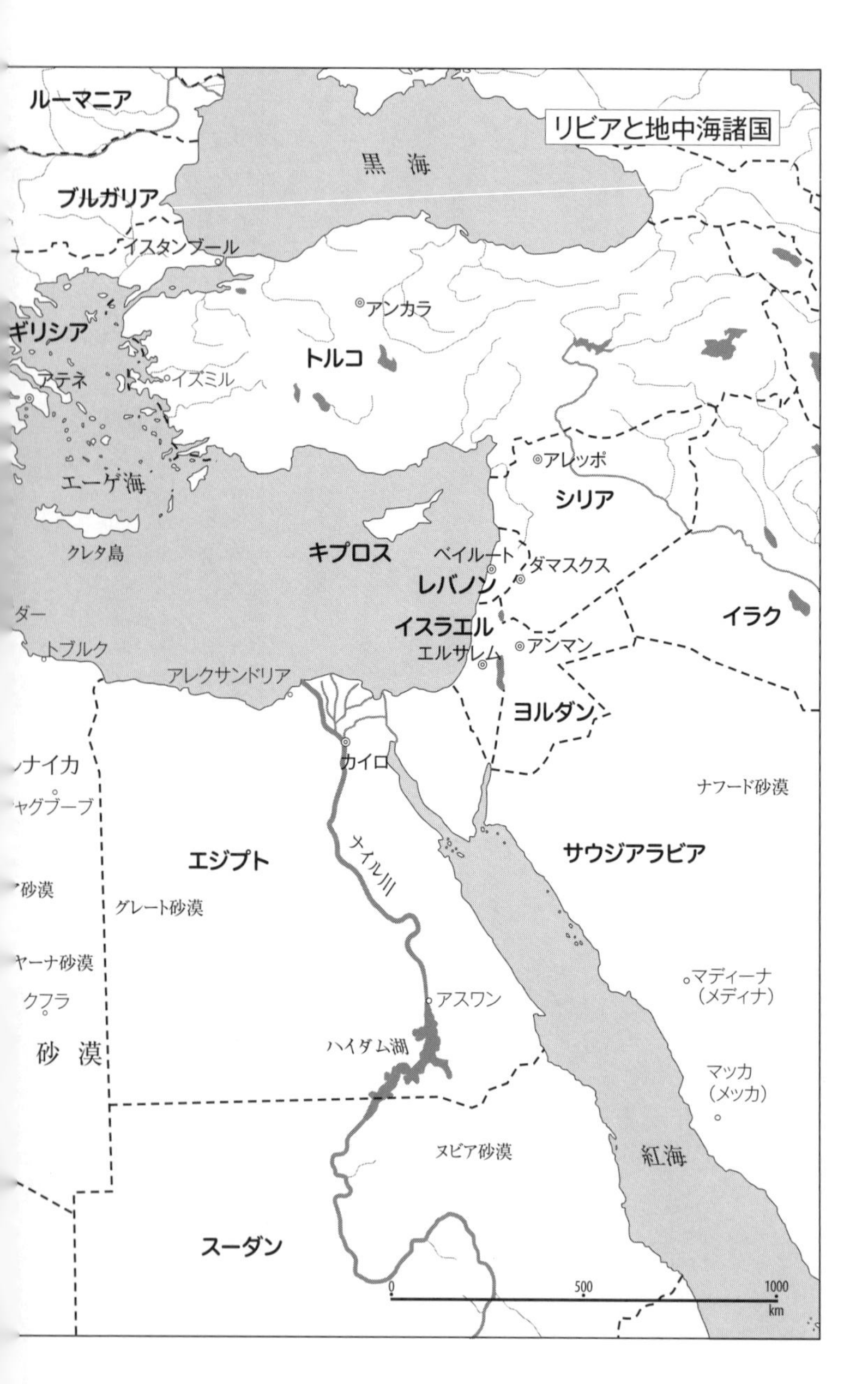

リビアと地中海諸国
ルーマニア
黒 海
ブルガリア
イスタンブール
アンカラ
ギリシア
トルコ
アテネ
イズミル
エーゲ海
アレッポ
シリア
クレタ島
キプロス
ベイルート
ダマスクス
レバノン
イスラエル
アンマン
エルサレム
イラク
トブルク
アレクサンドリア
ヨルダン
カイロ
ナフード砂漠
エジプト
ナイル川
サウジアラビア
グレート砂漠
マディーナ
（メディナ）
アスワン
クフラ
砂 漠
ハイダム湖
マッカ
（メッカ）
ヌビア砂漠
紅海
スーダン
0
500
1000
km

フランス
クロアチア
ボスニア・
ヘルツェゴビナ
セル
ピレネー山脈
ジェノバ
モナコ
マルセイユ
イタリア
モンテ
ネグロ
アンドラ
コルシカ島
ローマ
スペイン
バルセロナ
マケドニ
アルバニ
ナポリ
サルデーニャ島
バレンシア
バレアレス諸島
パレルモ
アルジェ
シチリア島
チュニス
マルタ
チュニジア
地中海
トリポリ
サブラータ
レプティス・マグナ
ミスラータ
ベンガジ
ナールート
ジンターン
グランデルグ・オクシダンタル砂漠
トリポリタニア
スルト
シドラ湾
ガダーミス
サダーダ
スルト砂漠
グランデルグ・オリエンタル砂漠
アギラ
ウーバーリー砂漠
アルジェリア
ワーファ
サブハー
リビ
フェッザーン
アカークース山脈
ガート
ムルズク砂漠
アハガル山地
ティベスチィ砂漠
サ
ティベスチィ山地
ニジェール
チャド
マリ

トリポリ港の風景。2013 年 6 月 13 日。

I

リビアの成り立ち
── 地理・歴史・民族

1

リビアの風土

★海と砂漠の国★

リビアはアフリカ大陸で四番目に広い国土を持つ国である。一七七万四四四〇平方キロメートルの広さは隣のエジプトのほぼ二倍にあたり、日本の約四・七倍である。東にエジプト、南東にはスーダン、南にはチャドとニジェール、そして西にはチュニジアとアルジェリアの六ヶ国と国境を接している。地域区分は大きく分けて北西部のトリポリタニア、北東と南東部のキレナイカ、南西部のフェッザーンに分けられる。行政区分は三一区に分かれている。地中海に面した国々のなかでも、リビアの一七七〇キロメートルを超える海岸線はもっとも長い。しかし、地中海沿岸のわずかな農耕地帯を除いて、この広大な国土は九三パーセントが砂漠地帯に属している。このリビア砂漠はサハラ砂漠の北端に位置していて、サハラ砂漠のはるか奥に向かって縦横に広がっている。

海岸地域の気候は温暖な地中海性気候で、夏は乾季に、冬は雨季になる。内陸地域は広大な砂漠で、夏の昼間は猛暑となり、冬の夜間は零下の寒さとなる。真夏でも真夜中から明け方には気温が急激に下がるという、寒暖の差が激しい地域である。リビアの最高気温は二〇〇二年に地中海に面したスルト

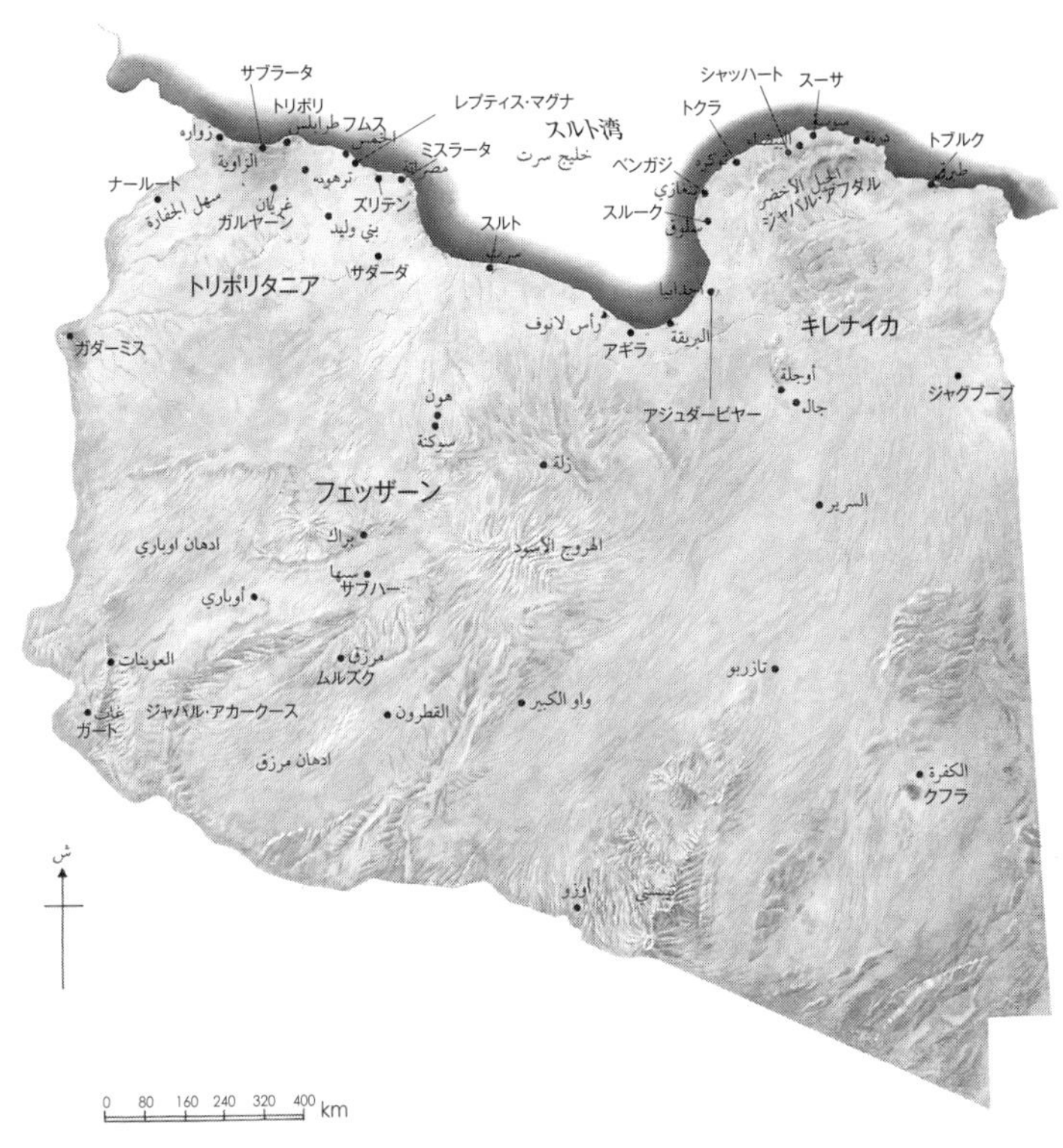

リビアの地形。地中海沿岸の低地の他は砂漠と山岳地帯で占められている。
出典：The Great Man-made River Project, 1989 を一部改変。

（シルテ）で四八・五度、二〇〇三年には西部の内陸部でチュニジア国境に近いガダーミス（ガダーメス）で四七・〇度、最低気温は二〇〇二年にエジプト国境に近い東部砂漠のジャグブーブでマイナス三・〇度、二〇〇三年には南部のガートでマイナス四・五度であった。一日の最高降雨量は二〇〇三年にレプティス・マグナに近い地中海沿岸のミスラータで一〇二・五ミリである。

この地中海沿岸でもっとも長い海岸線は、どこをとっても第一級の観光地となる要素を秘めている。まず海岸線に沿って西から東へ、サブラータ、トリポリ、レプティス・マグナ、シャッハート（キレーネ）、スーサ（アポロニア）などの古代遺跡が点線を描くように散在し、そのほとんどが手つかずの

サブラータのローマ遺跡。美しいモザイクの床が海岸に迫り、遠くに神殿の柱も。

状態で、なかば砂に埋もれている。紺碧の海を背景にしたフェニキア時代やローマ時代の遺跡のたたずまいは、海を渡る心地よい風とともに、わたしたちの心を古代へと誘うようにみえる。ここは、まさに歴史のロマンが、いまだに人知れず眠っている場所である。

さらに、人口密度も少なく重工業施設もほとんどない海岸線には、おそらく地中海沿岸のなかでは、どこよりも透明度の高い海水が打ち寄せている。海底が何メートルも先まで見通せるほど澄みきった海岸では、どこでも心地よい海水浴が楽しめるであろう。

紺碧の海とどこまでも広がる青い空に、保存状態のよい古代遺跡との絶妙な組み合わせは、やがてこの国に観光産業が沸騰するであろう可能性を教えてくれる。しかし、人工的なホテルやけばけばしいレジャー施設が建設され、世界中から多くの人々が訪れてごったがえし、土産物屋が林立して、いかがわしい客引きが横行するという、一般的な観光地の姿は、この海岸には似合わないように思える。

トリポリ近郊の農村地帯。オリーブなどの果樹園が広がり、意外に緑が豊か。

貴重な世界遺産には、ある程度の補修や再建はつきものであるし、考古学の研究のためにはさらに発掘作業を拡大する必要もあろう。しかし、遺跡をいたずらに補修し再建して往時の繁栄を再現したとしても、それは過ぎ去った年月を取り戻すことにはならない。数千年から数百年という時間の経過をそのままに、歴史の流れを静かに受け止めることができるような環境を維持しながら、修復や補修をしてほしいと願うのは、リビアの古代遺跡を訪れた誰でもが抱く感慨であろう。観光開発もこのような路線に沿ったものであってほしい。

昼間、トリポリ空港へ接近する飛行機から見ると、地中海沿岸から続く農耕地は赤茶けているが、オリーブや柑橘類が整然と植えられており、地平線まで果樹園が広がっているのが印象的である。しかし、リビアには、つねに水をたたえて流れる河川は一本もみられない。地中海沿岸では一〇月から三月ころまでが雨期となるが、降雨量は年間平均で二〇〇〜三〇〇ミリに過ぎない。そのために農耕地は全土の一パーセント程度、森林らしき地域も一パーセント以下だとみられている。果樹園にも、給水用の水路やスプリンクラーの設備は、ほとんど設置されていないか、設置されていても十分な給

上／サハラ砂漠の北端にあたるナフーサ山脈の北側には、なぜかテーブル状の岩山が多い。
下／ガダーミス近郊のムジャッザム湖。塩湖だが、小さな魚が泳いでいた。

水ができない状態である。リビアの農業は、雨期のわずかな降雨とオアシスなどの地下水によってかろうじて維持されているが、現在でも食料供給の四分の三は輸入に頼っているのが現実である。

国土の約九三パーセントを占めるリビアの砂漠は、実にさまざまな形状を持っている。なだらかな稜線を描く丘状の砂漠らしい砂漠（砂砂漠）、標高一〇〇〇〜一五〇〇メートル級の山岳地帯を形成する岩石砂漠、点在する高原、オアシス、湿地帯、湖など、まさに砂漠は生きていることを実感させてくれる。しかも、近年の考古学と地質学の調査によれば、紀元前六〇〇〇年ころまで、サハラ砂漠の大部分は森林や草原におおわれていたという。先史時代の豊かな農耕や狩猟の光景は、ユネスコの世界遺産に登録されているジャバル・アカークースの岩絵に生き生きと描かれている。ジャバル・アカークースはリビアの南西部に位置する山地で、アルジェリアとの国境の町ガートの近郊にあるが、このような岩絵や彫刻は、リビアの南西、フェッザーン一帯には数多く残されている。いずれも十分な調査や保存作業も行われておらず、盗掘や崩壊の危機にある。

（塩尻和子）

2

古代のリビア

――★「リビアにはすべてのものがある」―― ヘロドトス★――

古代ギリシアの歴史家ヘロドトスが『歴史』を著した時代（紀元前五世紀ころ）から近年まで、リビアに対する外国勢力の関心は海岸線一帯のみに集中しており、内陸部の歴史や住民については、現代でも不明な点が多い。南部の山間部、アカークース山地には数多くの岩壁画や岩壁彫刻が残されており、有力な民族が高度な文化を形成していたと見られる。第1章で記したように、これらの岩壁画や彫刻は現在では世界遺産に登録されている。

この地リビアには、紀元前二〇〇〇年ころのフェニキア人を皮切りに、ローマ帝国、バンダル人、ビザンティン（東ローマ帝国）、アラブ、スペイン、マルタ、トルコ（オスマン帝国）、イタリアなどの外国勢力が侵入したが、それらの支配も海岸線のみに集中していた。内陸部の砂漠地帯では先史時代から近年まで、遊牧や半遊牧の原住部族が自由に移動しつつ暮らしていた。外国勢力はこれらの内陸部の遊牧の商人たちを懐柔することによって、中央アフリカから地中海へと続く隊商路を確保していた。七世紀にイスラーム教徒のアラブ軍がアラビア半島から侵攻して以降、内陸部にもしだいにイスラームが浸透していった

フェニキア船とおぼしき柱の浮き彫り。レプティス・マグナで。

が、イスラーム政権はこの地に政治の中心を置かなかった。したがって、現在のリビアの国土は、じつに一九五一年にトリポリタニア、キレナイカ、フェッザーンからなる連合王国として独立するまで、統一政権を持ったことはなかった。

リビアの海岸地域に、今のレバノンの港町ティール（現在のスール、聖書ではツロ）、シドン、ビブルスなどからフェニキア人が入り込むようになったのは、紀元前二〇〇〇年の終わりごろだといわれている。古来、交易に長けていたフェニキア人は、アマジグ（ベルベル人）を介してアフリカの金、銀、象牙などを安く仕入れ、それらを東へと運んで仲介手数料を稼いでいた。ヘブライ語聖書（旧約聖書）にも、古代イスラエル王国のソロモン王（紀元前一〇世紀ころ）がツロのヒラム王に率いられたフェニキア人を頼りにして三年ごとに船を出してアフリカから財宝を買い集めていた、と書かれている（列王記Ｉ一〇章二二節）。当時の小さな交易船で地中海を往復するのは、現代では想像もできないほどの危険が伴う航海であったため、彼らは沿岸寄りを航行する方法を選び、北アフリカの地中海沿岸に中継都市を建設していった。現在のトリポリを中心とする都市は当時、アフリカの奥地から金、銀、象牙、

ダチョウの羽などの貴重な産物や黒人奴隷たちを運び出す重要な港町になっていった。

フェニキア人がいつのころにトリポリ一帯を植民地として支配し始めたのかは、はっきりとはしないが、紀元前一二世紀か、遅くても八世紀のことであったといわれている。特にこの地域がローマ帝国の属州となってからは、ローマ

上・下／トリポリ旧市街では、伝統的な銀・銅製品が、職人の手で今も作られている。

トリポリ市内ザフラ地区の八百屋。種類も多く、値段も安い。アフリカ諸国から輸入された果物もある。

の闘技場に送る猛獣の輸送基地として、またローマ市民に麦やオリーブなどの食糧を供給する穀倉地域として、欠かせない貿易都市となった。ローマ帝国の「パンとサーカス」という国策を支えたのが、実はこのリビアであったということは、歴史好きの人にとってはたまらなく興味を惹かれることであろう。ギリシアの歴史家ヘロドトスが「リビアにはすべてものがある」とリビアの豊かな土地柄を記述しているが、ローマ時代までのリビアは実り多い農耕地帯でもあったようである。

（塩尻和子）

3

トリポリタニア

★ライバルはカルタゴ★

「トリポリ」とはトリポリス、つまり三つの都市という意味であり、サブラータ、オエア（現在のトリポリ）、レプティス・マグナの三都市を指して、トリポリタニアと呼ばれていた。当時、アフリカ大陸の地中海沿岸にそってトリポリタニアから大西洋まで、フェニキアの植民都市がならんでいたが、フェニキア人がもっとも重要視してフェニキア風に建設したのがトリポリタニアの三都市であった。現在、ユネスコの世界遺産に指定されているレプティス・マグナとサブラータについては第5章から第6章で詳しく説明する。

フェニキア人の母国（現在のシリア・レバノンあたりの地中海沿岸部）では、紀元前八世紀の終わりに首都ティールがアッシリアによって滅ぼされたために、フェニキアの植民地は母国から分離したものとなった。紀元前八一四年に現在のチュニジアの首都チュニスの近くにフェニキアの植民地として建設されて以降、カルタゴは急速に勢力を蓄え、北アフリカのフェニキア人植民地を支配し始めた。トリポニタニアはカルタゴの支配に対して抵抗を繰り返したと伝えられるが、紀元前五一七年までにはカルタゴは、トリポリから大西洋に至るまでの広大な北アフリカを支配下においた。カルタゴが新生のローマ帝国によって三次にわたるポエニ戦争（前三～前二世紀）の結果、滅ぼされたのちも、トリポリタニアは属州アフリカの都市として自立して存続することができた。トリポリタニアの自立と繁栄は、レプティス・マグナ出身のセプティミウス・セヴェルスが西暦一九三年にローマ皇帝に選出されたことからも理解できよう。

トリポリ旧市街のカラマンリー・モスク。奥に見えるのはオスマン帝国時代の時計塔。

いっぽう、東のキレーネ（現在ではシャッハートと呼ばれている）はエーゲ海のテラ島（サントリーニ島）出身のギリシア人の植民地として、紀元前六三一年に設立された。その後二〇〇年の間にバルス（アル・マルジュ）、トクラ、プトレマイス（トルメイタ）、アポロニア（スーサ）の四つの都市を建設して、キレーネとともにペンタポリス（五都市）と呼ばれた。紀元前三三一年にはエジプトから入ってきたアレキサンダー大王を忠誠の誓いをして迎えたが、大王は国境にとどまりキレーネには入らなかったと伝えられる。アレキサンダー大王の死後、キレーネはエジプトを受け継いだプトレマイオス家の支

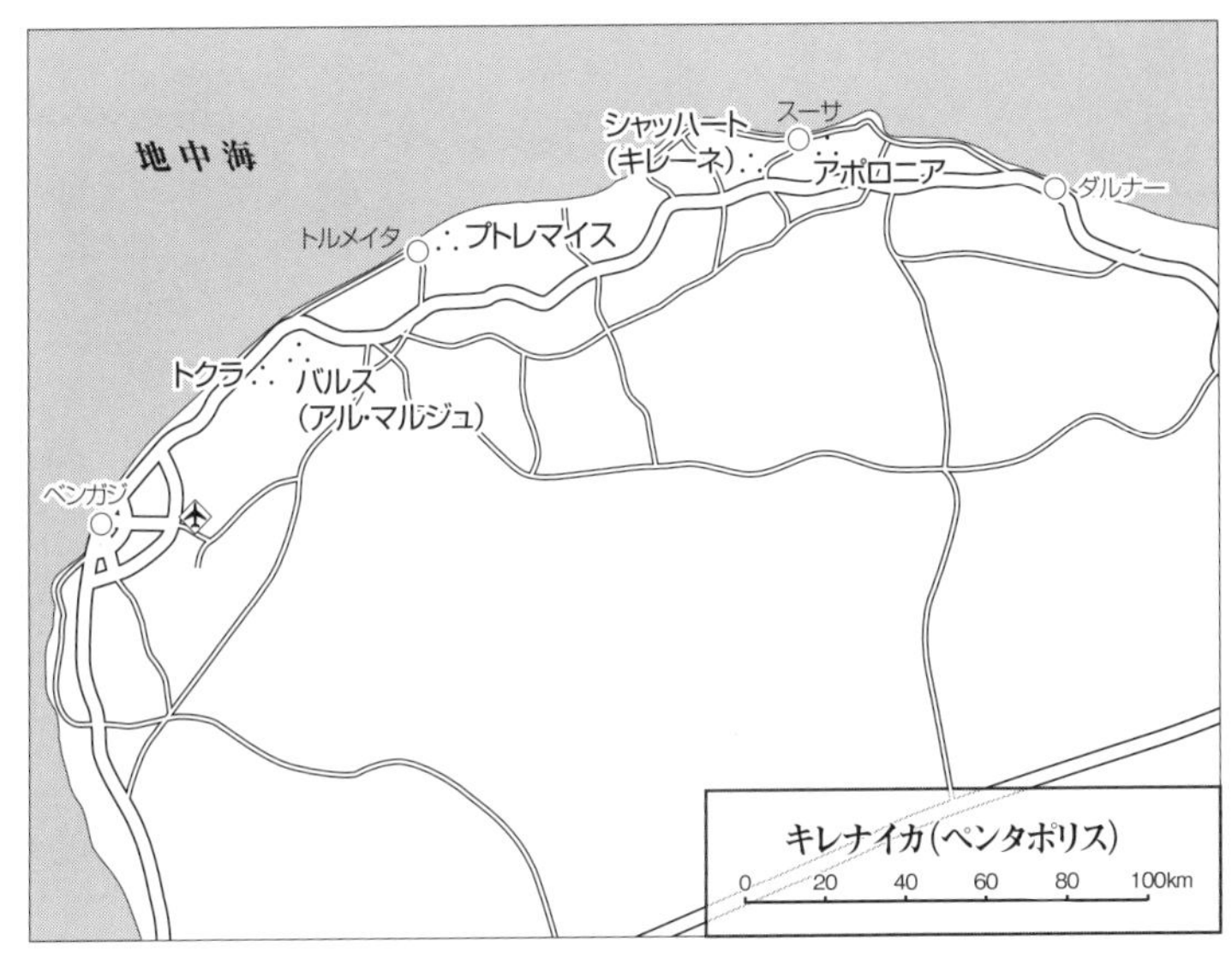

配下に入ったが、ペンタポリスは自治権を持った都市として栄えた。紀元前七五年にローマに占領されたが、ローマの都市となった後も、ギリシア的な文化を維持していたといわれている。しかし、その後はユダヤ教徒の反乱や二度の大地震などを経てしだいに疲弊し、西暦六四三年にアラブ人のイスラーム軍がやってきたときには、その重要度も輝きも失せていたと伝えられる。

かつてのオエア、現在のトリポリは地中海沿岸に点在する古代都市のなかでは、唯一、廃墟となることなく、創設時から今日まで、ずっと都市機能を果たしてきた。現在ではフェニキア時代の建造物はほとんど残っていないが、紀元前一四六年の第三次ポエニ戦争で最終的にカルタゴを滅ぼしたローマ帝国がトリポリタニアと同盟を結んで属州のアフリカ州に組み入れるまで、約一〇〇〇年以上もの長いあいだ、フェニキアの文化と民族がこの地に定着していたことになる。

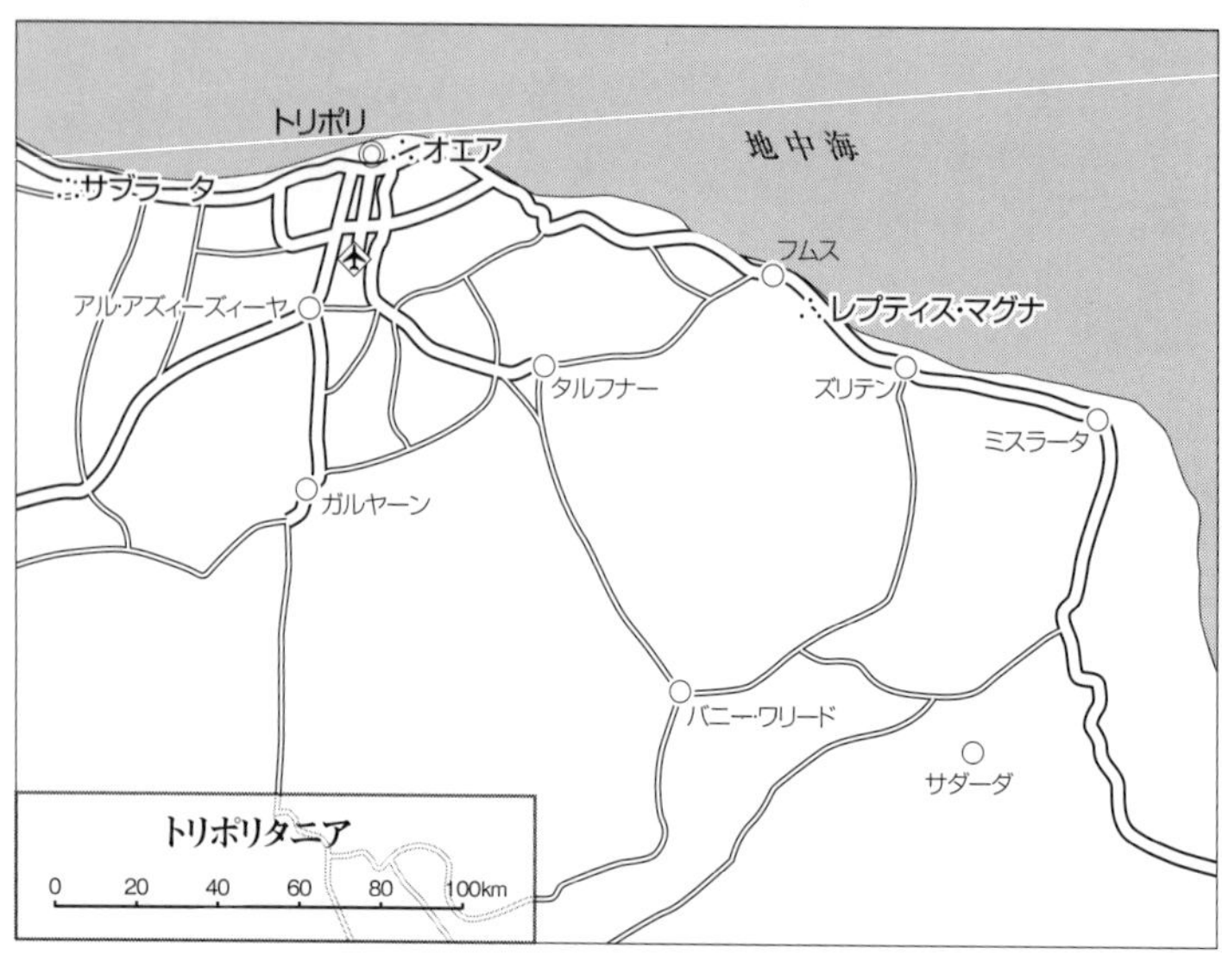

このことは、現在のリビア人気質にも大きな影響を与えており、さまざまな分野にレバノン、シリアとの交流の遺産を見ることができる。まず、地中海沿岸地域に住む人々は、肌は褐色でベルベル人に近いかもしれないが、顔立ちは彫が深く細面で、レバノン人やシリア人に似ている。また、現代のリビア方言のアラビア語にも、隣国のエジプト方言ではなく、レバノンやシリアの方言が混じっている。歴史に「もしも」ということは許されないが、オスマン帝国の不適切な蔑視的支配（一八三五〜一九一一）や、イタリアによる残酷な軍事的抑圧（一九一一〜一九四三）がなく、カッザーフィーによる革命（一九六九）後の四二年間にわたる鎖国的政策もなければ、リビアの人々は古代フェニキア人のように交易に長け、現代のレバノン人のように交際上手で、地中海を縦横に渡って活躍していたかもしれない、と思えてくる。

（塩尻和子）

4

地中海の砦 トリポリ

★三〇〇〇年を生きた都★

トリポリはトリポリタニア三都市のなかでは、歴史を通じて生き延びてきた街である。紀元前一二世紀ころにレバノンからやってきたフェニキア人が、オエアという植民都市を建設して以来、三〇〇〇年を超える長い年月を生き抜いてきた砦の町でもある。フェニキア人、都市国家カルタゴ、ローマ帝国、アラブの侵入とイスラーム化、ビザンティン帝国、大小のイスラーム王朝、スペイン、マルタ島のヨハネ騎士団、オスマン帝国の支配、イタリアの侵略、リビア人のイドリース王をいただく連合王国、そしてカッザーフィーの革命、と地中海世界を中心に、東と西の勢力が交代にやってくるという東西の交流点でもあった。

両隣のサブラータやレプティス・マグナは、一〇〇〇年近くも放置されて砂に埋もれた廃墟となったために、古代フェニキアからローマに至る都市構造がよく保存された遺跡となったが、三〇〇〇年を生き延びたトリポリでは古代の遺跡はほとんど残っていない。オエア、つまりトリポリにはつねに人々が住み続けてきたために、古い建造物を破壊して新しい住居を建設するという都市の新陳代謝が続けられてきた街となった。

赤壁城。現在は国立博物館となっている。

今でも市内を歩くと、何気ない場所に数千年前の遺跡が周囲を削りとられて小さくなってポツンと建っているのに気づくことがある。マルクス・アウレリウスの門もそのひとつである。現在ではこの門の脇にマグレブ（北アフリカ）料理を出すレストランがあり、その名も「遺跡レストラン」（マトアム・アル・アーサール）という。夏の夜、ライトアップされた門の周りを半周する形のテラスで、蝋燭の灯りのもとでクスクスなどのチュニジア風料理をいただくのは、なかなか趣がある。味も日本人の舌に合うが、なんといっても量が多い。

現在のトリポリ港を見下ろす位置に、リビアを支配した歴代政権の政庁であった城砦「赤壁城」（アル・サラーヤ・アル・ハムラー、「赤い城砦」の意）があり、その周辺には城壁で囲まれた旧市街が広がっている。この赤っぽいレンガ造りの城砦は、政権交代のたびに幾度となく建て替えられたが、現在の砦は一七一一年にトリポリに政権を樹立したカラマンリー朝の執務所でもあり、牢獄でもあった。今ではその大半が、国立博物館になっている。

この赤壁城を利用した博物館は三階建てで、一階には旧石器時代から古代ローマ遺跡まで、二階にはレプティス・マグナの遺跡から運び込まれた彫刻や彫像と、ローマからイスラーム時代までのコイン類が展示されている。三階には、大きくスペースを取って、イスラーム時代やオスマン時代、現代までのリビアについて、遊牧民のテントや衣服、宗教生活や日常生活がわかるような展示が工夫してあるが、ときおり閉鎖されることがある。

カッザーフィーが政権を維持していた時代には、一階の入口ホールの奥に、カッザーフィーが革命を起こしたころに愛用していた空色のフォルクスワーゲンが置かれていた。ほかの古代の展示物とは違和感があるが、これも「カッザーフィーのリビア」らしかった。今ではカッザーフィーや旧体制に関するものは取り払われている。

この博物館の収蔵品は、考古学的にも芸術的にもきわめて優れた世界的な遺産であるが、残念なことに、ほとんどの説明版がアラビア語のみで簡単に記されている。収蔵品の管理もいいとは言えず、貴重な陶器にカビが生えているのが、ガラスケース越しに見えたりもする。

（塩尻和子）

5

世界遺産の古代都市①レプティス・マグナ

★大理石の都★

現在まで、リビアの世界遺産は、サブラータ、レプティス・マグナ、キレーネの三つの古代都市と、南部のアカークース山脈の原始時代の岩絵と壁画（ユネスコのホームページでは「タドラット・アカクスのロックアート遺跡群」と紹介されている）、西部砂漠の隊商都市ガダーミスの五ヶ所が登録されている。なかでも地中海沿岸の三つの古代都市は保存状態がきわめて良好で規模も大きく、世界でもっとも美しい古代遺跡だという専門家もいる。本書では、この章と次章で、著者が実際に何度も足を運んだレプティス・マグナとサブラータ、それにイスラーム都市ガダーミスを説明する。

「レプティス」という名の町はチュニジアにもあり、今のスースの南にあたるが、これと区別するために「大レプティス」という意味になるように「マグナ」がつけ加えられたといわれている。レプティス・マグナの最初の建設年代ははっきりしないが、紀元前七世紀ころから、母国のティールから逃れたフェニキア人や、西のカルタゴから移住したフェニキア人の植民都市として発達したといわれている。その後の五〇〇年間は目立たない静かな町であったが、紀元前一四六年にカルタゴが

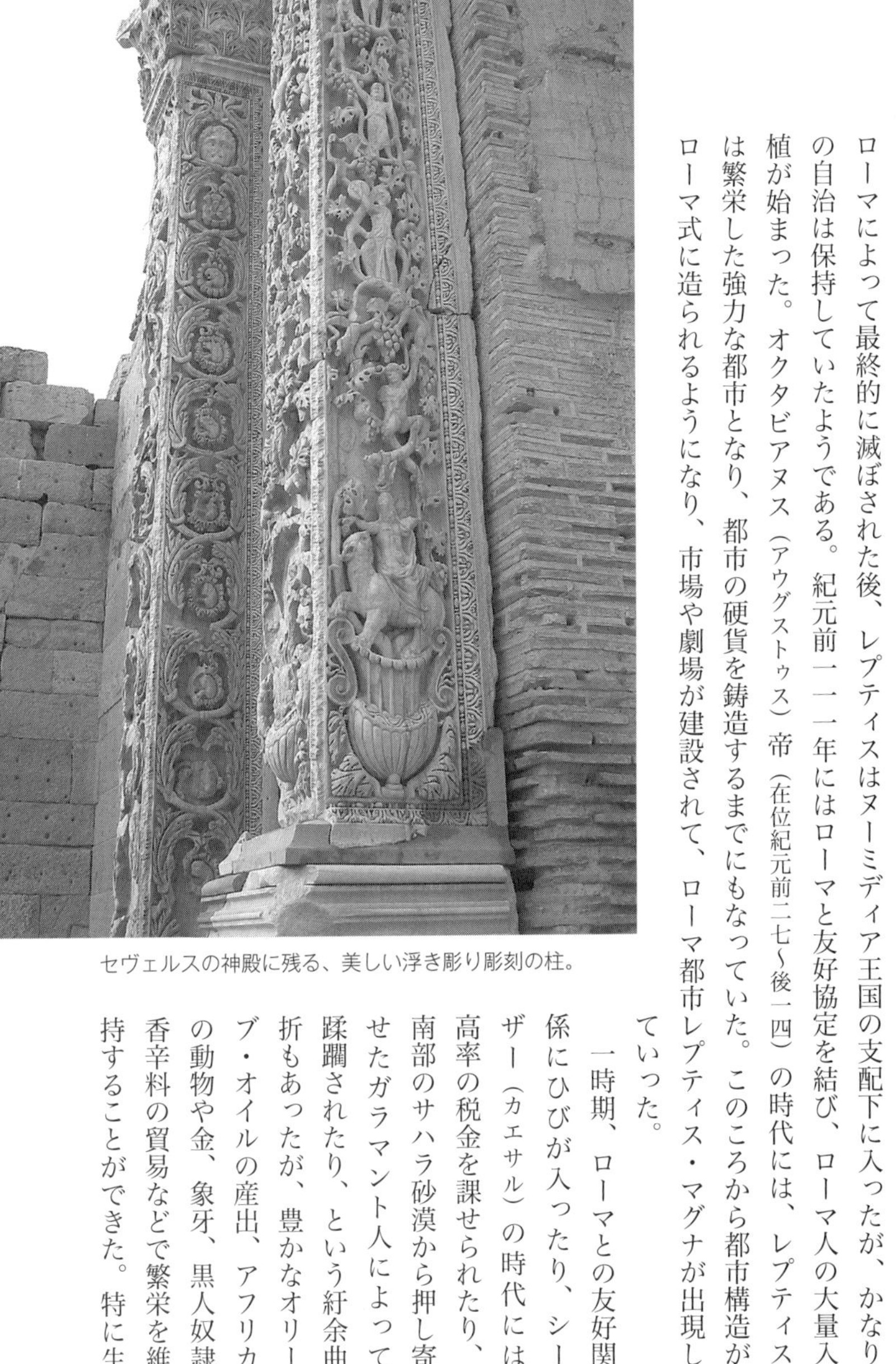

セヴェルスの神殿に残る、美しい浮き彫り彫刻の柱。

ローマによって最終的に滅ぼされた後、レプティスはヌーミディア王国の支配下に入ったが、かなりの自治は保持していたようである。紀元前一一一年にはローマと友好協定を結び、ローマ人の大量入植が始まった。オクタビアヌス（アウグストゥス）帝（在位紀元前二七～後一四）の時代には、レプティスは繁栄した強力な都市となり、都市の硬貨を鋳造するまでにもなっていた。このころから都市構造がローマ式に造られるようになり、市場や劇場が建設されて、ローマ都市レプティス・マグナが出現していった。

一時期、ローマとの友好関係にひびが入ったり、シーザー（カエサル）の時代には高率の税金を課せられたり、南部のサハラ砂漠から押し寄せたガラマント人によって蹂躙されたり、という紆余曲折もあったが、豊かなオリーブ・オイルの産出、アフリカの動物や金、象牙、黒人奴隷、香辛料の貿易などで繁栄を維持することができた。特に生きた猛獣の輸送は、ローマで市民の娯楽として闘技場で使われるために非常に重要となっていた。

歴代のローマ皇帝はレプティスに巨大な記念碑を建てて威厳を誇示したが、特にハドリアヌス（在位一一七〜一三八）は巨大な給水設備を使って、豪華な浴場を建設した。しかし、このころがレプティスの最盛期であったようで、この地出身のセプティミウス・セヴェルス（在位一九三〜二一一）が皇帝位についた時期は、まさに最後の繁栄期となった。その後、二九四年から三〇五年にディオクレティアヌス（在位二八四〜三〇五）帝がトリポリタニアの首都として再び繁栄させようとしたが、昔の栄華は戻らなかった。三六五年には致命的な大地震が起こり、その他の天災やローマ帝国そのものの弱体化にともなって、この都は二〇〇年間も放置されたという。レプティスの豊かな富はサハラ砂漠の住民による侵略、ゲルマン系のバンダル人の侵攻など、つねに周辺からの脅威にさらされていた。その後、六世紀までにレプティスはビザンティン帝国の支配下に入り、五三三年には東ローマ皇帝ユスティニアヌス一世（在位五二七〜五六五）がバンダル人を排除してレプティスの再生を計画し、町を城壁で囲みローマ神殿をキリスト教会に改造したりした。この城壁は七世紀のイスラーム軍の侵攻には持ちこたえたが、一〇世紀になるとイスラーム支配下に入り、修復も試みられたものの住民が戻らず、その後は一〇〇〇年近く、見捨てられて砂に埋もれていた。

レプティス・マグナ出身のローマ皇帝セプティミウス・セヴェルスは、自分の生まれ故郷をローマに対抗する大都市に仕立て直そうとして、広場、神殿、女神の神殿、港などの建築を進めた。現存しているセプティミウス・セヴェルスの凱旋門は、彼の権力とレプティス・マグナの繁栄の象徴である。

都市が廃墟になって以降、レプティス・マグナについて最初にヨーロッパにもたらされた報告は、

海岸に放置されたままの、緑がかった美しい大理石の柱。

一七世紀のアラブ人やヨーロッパ人の探険家や旅行者によるものである。一六八六年、当時オスマン帝国の属州であったトリポリに駐在していたフランス領事クラウド・ル・メールは、レプティス・マグナの遺跡探しに没頭し、大理石の柱や彫像を発掘してはパリへ送り、彫刻や建造物の材料として売りさばいた。これらの大理石は、サンジェルマン・デ・プレの教会、ルーアン城、ベルサイユ宮殿などの建設や彫刻に用いられた。彼以外にも多くのヨーロッパ人が、レプティス・マグナの大理石をマルタ、イスタンブール、ロンドンなどへ持ち帰り、それらはマルタのセントジョージ教会やロンドンのウィンザー城の建設に用いられた。

現在でも、レプティス・マグナの海岸には、緑がかった美しい大理石の巨大な柱が三本、並んで残っている。おそらく重すぎて船に積みきれなかったのであろう。ほかにも彼らの蛮行の後は、遺跡の至るところで見ることができる。

学術的な発掘事業は一八四五年になって開始され、その後、第一次世界大戦の終わるころまでには、イタリアの考古学者ピエトロ・ロマネッリなどの監督によって組織的な発掘作業が行われるようになった。一九五一年にリビアがイタリアから独立した後もイタリアの考古学者による発掘が続けられてきた。現在では、リビア考古局の管理のもとで、イタリア、フランス、イギリスなどの発掘調査隊によって、

セヴェルスの新広場を見据える、海の妖精。回廊のアーチに刻まれている。

細々ではあるが発掘、修復、調査が続けられており、日本の参加も期待されている。

レプティス・マグナは一〇〇〇年近くも廃墟となり、砂に埋もれていたために、近代的な住居建設が遺跡を破壊することなく、保存状態がきわめて良好で、アフリカ最大のローマ都市遺跡であるが、その全貌が明らかになれば、世界最大のローマ都市遺跡となるかもしれない。レプティス・マグナは一九八二年にユネスコの世界遺産に登録された。しかし、残念なことに最近の報告によれば、内戦に呼応するように、盗掘が盛んに行われるようになり、貴重な彫像などが不法に国境を越えているといわれる。リビアの遺跡の保存と救済は、猶予ならない危機的な状況にある。

二〇一一年二月に始まった反政権派による内戦によって、四二年間もリビアを支配したカッザーフィーが暗殺されたのちも、全土を支配できる安定的な政権が樹立されることなく、今日（二〇二〇年二月現在）に至るまで、国内の至るところで対立や戦闘が続いているが、現地からの報告によれば、幸いにしてこれらの貴重な遺跡にはほとんど被害は見られないとのことである。

（塩尻和子）

セヴェルスの凱旋門。撮影時は3月初めで愛らしい春の野花が咲いていた。

コラム1

レプティス・マグナ紹介

塩尻和子

◇セプティミウス・セヴェルスの凱旋門

西暦二〇三年にレプティス・マグナ出身の皇帝とその家族をたたえ、皇帝の故郷訪問を記念するために建設された。当時としては珍しく石灰岩で建設され、表面に大理石が張られていた。最上階の屋根部分には皇帝の軍事的成功や二人の息子、勝利の行進などの彫刻が、その下の四本の柱の内側には羽を広げた鷲が、アーチの両側には勝利の女神の彫刻が飾られている。しかし、現在、この門にある装飾はほとんどがレプリカで、本物はレプティス博物館と国立博物館(赤壁城)に収蔵されている。

◇劇　場

レプティス・マグナの劇場は石造りの劇場としては、ローマ帝国内ではもっとも古い部類に

レプティス・マグナの華、半円形の客席を持つ劇場。後ろに地中海が広がる。

入り、アフリカで残存している劇場のなかでは、サブラータの劇場についで二番目に大きい。紀元前四〜三世紀にカルタゴの墓地であった場所に、紀元後一〜二年に豪商が財を投じて建築したものである。舞台には三つの半円形状の窪みがあり楽屋だったと思われるが、美しい柱で囲まれている。観客席の、衝立で遮られた内側、オーケストラ席の後ろには貴族やＶＩＰが椅子を置いて座っていた。入場口の梁には、握手している手の形の彫刻と、豪商が寄付した次第を記した碑文がラテン語とピュニックと呼ばれる古代カルタゴ語で刻まれている。オーケストラ席の地下には、地下水と雨水を貯めた井戸がある。劇場には数多くの彫像が飾られていたが、現在ではすべて博物館に展示されている。

劇場の頂上から見る景色は、青い空と紺碧の地中海と遺跡のコントラストが見事で、時間のたつのを忘れるほど感動的である。

劇場の裏手に花崗岩の柱が林立している様子

が目に入るが、これは劇場を建てた商人の家族が献納した神殿で、皇帝アウグストゥスに捧げられていた。

◇旧広場（フォーラム）

海岸のすぐそばのこの一帯には、小さな崩れた神殿がたくさん見られる。ここはレプティス・マグナの最初期の入植地で、紀元前七世紀に建設が開始された。北東部分には古いフェニキア人の住居がある。広場の西側には西暦一世紀ころの四つの神殿があり、それぞれアントニウス・ピオ、リーベル・パーテル（レプティス・マグナの守り神でディオニュソスのことと考えられる）、ローマとアウグストゥス、ヘラクレスに捧げられている。もう少し進むとビザンティンの教会跡が見える。現在、広場には発掘と修復用の小屋もあり、壊れた大理石の破片が山積みになっているのが、なんとも悲しい。

◇ビザンティン門

旧広場へ抜ける門でビザンティン都市への入口として、古い石を再利用して立てられている。旧広場はフェニキア時代の最古期の神殿や住宅群で囲まれていたと考えられるが、ビザンティン時代に大きく修復された。ビザンティン時代の修復は、赤っぽい薄いレンガを横に積んで粘土で固めた修復方法が採用されているのでわかりやすいが、美しい大理石や石灰岩の切石を隙間なく積んで立てられたローマ時代の重厚な建築技術からみると、なんとも幼稚で哀れを催すほどである。また、壊れた

無造作に修復されたビザンティン都市。

セヴェルスの新広場、回廊のアーチ。海の妖精とメデューサが並んでいる。

柱や装飾柱頭を無造作に積み上げて建物の壁を造っている様子も、わびしい限りである。

◇セヴェルスのバシリカ式神殿

セヴェルスのバシリカは横四〇メートル、縦九二メートルの巨大なバシリカ式神殿域で、セヴェルスの広場の北東をふさぐように建っている。この建物はもともと裁判所であったが、両側に後陣（アプス）があり、おそらくは木造の屋根が葺かれていたようである。セプティミウス・セヴェルスが建築を始め、息子のカラカラが後二一六年に完成させている。両側のメインホールの入口にある柱には、緻密で美しい彫刻が施されているが、彫刻の多くはディオニュソスとヘラクレスに捧げられている。

この神殿は五世紀にはユダヤ教のシナゴーグに、六世紀にビザンティンの教会に造り作変えられ、南東側の後陣に祭壇が作られ、北西側にはギリシア十字を象った洗礼槽が残されている。

ビザンティン時代の修復や改装はもとの建物の柱や壁に赤っぽいレンガを積み上げて造られているので、改装部分が一目でわかる。北西部のアプスの後ろの階段を頂上まで上れば、セヴェルスの港や遺跡の全貌が見える。

神殿の内側の石壁に小さな穴が無数に開いているが、もともと二階建ての列柱が並んでおり、木造の回廊が走っていたと伝えられることから、穴は木の柱や板を固定するために開けられたものと考えられる。

◇セヴェルスの新広場（フォーラム）

セヴェルスの神殿を抜けると、視界が一挙に開けて、縦一〇〇メートル、横六〇メートルの広大な広場に出る。皇帝セヴェルスは自分の名前を冠した新しいフォーラムを建造した。広場は二階建ての屋根つきの回廊で囲まれており、各階のアーチの間には、メデューサ（ゴルゴン）と海の妖精（女怪物スキュラだという説も）の首の彫刻が飾られていた。妖精のほうは丸く可愛い顔をしているが、メデューサの顔には鱗状の模様があったり、髪の毛の蛇が口をあけていたりしているものがあり、ほとんどが恐ろしい顔つきをしている。しかし、どちらも瞳はハートマーク、眉毛は魚のヒレ型をしており、見分けはつきにくい。

広場の南西の端にはセヴェルスの家族に捧げられた神殿が建設されている。二七段の階段があり、白い大理石の台座に赤い花崗岩の柱が立ち並び、台座には人間と巨人が戦う様子が彫られていた。神殿の地下はかなり広く、現在でも入ることができる。しかし、今では装飾品などはなにもない。

春の野花に彩られたニンフの神殿。

◇ニンフの神殿

セヴェルスの時代には、前庭に美しい噴水が造られていたと伝えられる。半円形の構造は舞台を思わせる。壁のくぼみには多くの彫像があったようだ。頂上まで上ると眺望がすばらしいので、イタリアの占領中には「ムッソリーニの展望台」と呼ばれていた。現在では後壁の大半が崩れ落ちている。

◇ハドリアヌスの浴場と競技場

西暦一三七年（一二六〜一二七年という説も）に開設された浴場と競技場は、ローマの伝統にのっとった大娯楽施設である。陸上競技場（軽いスポーツ施設）を過ぎると、左手には公衆便所が設けられている。椅子式の便器の下に水が流れる水洗トイレで、足もとには手を洗う清潔な水が流れるようになっている。石切職人が寸法を誤って図面を引き間違えたのか、大理石の便座に書き損じた図面が残っているのが、当時の人々のおおらかさが感じられて楽しい。

浴場は、会議室、スポーツ用プール、冷水浴場、温水浴場、スチーム風呂、着替え室、マッサージ室、さらに図書館まで完備しており、天井にはモザイク画が描かれ、床は大理石で舗装され、高い大理石の柱が立ち並び、多くの彫像が飾られていたと思われる。残存する彫像は、すべて博物館に収蔵されている。

ハドリアヌスの競技場のトイレ。

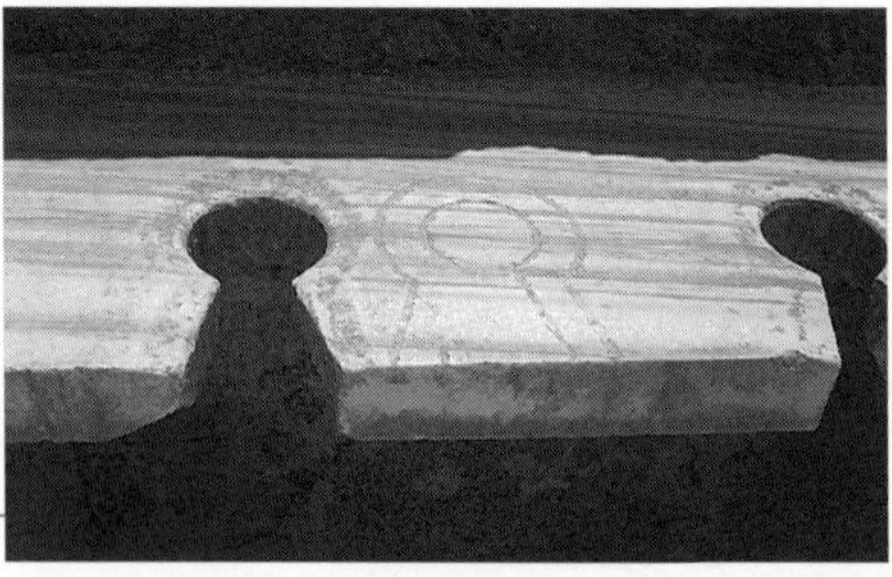

◇競技場

レプティス・マグナの博物館から東へ二キロ

楕円形の競技場。海の向こうに火力発電所のガスパイプラインが見える。

メートルほど行ったところに、西暦五六年ころ（皇帝ネロの時代）に建設された競技場がある。丘をくりぬいて作ったらしく、二〇〇メートルもあるような深いすり鉢状の楕円形の競技場で、一万六〇〇〇人の観客を収容できる。競技場の外は今では海岸になっているが、当時は、海はもっと沖あいにあったようである。海岸から場内に通じるトンネルが何本もあり、保存状態がよいので、ほとんどのトンネルに入ることができる。この遺跡は鉄道敷設工事の際に、偶然に発見された。競技場全体がすっぽりと砂に埋もれていたので、保存状態はきわめてよい。また、ここから西寄りに西暦一六二年に建設されたサーカス場も残っている。サーカス場は横四五〇メートル、縦一〇〇メートルの細長い楕円形で、二万五〇〇〇人を収容することができ、戦車レースなども行われていたようである。

6

世界遺産の古代都市②サブラータ

★モザイクの都★

古代ローマ都市サブラータの遺跡は、トリポリ市内から西へ約八〇キロメートルの地点に、海岸に沿って展開している。レプティス・マグナほど知られていないために、観光客の数は少ないが、日本人には人気があるようで、リビア政府の統計によると二〇〇五年一月から三月までにサブラータを訪れた観光客の人数では、日本人は六〇四名でイタリア、ドイツ、フランスなどのヨーロッパ諸国に混じって六位である。

レプティス・マグナと同様に、サブラータにもフェニキア、カルタゴ、ギリシア、ローマ、ビザンティンの都市構造が層になって重なり合っている。サブラータという名称の由来ははっきりしないが、ベルベル語で「穀物市場」という意味であったらしい。紀元前五世紀にはフェニキア人の入植が始まっていたが、本格的な定住が始まったのは紀元前四世紀ころからで、チュニジアのカルタゴから安全な港湾を求めて人々が移住してきたらしい。紀元前二世紀ころにはギリシア人も入ってきて、都市の建築や彫刻の技術を導入した。紀元後一世紀には町は大地震に見舞われ、その再建にはローマ式の建築技術が用いられた。再建の際、建築石材には主に地元産の砂岩が用いられ、そ

アフリカ最古のローマ劇場。舞台や楽屋もよく残されている。

の上を石灰岩や大理石が覆っている。そのために、遺跡全体がローマ様式に整備されているように見えるのである。

トリポニタニアのほかの二つの都市と同様に、サブラータが最盛期を迎えたのは、西暦一三八年から二一一年にかけての、アントニウス・ピウス、マルクス・アウレリウス、ルキウス・エリウス・オウレリウス・コモドゥス、セプティミウス・セヴェルスの四代の皇帝の時代である。マルクス・アウレリウス帝とコモドゥス帝の時代にサブラータはもっとも繁栄を誇ったが、この時期にはフェニキア時代の建造物を壊して、その上に壮大な神殿や劇場が建設されている。

ローマ帝国の経済にかげりが見え始めた三世紀ころに、サブラータの繁栄にも終止符がうたれた。西暦三六五年にはトリポリタニア一帯に致命的な大地震が起き、やわらかい砂岩で造られた都市構造は破壊された。五世紀ころにはヨーロッパから

フェニキア時代の葬祭殿の一部だといわれる、フェニキアの塔。

渡来したゲルマン系のバンダル人の襲撃を受け、五三三年にビザンティン皇帝のユスティニアヌス一世による修復が始まったが、西側の港と中央部分の都市だけを修復して教会を建築したにとどまり、ローマ様式の都市構造は廃墟となった。

七世紀にイスラーム軍が進入してきたのちも、町は一〇〇年間ほどは維持されたが、その後は二〇世紀にイタリアの考古学者が再発見するまで、一二〇〇年以上も砂に埋もれて眠っていた。しかも遺跡のかなりの部分が海に沈んでしまったとみられている。発掘調査と一部の修復はイタリアによって一九二三年から一九三六年にかけて行われたが、修復技術は稚拙で、セメントで接着した部分がすでにはがれかけている。

サブラータの建築にはやわらかい砂岩が用いられていたために、遺跡の石組みはかなり崩れている。しかし、フェニキア時代の葬祭殿「フェニキアの塔」、五〇〇〇人を収容することができるアフリカで最大のローマ劇場、三ヶ所の公衆浴場の床に残された見事なモザイクの床、など息を呑むような美しい遺跡に出会うことができる。
ローマ劇場は保存状態もよく、現在でも夏の夕方に音楽の祭典などが催されている。舞台の下には、観客から見える位置に、皇帝の行進や音楽や舞踊の神を描き出した見事なレリーフがそのままに残されている。多くの彫像やレリーフが現場から取り外されて博物館に展示されていることを考えると、サブラータの劇場は当時の建造物の豊かな芸術性に触れられる数少ない遺跡である。

美しいモザイクが雨ざらしになっている。奥に見えるのはローマ劇場。

また、サブラータはモザイクの美しさでも優れている。保存状態がよく、多色使いの重要なものは板囲いが施してあるが、ほとんどのモザイクの床は雨ざらしで、観光客がその上を踏んで歩く通路に残されているので、風化寸前のものもたくさんあり、なんとももったいない思いがする。この遺跡でさらに美しく繊細なモザイク画は、入口近くに建設されているローマ博物館で見ることができるが、それらは、おそらく北アフリカでもっとも美しく高度な技術を駆使した、重要なモザイクであろう。

（塩尻和子）

7

世界遺産の隊商都市ガダーミス

★砂漠の魔法の入口★

一九八六年に世界遺産に指定されたガダーミスの旧市街は、トリポリから約六〇〇キロメートル、アルジェリア国境から一四キロメートル、チュニジア国境からはわずか七キロメートルのリビア西部に位置している。もともとガダーミスは、豊富な地下水が湧くアイン・ファラスと呼ばれるオアシスの周辺に建てられた都市であるが、この位置関係によって、地中海からアフリカの奥地に繋がる隊商交易路の合流点となって繁栄した。まさに「砂漠の魔法の入口」である。

ガダーミス旧市街には、先史時から古代ローマを経てオスマン帝国に至る歴史を物語る遺物があちこちに何気なく用いられており、ベルベル、トアレグ、アラブの民族伝統とイスラームの文化が融合して一体化した、不思議な中世都市の雰囲気が漂っている。広場の柱や装飾のプレートなどにも、ローマ時代の柱が用いられていたり砂漠の部族の護符が描かれていたりする。

先史時代のガダーミスについてはよくわかっていないが、紀元前一九年にローマ帝国の支配下に入りオリーブ・オイルの供給地となった。レプティス・マグナ出身のローマ皇帝セプ

伝統的に外に出ることが許されなかったガダーミスの女性たちは、独特の声を上げて連絡を取り合い、屋上づたいに行き来していた。

ティミウス・セヴェルスの時代には、辺境防衛の要塞都市になっていた。六世紀になるとビザンティン皇帝ユスティニアヌス一世が管轄地区に組み、町を込みキリスト教に改宗させたが、六六八年にイスラーム軍が侵攻してくるとガダーミスはイスラーム教徒の町になり、今日に至っている。現在の都市構造の多くは約八〇〇年前に完成したといわれるが、市内にあるアティーク・モスクは一三〇〇年の歴史を持つ。そのためにこの町は「中世のイスラーム都市」と呼ばれることもある。

しかし、第二次世界大戦中の一九四三年一一月、連合軍の戦闘機がイタリア軍を狙ってガダーミスを空爆した際に、アティーク・モスクも破壊された。この空爆では市民三九名が死亡している。モスクは現在では再建されていて、運よく管理人と居合わせれば、内部を見学することができる。

日干し煉瓦で造られナツメヤシの幹で補強され、白い漆喰を塗られたガダーミスの一六〇〇の家屋は、砂漠特有の夏期の猛暑と冬期の寒さを防ぐために、窓が極度に少なく天井がふさがれている。まるで町全体が入り組んだ一軒の屋敷のように分厚い壁で四方に伸びており、壁と壁の間に狭い通路が網の目のように張り巡らされている。さらに屋上は家同士の隙間が狭く、繋がっているところも多い。女性たちが簡単には外出できなかった時代に、彼女たちが屋上を自由に屋根から屋根へと移動して、近隣同士で冠婚葬祭を助け合い、緊急事態には独特の甲高い声を出して危険を知らせ合うなど、臨機応変に対応していたと伝えられる。ガダーミスだけでなく中世のイスラーム都市では、屋上は女性の世界でもあった。

この町では、観光客は真っ暗な迷路のような通路を通って移動しなければならないので、観光ガイドはそのほとんどが旧市街出身者だといわれている。私たちが訪れた際にも、ガイドは真っ暗な道をすいすいと歩いて自分の旧居の近くまで案内してくれた。かつては電気も引かれてなかったので、人々は手に蝋燭を持って移動したそうであるが、この町に生まれ育った生粋の住民は、蝋燭がなくても真っ暗な狭い通路を自由に歩きまわっていたのである。

ガダーミスを訪れるときには、必ず大き目の懐中電灯を持っていくことをお勧めする。ガイドは暗い通路を横切って近道をすることが多いので、真っ暗い道を歩く破目になる。またマッカ（メッカ）巡礼を果たしてきた家では入り口のドアに凝った装飾を施す慣わしがあるので、そのような飾りドアを鑑賞する際にも懐中電灯は大いに役に立つ。

しかし、暗い通路を避ければ、大通りはかなり明るく、いつも数人の人々が行き交っている。町には七本の大通りが城壁の門に向かっているが、道幅はわずか二、三メートルほどしかなく、要所要所で小さな広場で繋がっている。大通りや広場の上は天窓が開いて陽光が差し込んでいて、広場には住民が座って歓談ができるように、壁の一部がベンチになっても、おもに大通りに沿って歩き、途中で出会った観光客についていくなら、必要なポイントを見て回ることは不可能ではない。しかし、住居の奥は昼間でも真っ暗で、道は迷路のようになっていて、住民以外は蝋燭や懐中電灯がなければ歩くことができない。

ガダーミスでは、世界遺産に登録された際に、すべての住民は家屋や土地の所有権は残したまま町を退去したが、今でも毎日のように自宅や家庭菜園の管理に戻る人も多いという。特に老人たちは昔の家が懐かしく、夏や冬の自然のエアコンを求めてやってくる。いくつかのモスクの管理をする老人たちの姿もみかける。これらの老人たちはイタリア占領時代を生き延びてきているので、外国人とみるとイタリア語で話しかけてくる。このような人々の姿が広場ちかくで見られるので、ガイドを雇わなくても道に迷うことはないように思われる。しかし、私たちのガイドは、この町で暮らした幼いころの思い出なども

上／街路にある小広場のベンチ。住民たちはここで出会って、情報交換をしていたという。

下／ガダーミスのガイド。この暗い迷路の奥に彼の生家がある。

語ってくれ、ガイドがいなければ知りえなかった話も聞けて、なかなか有意義な観光となった。

ガダーミスの旧市街では北側にワリード、南側にワジードという二つの部族が住み分けていて、二つの部族は中央広場で出会い、さまざまな行事や会合を行っていた。中央広場をはさんで、北側にワリード一族のアティーク・モスクがあり、南側にはワジード一族のユーニス・モスクがある。現在では、この中央広場には観光客が集まり、明るい陽光のもとで土産物を選んだり休憩をとったりしている。

上／民家を改造したレストラン。壁の装飾はカラフルで楽しいが、味のほうは……。

下／ガダーミスの町の建築には古代ローマやフェニキア時代の柱や彫像の部分が使われている。

上／観光客用のガダーミスの茶店。

下／ナッツと砂糖の入った伝統的な砂漠のグリーンティー。

朝、早くに出発すると昼食は旧市街の民家で採ることができる。旧市街の門は午後四時には閉じられるので、観光は朝早くに始めたほうがよいであろう。民家を改造したレストランは、壁一面に鮮やかなパネルや民具が飾られていて、歩きつかれた目を楽しませてくれる。供される料理はマグレブ（北アフリカ）で一般的なスープとクスクスであるが、私たちが訪れた時、料理が冷めていて美味しくなかったのは残念なことであった。

毎年、一〇月には三日間続く祭り、ガダーミス・フェスティバルが開催される。人々は旧市街の自宅に戻って色とりどりの民族衣装をまとい、歌と踊りの祭典を繰り広げるという。この祭礼の期間に伝統的な結婚式も行われる。

（塩尻和子）

8

民族運動の狼煙

★砂漠のライオン★

ローマ人によるリビアの支配は、カルタゴが壊滅して以来、西暦四二九年にゲルマン系バンダル人がリビアに侵攻したり、四五五年にはローマがバンダル人に占領されたり、五三三年には東ローマ帝国（ビザンツ帝国）がリビアを再び征服したりと、紆余曲折を経ながらも続いていた。六四二年にアムル・イブン・アル・アースに率いられたイスラーム軍がほとんど抵抗も受けずに、エジプトから東部のキレナイカを征服し、翌年にはトリポリをも征服して、北アフリカのイスラーム化が始まった。

リビアの地中海沿岸は、大小のムスリム王朝の支配が去った後は一六世紀始めまで既存の王朝や帝国の支配をほとんど受けることなく、海賊が横行する地域となった。一五一〇年になって、スペインのハプスブルグ家がトリポリを占領したが、スペインは労力を要する植民地支配を避け、港湾だけを支配下においた。その後、一五二四年にスペイン王カルロス五世はマルタに基地をおいていた聖ヨハネ騎士団にトリポリの支配を委託したが、その一四年後には強力な海賊によって再占領された。この海賊の首領のアラビア名はハイル・アル・ディーン（一四八三？～一五四六）、つまりあの「赤髭」バルバロスであった。バルバロスは現在のチュニジアのリゾート地、ジェルバ島を本拠地として北アフリカ沿岸を荒らしまわったが、オスマン帝国のスルタンに帰順して海軍提督兼アルジェリア総督に就任した。

一五五一年、オスマン帝国がリビアを征服して、再びイスラームが支配するようになったが、オスマン帝国は海賊の卓越した航海術を利用して同盟軍に加え、その略奪品の上前をはねる目的で、海賊が地中海沿岸を支配するのを大目にみていた。やがてかれらは自前の海軍を擁するようになり、その一部はリビアでなかば自治を獲得していた。

一七一一年になって、トルコ軍人とリビア女性との間に生まれたアフマド・カラマンリーが権力を掌握し、一二四年間続くことになるカラマンリー朝を建設した。一八三五年、カラマンリー朝の最後の王アリーは、当時リビアに圧力をかけていたフランスやイギリスの食指からリビアを守るためにオスマン帝国に援軍を要請したが、オスマン帝国はこの機会に再びリビアを占領しカラマンリー朝を滅ぼして、トリポリを軍事基地に改変してしまった。

オスマン帝国がカラマンリー朝を滅ぼしてから一〇年もしないうちに、リビアではオスマン帝国の支配に対する反対運動が燎原の火のように広がってきた。イスラーム神秘主義教団を率いるムハンマド・アリー・アル・サヌースィー（大サヌースィー）を中心に、彼の息子、ムハンマド・アル・マフディーに率いられた反乱軍は、東のキレナイカと西のフェッザーン地域一帯のアマジグ（ベルベル）族の忠誠を確保して、勢力を拡大しつつあった。

一九一一年、今度は地中海対岸のイタリアが好機到来とばかりに、オスマン帝国の支配からリビアを解放すると広言してトリポリを攻撃した。しかし、リビアの人々はこれ以上の外国勢力の支配を望

ウマル・アル・ムフタールが最期のときにもかけていた愛用の眼鏡。国立博物館。

んでおらず、イタリア軍に対しても各地で激しい抵抗運動が続いた。これに対処することができず、また抵抗運動の飛び火を恐れたオスマン帝国は一九一二年のローザンヌ条約でリビアをイタリアに譲渡した。

ヨーロッパ列強による中東・アフリカの分断・分割という陣取り合戦に乗り遅れたイタリアは、残った内陸部の「空き地」に目をつけて併合したが、このようなイタリアの占領によって、初めて現代の「リビア」という国の枠組みが定まったのである。

イタリアのリビア支配はオスマン帝国の支配とは比較にならないくらい苛烈で、一九二二年にはムッソリーニが、かつてローマ帝国の支配地であったリビアを再び「ローマ」に取り戻すという「リビアのレコンキスタ」を宣言した。彼の命令を受けた最高司令官グラツィアーニは、イタリアの法律にも国際法にも縛られずにリビアの反イタリア勢力を殲滅させることについての許可を要請し、ムッソリーニがこれに同意したと伝えられる。グラツィアーニはただちに反対派の制圧に着手した。

カッザーフィー政権崩壊後にトリポリで発行された新しい10リビア・ディナール（LD）札と、バイダー（ベイダ）で発行された20LD札。10LD札にはウマル・アル・ムフタールの肖像画がある。どちらにも発行国名は書かれておらず、リビア中央銀行と記載があるが、これはそれぞれの政府の中央銀行を指す。前政権時代の紙幣も今でも使用できるようだ。

そのころ、東部のキレナイカでは、サヌースィー教団の導師ウマル・アル・ムフタールが反乱軍を率いていた。一九二九年にはイタリアの対リビア政策はいっそう過酷になり、反乱軍への物資搬入を遮断するためと、リビア人がエジプトへ逃げ込まないようにするために、有刺鉄線を地中海沿岸からエジプトのシーワ・オアシスに近いアル・ジャグブーブまで二七〇キロも張り巡らした。ついで、人々が反乱軍を支援しないように、キレナイカ地方の一〇万人の人々を強制的にスルークとアギラの強制収容所へ移住させたが、その結果、非衛生な環境のなかで八万人もが飢えや病気によって死に、あるいはイタリア軍によって殺されたりした。この人数は当時のキレナイカ地方の全人口の半分にも達していた。当時、イタリアはキレナイカ地方の住民が全員死亡してもかまわないと決意していたという。

　この阿鼻叫喚の地獄のなかで、ウマル・アル・ムフタールは逮捕され、一九三一年にベンガジに近いスルークの強制収容所の敷地内で、支持者たちが見守るなか絞首刑に処せられた。七三歳であった。彼が逮捕されたことによって、反イタリア暴動は急速に下火になった。一九三八年から翌年にかけて、ムッソリーニはリビアの完全なイタリア化を図り、強制移住によってリビア人から奪った土地に大勢のイタリア人入植者を送り込んだ。この数は最終的には一〇万人以上になったという。この三〇年間にわたるイタリアの支配下で、全リビア人の四分の一が死亡したといわれている。

一九九八年七月になって、イタリアはリビアに「過去の歴史に遺憾の意を表した」という形で共同文書に署名をし、占領の賠償金として二億六〇〇〇万ドルの支払いに応じて戦後処理を終えている。イタリア側は「見舞金」としているが、リビア側はこれを「正式な謝罪」と受け止めているようである。

これに先立つ一九八一年に、リビアで一本の映画が製作された。リビアとアメリカとイギリスの合作映画『砂漠のライオン』である。当時、日本でも上映されたとのことである。この映画は、リビアの対イタリア抵抗運動の指導者、ウマル・アル・ムフタールの闘争と、彼がイタリア軍に捕まって、一九三一年に絞首刑になるまでを描いた作品である。興味深いことに、この映画が作られた時代、リビアとアメリカはお互いを敵視してはいなかったようである。しかし、アメリカとの関係は、その後急速に変化して、レーガン大統領のリビア敵視政策以降、悪化の一途をたどったことも事実である。

革命の闘士、「砂漠のライオン」と呼ばれたウマル・アル・ムフタールは、カッザーフィーがもっとも尊敬する勇士だといわれており、現在のリビアでは一〇ディナール紙幣にその姿が印刷されている。しかし、ウマルの出身地キレナイカ、特にその中心都市ベンガジは現在でも反政府意識の強い地域だといわれている。二〇〇六年二月にベンガジで起こった大暴動では、参加した市民に一四人もの死者をだしたが、これはイスラームの預言者ムハンマドの諷刺画を新聞に掲載したデンマークに対する抗議運動を契機にして暴動が起こり、それが反政府的な要素を帯びてきたために、治安部隊がデモ隊に向かって発砲したことによるとみられている。

リビアが独立したのは、第二次世界大戦が終結したのちの一九五一年一二月である。戦勝国のイギリス、フランス、当時のソ連、アメリカの四巨頭による会談によって、サヌースィー教団の祖である大サヌースィーの孫、イドリース・アル・サヌースィーを国王にすえ、トリポリタニア、キレナイカ、フェッザーンからなる「連合王国」として独立したのである。しかし、イドリース王国の治世はその機能を十分に発揮することができなかった。

一九五九年にエッソによって、地中海沿岸から一六九km も内陸に入ったザルタン山脈の北側の麓にある町、ザルタンで、リビアで最初の油田が発見されて以来、リビアは貧しい後進国から世界でももっとも早く経済成長をとげる国に急激に変化したが、政治的不安定は治まらなかった。一九六七年の第三次中東戦争にリビアが参加しなかったことから、リビア人の間でアラブ側に冷淡な政府に対する反対運動が激化することになる。こうしたなかで、一九六九年九月一日、イドリース王が病気の治療のためにトルコに滞在している隙をねらって、青年将校たちの一団による革命が成功した。革命後、一週間がたって、国民は革命の指導者がムアンマル・アル・カッザーフィーという弱冠二七歳の大尉であったことを知らされたといわれている。

カッザーフィーは、ウマル・アル・ムフタールの抵抗運動の輪が大きく広がるなかで生を受けた、砂漠の遊牧民の子である。彼の祖父も対イタリア抵抗運動によって命を失っていたのである。

（塩尻和子）

コラム2

イドリース一世
――リビア王国の孤独な君主

田中友紀

一九五一年一二月二四日、トリポリタニア・キレナイカ・フェッザーンの三地域はリビア連合王国として独立した。君主には、キレナイカに本拠地を置くイスラーム神秘主義集団サヌースィー教団から四代目指導者のムハンマド・イドリース・マフディー・サヌースィー（一八八九―一九八三、一八九〇年生まれとする説もある）が推戴され、イドリース一世となった。このイドリース一世がどのような人物であったのか、また彼が君臨した時代はどのような人たちによって政治が行われていたのか、ということはあまり知られていない。

イドリース一世は、イスラーム神秘主義集団であるサヌースィー教団創設者のムハンマド・アリー・サヌースィー（一七八七―一八五九）の孫である。父は二代目指導者のムハンマド・マフディー・サヌースィー（一八四四―一九〇二）で、イドリースはマフディー家の嫡男であった。しかし、二代目亡き後、次の指導者となるイドリースが幼くまだ十二歳であったため、二代目の弟（ムハンマド・シャリーフ・サヌースィー）の息子、つまりイドリースの従兄であるアフマド・シャリーフ・サヌースィー（一八七三―一九三三）が教団の三代目指導者となった。だが、この出来事はのちにマフディー家とシャリーフ家の亀裂の原因となってしまう。

この三代目指導者のアフマド・シャリーフは、武勇でその名を轟かした人物であった。サヌースィー軍を率いたマフディーは、一九〇〇年にサヌースィー教団の影響下にあったチャドのカネム地方に侵攻してきたフランス軍を追い返し、一九一一年にオスマン帝国に勝利したイタリアがキレナイカに侵攻をしてきた時もひるまず徹底抗戦を続け、政治的譲歩をイタリアから

コラム2
イドリース一世

引き出した。さらには、一九一五年一一月、現在のリビア―エジプト国境近くのサルーム周辺に駐屯していたイギリス軍を一時的に退却させたこともあった。しかし、その後サヌースィー軍はイギリスから圧倒的な反撃を受けてしまい、壊滅状態になってしまった。この責任をとって、アフマドは一九一六年に指導者の座をイドリースに譲り、一九一七年にイドリースはイタリアやイギリスと休戦協定（アクラマ合意）を結んで事態の鎮静化を図った。

アフマド・シャリーフにはイギリス軍に立ち向かった悲劇の英雄というイメージが浸透しているためか、今でもなおリビア最大の英雄ウマル・アル・ムフタールと共に多くの国民に崇められている。一九六九年の「革命宣言」で王政の腐敗を糾弾していたカッザーフィーも、ウマル・アル・ムフタールとアフマド・シャリーフというキレナイカ出身の両雄の名前を叫んで反欧米の演説を行った。祖父をイタリア軍との戦いで亡くしたカッザーフィーは、たとえサヌースィー家の出身者であろうとも、異教徒の侵略に果敢に立ち向かったアフマドに対して強い思い入れがあったとみられる。

話は戻るが、第二次世界大戦の終結後、イギリスの後ろ盾を得たイドリースは東部のキレナイカ地方のみで独立することを画策した。実際、イドリースは一九四九年に「キレナイカ首長国」の独立を宣言したが、新設された国際連合に承認されず、ようやく一九五一年になってリビア連合王国の君主に落ち着いた。しかし、イドリースが王と皇太子以外の王族が政治に関わることを禁じる排他的な家族法を制定したために、シャリーフ家との亀裂はますます深くなっていった。

それでも、サヌースィー家はリビア王国の支配一族として体面を保っていた。だが、一九五四年、マフディー家とシャリーフ家の亀裂を白日の下に晒す大事件が起きてしまう。シャリーフ家の人物が宮廷内閣長官の職にあったイブラーヒーム・シャルヒーを刺殺したのである。シャルヒーはイドリースの相談役を長年務め、公私にわたり支えてきた人物であった。加害者のシャリーフ家のムヒーディーンは事件後すぐに死刑に処されたが、シャルヒーを失ったイドリースの悲しみは深く王宮に閉じこもる日が続いたという。リビア連合王国第三代首相のムスタファー・ビン・ハリームは、子どものいなかったイドリースがシャルヒーを実の息子のように信頼し、彼の息子たちを孫のようにかわいがっていたと自伝で回顧している。

さらに、イドリースはシャリーフ家のみならず、より近い親戚であるマフディー家の親族とも距離を置き始めた。この事態は、皇太子が早逝した一九五五年に露呈した。イドリースは皇太子であった弟の子であるハサン・リダーを新たな皇太子とすることに強く反対の意を示したのである。その当時の首相であったハリームは、イドリースの甥にあたるハサン・リダーが皇太子として一年近く承認されなかった理由として、実子のいないイドリースがシャルヒーの息子たちに権力の座を譲渡するために、君主制から共和制への移行を考えていたことを明らかにしている。

実際には、共和制に移行することはなかったが、父親を暗殺され世間と王からの同情を買ったイブラーヒーム・シャルヒーの三人の息子たちは、王室や軍で影響力を拡大していった。ブーサイリー（一九六四年自動車事故で死亡）やウマルは宮廷内閣大臣としてイドリースに仕え、末弟のアブドゥルアズィーズはイドリースの身辺警護にあたるキレナイカ防衛隊の参謀長として頭角を現すようになった。このアブドゥルアズィーズがカッザーフィーと同時期にクーデタを企てていたといううわさはよく知られた話で、一九六九年九月一日のカッザーフィーたちによる共和革命直後に、ベンガジ空港に降り立っ

イドリース一世

イドリース一世。出所：Khadduri（1963）

た著名なエジプト人ジャーナリスト、ムハンマド・ハイカルが「アブドゥルアズィーズはどこだ？」と迎えの者に尋ねたという逸話も残っているほどである。

イドリース一世の治世は、前半の「連合王国」時代と後半の「王国時代」に分けられる。一九五一年から一九六三年までの連合王国時代には、ひとつの国のなかに中央内閣、宮廷内閣、三つの地方政府内閣が存在していた。国家元首である王にはキレナイカ出身のイドリースが即位したため、地域間に不平等が生まれないよう配慮がなされ、中央内閣の初代首相にはトリポリタニア出身のマフムード・ムンタスィルが就任した。また、連合王国時代の一九六〇年には、内陸部フェッザーンの有力部族出身であるムハンマド・ウスマーン・サイードが首相になったこともあった。

また、三つの地方政府の存在は、部族の長たちや名望家らのガス抜きという役割があった。各地方政府には外交、防衛以外の権限が付与され、地方政府は半独立が保たれているように見えた。だが、王には地方政府首相の任命権があるなど完全な自治ではなかったため、地方政府議会、特にトリポリタニア議会では自決権を要求して中央内閣と対立することが多く見られた。

ところが、一九六三年四月、地方政府が唐突に廃止されることになった。「リビア連合王国」という国名から「連合」という文字は消え、「リビア王国」となった。行政府は中央内閣と宮廷内閣の二つとなり、三つだった地域区分は十の行政区分に改められた。そして、新しい行政区域は中央政府から直接管轄されるようになった。

この地方政府の廃止によって、王国時代前半にあれだけ配慮されていた地域間の均衡がもろくも崩れていった。連合王国時代の首相や国務大臣は、三地域から不公平が生まれないように任命されていたが、「王国」になってからは中央内閣にキレナイカ出身者が多く入り、外務・内務・防衛・財務などの重要大臣ポストもキレナイカ出身者がほぼ独占するようになった。国王には首相の任命権があったため、イドリース王への忠誠が強いキレナイカの部族出身者が選ばれたと考えられる。

このような情勢下、病気がちであったイドリースは次第に政治に対する情熱を失っていった。イドリースは一九六四年にカイロで行われたアラブ連盟サミットに参加しなかったことから立場が欧米寄りと見なされ、トリポリでは連日のようにアラブ・ナショナリズムに感化された若者によるデモが続いた。イドリース体制は、支配一族の協力体制の欠如やアラブ・ナショナリズムの圧力から脆弱化し、風前の灯という状況に陥っていた。そのような状況下の一九六九年、カッザーフィーら青年将校による共和革命が起きたのである。リビア王国はたった一八年の短命に終わり、当時トルコで療養中であったイドリースはエジプトに亡命した。

二〇一一年三月に設立された国民評議会（NTC）の旗のデザインは、リビア王国時代と同じものであり、二〇一三年に成立した新生「リビア国」の国旗としても採用されている。カッザーフィー派でない限り、リビアの人々は今日までこの旗を新生リビアのシンボルとして使用しており、そのなかには、「カッザーフィー時代はクーデタによる暫定政権で、依然王国は続いている」と考え、今日でもサヌースィー教団に由来する王政の復活を望む人々もいる。

一方で、サヌースィー教団を重要視せず、連邦時代の三つの地域区分をそれぞれ完全な独立国家にしようという動きや、王国時代のような連邦制を復活させようという動きもある。

現在のリビアでは出身地域や出身部族、その他の要因により、サヌースィー教団やイドリース一世の政治的な位置づけ方はかなり異なるが、無欲で平和主義であったと伝えられるイドリースを尊敬し、心の平安を得ている人も少なくない。

リビアを取り巻く国際社会は同国の民主化を望んでいるため、今後、王政復古などは考えにくいが、王国時代の三色旗が使用される限り、サヌースィー教団は政治的実権を握ることはなくとも、新しいリビアの精神的支柱として、根強い影響力を持ち続けることは確かであろう。

9

フェニキア人の末裔

★民族と言語★

◇民 族

現在のリビアの人口は二〇一八年世界銀行の統計で約六六七・八万人となっている。二〇〇五年のリビア政府の推計では約五七九・八万人であったことを考えると、内戦があったにもかかわらず、人口は増加していることになる。二〇一一年始まった内戦前の統計ではあるが、大まかな数値をあげると、二〇〇三年の都市生活者の割合は八六パーセントで、農村地域の居住者は一四パーセントにすぎない。一平方キロメートルあたりの人口密度は三・二人である。二〇〇三年の平均寿命は男性が七一・二歳、女性が七三・八歳、人口増加率は二〇〇三年で二・六八パーセントである。もっとも、推定人口にも人口密度にもリビア国籍を持たない在留外国人の数は入っていないので、実際の居住人口は九〇〇万人、人口密度も五・〇人／平方キロに近いと想定できる。

リビア人は、民族的には九七パーセントがアラブ系かアラブ系とアマジグ系（ベルベル系）の混血だといわれている。アマジグ人とは、北アフリカからサハラ砂漠にかけての広大な地域に先史時代から住んでいたとみられる人々で、リビアでは紀元前

リビアの未来をになう子どもたち。多様な肌・目・髪の色が民族交流の歴史を物語る。

九〇〇年から紀元後五〇〇年ころまでフェッザーン地方一帯を支配していたガラマンテス人の末裔であるという説もあるが、正確なところは不明である。その後一一世紀にアラブ人の大移住があり、それ以降、アラブ人とアマジグ人の混血が進行したといわれている。また現在でも、アラブを名乗らないアマジグ人は、リビア総人口の五パーセント程度だという説もある。

アマジグ人は一般にベルベル人と呼ばれてきたが、彼ら自身はベルベル語で「自由人」または「高貴な人」を意味する「アマジグ人」という用語を使っている。そのために近年、ベルベル人という用語は差別語であるとして、アマジグ人を用いることが多くなった。

紀元前五世紀の古代ギリシアの歴史家ヘロドトスはその著書『歴史』のなかで「リビアにはたった二つの原住民族しか住んでいない、それはリビア人とエティオピア人であり、前者は海岸地域に住んでおり、後者は内陸部に住んでいる」としているが、この「リビア」とはエジプトを除いた北アフリカ一帯を指している。この大まかな分類は、現代の人類学者

砂漠のバラ。

によっても認められているが、エティオピア人とは、現代のエティオピアではなく、北アフリカの内陸部、つまりサハラ砂漠に住むアフリカ系の人々をさすと考えられる。いっぽう、ヘロドトスの言う「リビア人」とは、現在のアマジグ人をさすと考えられる。彼らが元来は地中海沿岸地域に住んでいた地中海民族であり、もともと白人種に属するコーカソイドだと考えられているので、ギリシア人やイタリア人などの南欧系民族の祖先でもあったとも考えられる。

リビアには黒人系のトアレグ人も多い。トアレグ人はもともとサハラ砂漠の住人であり、アルジェリア、ニジェール、マリ、モーリタニアなどの地域にひろく拡がって住んでいるが、リビアではガダーミス、ガート、ムルズクなどの西部から南西部地域の都市に定住している。トアレグ語とベルベル語はたがいに近い関係にあると考えられており、歴史的なつながりがあるとみられるが、詳しいことは不明である。

トアレグ人はもともと遊牧民であり、独立心旺盛な民族だとされる。男性は藍色の布で顔を覆っており、馬やラクダを駆使して砂漠を疾走するイメージで語られる。トアレグ製のきめの荒い野生的な絨毯や彫刻などは、トリポリの旧市街の土産物屋でも売られている。リビア独自の土産となると、このトアレグの産物か、砂漠の砂の結晶「砂漠のバラ」くらいなので、野性的なドアレグの土産品は特に欧米の観光客に人気があった。

もともと人類の祖先はアフリカに誕生したという最近の学説に照らしてみると、リビア人、つまりアマジグ人（ベルベル人）が南欧系民族の祖となったと受け取れるヘロドトスの『歴史』の記述も、的外れではないようにみえる。そうであれば、「リビア人」とは、古来、アフリカ系の諸民族と地中海沿岸の諸民族との複雑な混血と混在によって形成され、リビアと呼ばれる広大な地域に住みついた人々であると考えてもよいであろう。当然ながらこのなかには、トアレグ人も含まれる。

フェニキアの文化と民族は約一〇〇〇年間もこの地に定着していたことになるが、このことは、現在のリビア人気質にも大きな影響を与えており、さまざまな分野にレバノン、シリアとの交流の遺産をみることができる。まず、地中海沿岸地域に住む人々は、肌は褐色でアマジグ人に近いかもしれないが、顔立ちは彫が深く細面で、レバノン人やシリア人に似ている。特に一〇歳前後の幼い子どもは、肌の色が白磁のように真っ白で、髪の毛の色も薄い。なかには目の青い子どももいる。ほとんどの両親の肌は浅黒く髪の色は茶褐色で黒に近いが、年少の子どもにフェニキアの遺伝子がでるのだろうか。

伝統衣装をまとった男性、誇り高い人々の正装。

◇言　語

現在のリビアの公用語はアラビア語であるが、「公用語」という意味がこれほど徹底している国も珍しい。二〇一一年の内戦前には、政府や官公庁が発行するあらゆる文書を始め、すべての道路標識、交通標識、建物の表示、商店の看板、商品の値段などがアラビア語表記であった。外国から空路、リビアに入国する際に渡される入国カードも、アラビア語以外には一切の外国語が併記されていない。最近では実際に入国カードを記入して提出する必要はなくなったが、航空会社によっては、今でも直陸直前に配布してくることがある。トリポリ国際空港でも、案内板や搭乗案内の電光表示板には英語も併記されているものの、アナウンスは原則としてアラビア語のみであった。二〇二〇年二月現在、トリポリ国際空港はいまだ破壊され閉鎖されたままになっているが、近いうちに再開される時には、英語表記が増えるかもしれない。

しかし、アラビア語が唯一の公用語であるといっても、英語が通じないことはない。ほとんどの商店では、買い物をする程度であれば英語はよく通じる。意外にも学校教育で国際語としての英語教育が重要視されているために、リビアの若者の多くは綺麗な文章を書くことは得意ではなくても、英語の会話では不自由しない。政府関係者やホテルの従業員も、英語ができる人が多い。なかには隣国のチュニジアやアルジェリアにならってフランス語を話す人、旧宗主国の言語イタリア語を話す人たちも、少数ながら存在する。内戦前の時点でも、外国語の普及率は日本より高いかもしれない。

現代のリビア方言のアラビア語には、カッザーフィーが幾度となく合邦や連邦を意図しては失敗した隣国のエジプトやチュニジアの方言でなく、レバノンやシリアの方言が多く混じっているのは興味深い。またリビア方言のなかには、トルコ語やイタリア語から入ったとみられる外来語も多い。リビアで冬から早春にかけて食べられる砂漠のトリュフ（松露）はティルファースと呼ばれるが、これはイタリア語のトリュフが訛ったものであろう。ナイフとフォークのフォークはフォルゲッタと呼ばれるが、これもイタリア語の影響である。

アラビア語のリビア方言には、リビアが外国とどのような関係を持ってきたのかという国際関係の歴史が秘められていて、興味深い。

（塩尻和子）

10

リビア人気質

★三つの原点★

現代のリビア人気質を語る際に上げられる要点は三つある。それはフェニキアの伝統、砂漠の遊牧民の矜持、サヌースィー教団の三つである。

日本の四・六倍という広大な国土を有するリビアでは、地域によって人々の気質にかなり違いがあると考えられるが、私はトリポリ市内のリビア人としか話したことがないので、「リビア人気質」と言えばトリポリの都市住民ということになってしまう。彼らは一見しておとなしく素朴で恥ずかしがり屋にみえる。実際、私がトリポリで出会ったリビア人は、ほとんどが誠実で穏やかな人柄であった。リビアに滞在する多くの外国人も、リビア人について、「誠実でおとなしい国民性」であると表明する。古代の地中海世界を席捲していたフェニキア人の末裔にしては穏やかすぎる印象もあるが、リビア人はけっして穏やかなだけではない。普段は穏やかな彼らも何かあれば、驚くほど誇り高い人々であることが理解できる。

たとえば、そのリビア人も他のアラブ人に対しては態度が豹変することがある。リビアにはエジプトを始め、チュニジア、シリア、ヨルダン、スーダンなどから出稼ぎにくる人が多い。

編者のリビアの友人たち。リビア人・エジプト人・シリア人・スーダン人が一緒に働いている。

その数は一〇〇万人から二〇〇万人にものぼるといわれている。何かのきっかけで彼らと意見が対立するような場合、人が変わったように意固地になり、優越意識がむきだしになる。カッザーフィーは何度もエジプトやシリアと連邦を結成しようとして、そのたびに失敗しているが、その腹いせというわけでもないと思われるが、確かなことはわからない。

中東地域の国々が近代になってヨーロッパ列強の力関係によって人工的に造りあげられた国家であるのと同様に、現在のリビアもイタリアによって意図的に国境線を引かれたことによって成立した。第一次世界大戦の直前の一九一二年に、ヨーロッパ列強による中東・アフリカの分断と分割の陣取り合戦に乗り遅れたイタリアが、オスマン帝国からトリポリタニア（トリポリを中心とする海岸地域）を奪い、さらに陣取り合戦から取り残された「空き地」であった内陸部まで併合したことによって、初めてリビアは現在のリビアという国として出現した。したがって現在のリビアには、この内陸部の「空き地」で育まれたリビア人意識の原点があるようにみえる。それは前述のフェニキアの伝統と並んで、「砂漠の遊牧民の伝統」と「サヌースィー教団」である。

しかし、それは閉鎖的な「空き地」ではない。板垣雄三は「六方向から規定されるリビアは六方向に開く」（「ワンダーランドとしてのリビア」『交感するリビア』より。【コラム3】【コラム4】を参照）と言うが、アラブ世界やブラック・アフリカだけでなく、地中海に向かって大きく開いたリビアは、まさに古来、東西南北に人の流れが行き交い続けている土地でもある。そういう意味では、もともと国境などなかった砂漠に生きてきた人々の意識が、開放性の基盤になっているのであろう。

一見、おとなしく穏やかだが、別の意味では極度に誇り高いリビア人気質は、この遊牧の砂漠で培われたのかもしれない。イタリアが一九一一年にオスマン帝国に宣戦布告をしてリビアの海岸地域に侵攻を開始すると、リビア人はイタリアに対して激しい抵抗運動を繰り広げた。彼らはオスマン軍が引き上げた後も、西部のトリポリ地方と東部のキレナイカで激しく抵抗したが、この時、キレナイカで対イタリア抵抗運動を指揮したのが神秘主義教団サヌースィー教団である。サヌースィー教団にかかわる広い輪の中から、のちにカッザーフィーが出現することになる。そういう意味では、カッザーフィーの性格はリビア人気質を代表していたのかもしれない。

（塩尻和子）

コラム3

リビア人意識の形成

塩尻和子

東京大学名誉教授の板垣雄三は「ワンダーランドとしてのリビア」（『交感するリビア』一九九〇年、藤原書店）のなかで、ユニークな「リビア観」を述べているが、これは現在でもリビアを考える際にきわめて有効な見解である。リビア人意識を理解するために、「第10章　リビア人気質――三つの原点」で引用した箇所の全文（『交感するリビア』四八～四九頁）を以下に転載させていただく。

＊　＊　＊

イタリアが「残余」の「空き地」を自国の所有物と宣言し、国分けシステムに順応しつつ「国」の枠組みをそこに設定する植民地化の企てをすすめた過程で、それに抵抗する運動はリビア人意識をいよいよ高めるものとなった。リビアとかリビア人とかいう自覚の仕方は、こんにちでは厳然として確立しているが、繰り返していえば、それは、外国勢力が外堀をだんだん埋めていったのに対抗して、あとからつくり出され獲得されていった民族運動であり、民族意識なのである。

このようにして成立したリビアは六つの方角に向かって開くことになった、と筆者は考えている。それは、六方向から外堀が埋められてしまったところで、リビアの形とあり方とが決まってきたのだ、ということでもある。六方向とは、まず①マシュリク、すなわちエジプト、スーダンからアラビア半島、シリア、イラクにかけての東アラブの地域。つぎに②マグレブ、つまりチュニジア、アルジェリア、モロッコ、モーリタニアというような北アフリカの西アラブ地域。さらに③西欧。④ソ連・東欧。⑤トルコ。そして⑥ブラック・アフリカ。

サヌースィー教団

コラム4

塩尻和子

以下の文は、前述の板垣雄三の「ワンダーランドとしてのリビア」(『交感するリビア』一九九〇年、藤原書店、四五〜四七頁)の記述に従って要約したものである。

＊　＊　＊

リビアの内陸部に広がりサハラ砂漠の一部をなす広大なリビア砂漠には、オアシスが点在している。先史時代以来、これらのオアシスを羊やヤギを放牧しながら渡り歩く遊牧民が存在していた。カッザーフィーの父親もその一人であった。

これらのオアシスを結んで、古来、交易のルートが形成されていたが、ルートから外れた辺境に独自の暮らしを守る遊牧民族も多かった。一九世紀になって、これらのオアシスを結びつけるネットワークが結成された。それがイスラーム神秘主義のサヌースィー教団である。

ムハンマド・アリー・アル・サヌースィー(大サヌースィー)は一七八七年にアルジェリア西部の町、ムスタガーネムに生まれた。彼はフェズのモロッコ王家の一族に属していたといわれているが、モロッコやエジプトのアズハル学院などで学んだのち、マッカ(メッカ)マドの子孫であるといわれ、宗教家として大きな尊敬を受けた。イスラームの地がしだいにヨーロ巡礼に赴き、そこでワッハーブ派の宗教復興運動に影響を受け、さらに神秘主義思想などからの感化も受けた。彼は自分がかつて師事したエジプトのイスラーム法学者ウラマーたちを批判し、オスマン帝国とエジプトのムハンマド・アリー王朝の支配をも論駁した。彼は、純粋のイスラームの原点に回帰し、同時に外国勢力に対抗するための思想をひろめようとして、マッ

砂漠に残されたベルベル人の穀物倉庫。ガダーミス～ナールート間で。

カで一八三七年に新しい教団を開いた。しかし、彼の故郷のモロッコがフランスに征服されたという知らせを受けて、もはや故国には帰れないと判断し、リビア砂漠の奥地に教団の活動を展開しようと考えた。やがて、エジプト国境に近い東部のジャグブーブに本拠を設置した。

モロッコ王国は預言者ムハンマドの末裔であるとされているので、大サヌースィーもムハンマドの子孫として尊敬を受けていた。ムスリムの地がヨーロッパ列強によって侵食されてきた時代にあって、イスラームの原点の純粋な精神性への回帰を説く大サヌースィーの思想は、サハラ砂漠、中央アフリカ、スーダンにまで広がった。リビア砂漠の遊牧民からは特に強い支持を得ることができ、独立意識の強い彼らをフランス、イギリス、イタリアの侵略に対抗する抵抗勢力に育て上げることができた。教団はオアシスからオアシスへと神秘主義の道場（ザーウィヤ）を建設してネットワークを作り出した。このネットワークが外国勢力と対峙する過程で、「リビア人」という意識が生まれてきたと考えられる。

II

リビアの反政権闘争

11

二〇一一年の民衆蜂起

★燎原の火のごとく★

二〇一一年は北アフリカから中東一帯にかけて、市民を中心とする社会変革が広がる年となった。口火を切ったのはチュニジアの市民革命で、一月一四日には二三年間君臨したベン・アリー大統領が国外へ脱出、二月一一日にはエジプトでムバーラク大統領が辞任し、三〇年間にわたった独裁政権が崩壊した。その余波を受けて、はやくも二月一五日には、リビアの東部都市、ベンガジで反体制デモが拡大し、瞬く間にキレナイカ地方一帯に広まった。

中東地域には、君主制を敷いている国だけでなく、共和制を採りながら独裁的な長期政権を戴く国家が多い。アルジェリアやエジプトだけでなく、立憲君主制のヨルダンやバハレーンでも、チュニジアの暴動を契機として、物価安定、失業問題の解決、言論の自由、平等な市民権などを求めて市民デモが起きている。

リビアの最高指導者カッザーフィー大佐は、特異な政治的理想を原理として欧米列強を敵視する政策を掲げて四二年間にわたってリビアを支配してきた独裁者である。そのために、反政権派は、人権擁護や中東の民主化の観点から、国際世論の支持を早くから取り付けることに成功していた。そのために、内戦の初期から、チュニジアとエジプトの事例をもとに想定すると、カッザーフィーの政権が崩壊するのも、時間の問題だと見られていた。さらに、チュニジアやエジプトと同様に、内戦の早い時期から、リビア国軍のなかには反政権派に与する将軍や部隊が多く、三月五日には離反した元閣僚や有識者たちによって国民評議会がベンガジに設置され、リビアを代表する正当な組織であると宣言された。これを欧米だけでなく、中東諸国までが認めるに至って、カッザーフィー政権の維持は難しい状態になってきた。

しかし、政権側は以前から国軍のほかに、豊富な資金によって十分な装備を与えられた傭兵を、アフリカ各地から雇用していた。金で雇われた彼らは、武器を持たない一般市民に対して容赦ない攻撃を加えるという事態が生じた。そのために、カッザーフィー政権は外国人傭兵を使って自国民の殺戮を開始し、数千人ともいわれる多くの市民が犠牲になったと伝えられる。

このような事態を、人道的見地から座視することはできないとして、フランス・イギリスを中心に、国連安全保障理事会による飛行禁止区域の設定と対リビア制裁強化の決議が採択され、NATOによって、リビア空軍の施設、軍事基地、戦車などの破壊を目的とした空爆が開始された。それから七ヶ月が過ぎて、ようやく最後の砦、スルト（シルテ）が陥落し、カッザーフィーも殺害されたのである。（リビアの反政府運動の経緯について、詳細な解説は、第Ⅶ〜第Ⅷ部に掲載する。）

二〇一〇年一二月にチュニジアから始まった北アフリカの民衆蜂起のなかで、一月一四日に突然、国外へ逃亡したチュニジアのベン・アリーや二月一一日に辞職したエジプトのムバーラクとは異なり、カッザーフィーがなぜ、ここまで長く、大きな犠牲を払いながらも強硬に抵抗を続けたのか、その理

内戦で死亡した若者の追悼碑、2013年3月。

由を語る出来事がある。

ＮＡＴＯ軍は二〇一一年四月三〇日夜にカッザーフィーの住居であるバーブ・アル・アズィーズィーヤを空爆したが、ここはリビアにとって象徴的な場所であった。

一九八六年四月、当時のアメリカのレーガン大統領の命令に基づいてアメリカ空軍と海軍の合同作戦によって、トリポリ空港とバーブ・アル・アズィーズィーヤの兵舎一帯が爆撃された。この攻撃の際に、カッザーフィー自身は日常的に使用していた地下壕にいたと思われ、まったく被害を受けなかった。しかし、家族の住居の玄関あたりには爆弾が落ち、爆風によって二人の息子が負傷したが、その一人は、カッザーフィーの後継者と目されていた次男のサイフ・アル・イスラームだといわれている。

爆撃の跡がのこる住居部分は半ば廃墟となっているが、そのまま保存されて、最近まで「アメリカの蛮行の記念碑」として、賓客に公開されていた。この記念碑の前庭ではテーブルが設えられて、公式の晩餐会が催されることがあった。バーブ・アル・アズィーズィーヤは、軍事基地と支配者の住居が一体化した、いわばリビアの「大本営」であり、外部は物々しく警備されていたが、内部は四二年もの独裁政治を敷いてきた支配者としては意外なほど手狭で、かなり質素な「王宮」であった。この「王宮」も、二〇一一年の民衆蜂起によってカッザーフィーが暗殺されて以降、徹底的に破壊され、今日では廃墟となっている。

カッザーフィーの革命と、それを理論化したジャマーヒーリーヤ体制は、これまで中東やアフリカで傍若無人の振る舞いをしてきた西洋列強に対抗してリビアの自立を図り、それによって、これまで搾取されてきたアフリカの真の独立を打ち立てようとするものであった。リビアは第二次世界大戦後の一九五一年に連邦制の王国として独立したが、王国政府は社会の急激な変化に対応することができず、リビア各地で激しい抗議運動が展開されるようになっていた。カッザーフィーを中心とする若手将校団は、一九六九年九月に、王権を廃止し共和国制を樹立することを目的とした無血革命を成し遂げた。やがて、カッザーフィーは首相職や革命評議会議長の職を相次いで辞任し、「大佐」という称号だけを名乗り、国民からは「革命の指導者」と呼ばれた。

一九七六年から七九年にかけて、リビアの政治体制を決定する『緑の書』三部作が発表された。カッザーフィーの著作とされる『緑の書』はリビア国内では、まさに金科玉条とされたが、ここで強調されている点は、「第三世界理論」と称されるもので、共産主義でも資本主義でもない第三の独自の視点から社会を包括的にとらえた、ある意味で理想社会論である。七七年に人民による直接統治を目指した「ジャマーヒーリーヤ」制度が採用されたが、これは第三世界理論に基づく政治制度である。政府も議会も否定して、西洋諸国にはない独自の民主主義を育てようとして採用したシステムである。

カッザーフィーは『緑の書』で円形の図表を描いて国家構造を説明しているが、円の中央へ行くほど権力が集中してくることが読み取れる。直接民主主義といいながら、実際には完全なピラミッド型になっていて、容易に独裁が生じやすい構造になっていることが理解される。若きカッザーフィーが理想とした直接民主主義体制は、ピラミッドの頂点にしか決定権がなく、途中の段階では、誰も責任をとらない構造になっていた。

それでも私は二〇一一年一月中旬までは、「現在の政権が（大量破壊兵器廃棄などの）外交面で一定の成果を示しつつある状況のなかでは、反政府勢力が勢いを得てなんらかの騒動を起こす可能性は、今の時点ではかなり低い」と考えていた。独裁政治ながらもカッザーフィーは、リビア国民には手厚い生活保護を与えていたからである。しかし、チュニジアの市民革命が成功したころから、次はリビアで反体制運動がおこる、という確信を持った。その理由は、直接民主主義ジャマーヒーリーヤのシステムが、決して言論の自由や基本的人権が保障される民主主義的な政治体制ではなかったからである。

リビアは天然ガスや良質な石油などの豊かな天然資源によって、周辺の国々と比較すれば、国民の基本的な生活は、政府によってかなり保護されていた。所得税の制度もなく、医療、教育、基本的な食糧支援なども、質さえ問わなければ十分に行き渡っていた。四〇%ともいわれる若者の失業率の高さも、ほとんどの単純労働をアフリカからやってくる労働者に委ねたり、熟練労働や専門的な職業を近隣の中東諸国からの出稼ぎ者に請け負わせたりした結果でもある。特に高学歴のリビアの若者の多くはきわめて誇り高く、アフリカや近隣のアラブ諸国からの出稼ぎ労働者の上に位置する仕事でなければ就業しようとしないのが、失業率の実態であるとみられる。

その一方で、リビア砂漠の遊牧民の出自を誇りとしてきたカッザーフィーも彼の息子たちも、国民の生活や教育水準を、これ以上向上させようと努力することはほとんどなく、外国資本への投資を含めて莫大な不正蓄財を保有していた。外国訪問時にもラクダを連れて行き、テントを張って泊まる、という遊牧民の生活様式に固執したカッザーフィーは、一見、質素な生活をしているようにみえるが、飛行機にラクダを乗せて行き、滞在先の近代都市の真ん中でテントを張ることは、現代では非常に経費がかかる贅沢なことである。時おり、海外で醜聞をまき散らす息子たちの行状も、質素な生活を余儀なくされていた国民にとっては腹に据えかねる事態であったであろう。

（塩尻和子）

12

革命はいつもベンガジから

★リビアの歴史的特徴★

二〇一一年二月に始まった今回のリビアの反政府運動が、首都のトリポリからではなく、東部地域の都市ベンガジから開始されたことから、リビアの歴史的特徴がうかがえる。リビアの地理的な区分は、大きく分けて西部のトリポリタニア、中南部のフェッザーン、東部のキレナイカに分けられる。一九五一年に連邦制の王国として独立したのも、この地理的区分のそれぞれの自治制を認めて連邦制としたものであった。

フェッザーンを中心とする内陸部の砂漠地帯では先史時代から近年まで、遊牧や半遊牧の原住部族が自由に移動しつつ暮らしていた。しかし、ローマ帝国やオスマン帝国、イタリアなどの外国勢力は、古代から近代に至るまで、これらの内陸部の遊牧の商人たちを懐柔することによって、中央アフリカから地中海へと続く隊商路を確保していた。特にローマ帝国はアフリカの物産の集積地としてフェッザーンの隊商路を重要視したために、この地域にもローマの文化が及んでいた。

七世紀にイスラーム教徒のアラブ軍がアラビア半島から北アフリカに侵攻してきてからは内陸部にもイスラームが浸透したが、エジプトやチュニジアなどの周辺地域で興亡を繰り返したイスラーム政権はリビアに政治の中心を置かなかった。当時、リビアの地中海沿岸は海賊が横行する地域となっており、一五五一年にリビアを征服したオスマン帝国も、海賊の支配を黙認していたからであろうか。

リビアで独立した王朝が成立したのは、一七一一年になってからであり、トルコ軍人とリビア人女性の間に生まれたアフマド・カラマンリーが興したカラマンリー朝が初めてのリビア人王朝であるといわれる。王朝は一二四年続いたが、一八三五年に再びオスマン帝国に占領され、トリポリは軍事基地に改変されてしまった。

カラマンリー朝がオスマン帝国に滅ぼされてから一〇年後、リビアではオスマン帝国の支配に対する抵抗運動が広がってきた。この抵抗運動は、ムハンマド・アリー・アル・サヌースィー（一七八七?～一八九五）が創始したイスラーム神秘主義教団のサヌースィー教団に率いられた反乱軍によって、リビア東部のキレナイカ地方と西南部のフェッザーン一帯に展開された。この抵抗運動にはイタリアが介入したために、オスマン帝国は一九一二年のローザンヌ条約で、リビアをイタリアに譲渡したが、イタリアの占領政策はオスマン帝国の支配とは比較にならないほど過酷なものであった。特にサヌースィー教団の指導者ウマル・アル・ムフタール（一八五八～一九三一）に率いられたキレナイカ地方の人々の抵抗運動に対する弾圧は残虐なものであり、三〇年間にわたるイタリア支配下で、全リビア人の四分の一が死亡したと伝えられるほどであった。

第8章で説明したが、対イタリア抵抗運動の闘士、「砂漠のライオン」と呼ばれたウマル・アル・ムフタールの出身地キレナイカ地方、特にそのなかでも中心都市のベンガジは、現在でも反権力意識

ベンガジ、地中海に面した東部の都市。撮影時期は2月で雨が降っていた。

が強い地域だといわれており、リビアでの反政府暴動は多くの場合、ベンガジから起こるという傾向がある。

二〇一一年二月に勃発した反カッザーフィー運動が、ベンガジから起こり、たちまちキレナイカ地方一帯に燎原の火のように広まっていったことは、リビアの近代史からみれば、当然のことであった。反政府運動に参加する若者たちは、かつての首都の誇りを取り戻すべく、イドリース国王の写真や旧王国時代の国旗を掲げたりして気勢を上げたのである。

（塩尻和子）

13

独裁者の死

★誰にも知られない砂漠に★

リビアを四二年にわたって支配した特異な独裁者、ムアンマル・アル＝カッザーフィーは、八ヶ月におよぶ内戦を経て、二〇一一年一〇月二〇日、「撃たないでくれ」という言葉を最後に殺害され、五日後の二五日に「誰にも知られないように」リビア砂漠の奥地に埋葬された。（カッザーフィー殺害の詳細については【コラム14】を参照。）

BBCやアル・ジャジーラなどの報道によれば、スルト地方に住む親族と暫定政府の要人たちの立ち合いのもとで、四男のムウタスィムや、最後まで行動を共にした側近らの遺体とともに、イスラームの儀礼に則って葬られたと伝えられる。埋葬が死後五日目になったのは、DNA鑑定などによる本人確認に手間取ったからだともいわれているが、実際には反カッザーフィー派の市民たちの目に晒して遺体の冒瀆を図ったためでもあると言われている。イスラーム法では遺体は死後、できるだけ素早く、二四時間以内の埋葬が奨励されているが、死去から五日後の埋葬というのは、イスラーム法に拘泥しないことが多かったカッザーフィーであっても、人権上、問題視されている。

日本の新聞は、墜ちた独裁者カッザーフィーの埋葬は簡素な儀式で執り行われた、と報じたが、イスラームの葬送儀礼は本来、簡素なものである。おそらく世界の宗教のなかで、もっとも簡素な葬送儀礼であろうと思われる。また、すぐに砂で覆われて、誰の墓かわからなくなる、という埋葬方法は、カッザーフィーの墓が信奉者にとって聖地となることを恐れたために採用されたとも報じられるが、このような埋葬方法はサウジアラビアなどでは王族にも適用されている。イスラームの葬送儀礼では、珍しいことでも特別なことでも、ない。

カッザーフィーの死を受けて、一〇月二三日にリビア全土の解放を宣言した国民評議会は、この後のリビアの再建についてイスラーム法シャリーアを法制度の基本とすると発表し、その一例として四人までの妻帯を許可し、また預貯金に利子をつけることを禁止するとした。四二年にわたるカッザーフィーの政治理念とは隔絶するかのような発表に、欧米では宗教の厳格化と過激派イスラーム集団の勢力拡大を懸念する声も上がった。しかし、イスラームを国教とする国であれば、イスラーム法を第一の基本として国家の法律を制定することは、特別なことではない。

二〇一一年一月一四日にベン・アリー大統領が国外へ逃亡したチュニジアも、二月一一日にムバーラク大統領が辞任を発表したエジプトも、市民の反政府運動が開始されてからそれぞれ九日後と一八日後に政権が崩壊している。しかし、この両国も、その後の新政府の樹立には成功したものの、国内の政治的安定には予想外の時間がかかりそうである。

リビアでは当初、二月一五日にベンガジで数百人規模の反政府運動が開始され、二〇日には反政権派がベンガジを制圧し、スルト湾沿岸の都市ミスラータとトリポリの西側の小都市ザーウィヤまでも制圧したと伝えられた。三月五日にはベンガジで国民評議会が発足し、アブド・アル・ジャリール前司法担当書記（法務大臣相当）が議長に就き、リビア国民を代表する唯一の機関として、八日にはEUを訪問するなどの外交活動を活発化させてきた。しかし、その後も、カッザーフィー側は強気の発言を繰り返し、傭兵を投入して反政府運動を弾圧し続けていた。

三月一七日には国連安保理による「対リビア飛行禁止区域設定と制裁強化措置」が決議され、即時停戦と市民に対する暴力と攻撃の停止が要求されるなど、EU諸国やNATO加盟国だけでなく、近隣の中東諸国からも、カッザーフィー一族の資産凍結、経済制裁措置、停戦の要求と、国民評議会の承認などが続いていたが、反政府運動勃発から八ヶ月をへて、一〇月二〇日にカッザーフィーが殺害され、ようやく激しい内戦が一応の終結をみた。

両隣の二国と決定的に異なる点は、カッザーフィー政権が国際社会から完全に包囲された挙句にNATO軍の攻撃によって崩壊したことであり、これによって、今後のリビアの政権が、欧米による石油や天然ガスの利権に左右される危うさが、当初から指摘されてきた。誰もが当たり前と考えていた欧米列強の世界支配の体制に反旗を翻し、これまで誰も考えなかった「第三世界理論」を現実の政治に具体化させようとして、じつに四二年間も戦い続けたカッザーフィーが、もっとも嫌っていた欧米主体の世界支配の洪水が目前に迫っていた。

追い打ちをかけるように、リビア国内の「部族」の動向が問題視されてきた。たしかに、カッザーフィー自身もカッザードファと呼ばれる部族に属し、スルトの南方約四〇キロメートルの砂漠の遊牧民のテントで生まれている。これまではリビアの遊牧民は、部族社会同士の抗争を繰り返してきた、というより、比較的自由に砂漠を移動して生計を立てていたと思われる。キレナイカを中心にフェッ

国中に建てられていたカッザーフィーをたたえる看板。「九月一日革命は沈まない太陽」と記されている。

ザーンにも勢力を伸ばした、神秘主義教団サヌースィー教団の精神的指導の伝統は、今でもリビア人気質に大きな影響を与えている。サヌースィー教団の活動によって、リビアの人々は、個々の部族の利害関係によって対立するのではなく、遊牧民の伝統と文化を守りつつ、自立した共存社会を形成してきたからである。したがって、今回の民主化運動の後も、部族社会の対立や、トリポリとベンガジの長年のライバル関係などを超えて、共通の伝統のもとに集結することができるのではないかと期待されていた。しかし、現実には分裂と内戦は二〇二〇年二月になっても終結の兆しさえも見えない。

北アフリカの隣合わせの国々の民衆が次々に蜂起した後を追いかけるようにリビアでも若者を中心に反政府運動が拡大していったが、彼らの期待は「リビアが普通の国になると発言していた。カッザーフィーの政権には「それほどの不満はなかった」という発言が、実は新政権が定着するために障害になっている。これまで国民には十分な食糧の配給を行うための手厚い補助金制度を施行し、所得税もなく、医療費も教育費も国が持っていたところに、新政権ではその配給・支給業務を行う公務員も事務職員もいなくなってしまい、だれにも生活の保護を依頼できなくなった。新政権は、旧政権で働いていた官僚や上級職公務員をほとんどすべて一〇年間の期限を定めたうえで追放し、旧政権とは全く縁もゆかりもなかった人々を新しく雇用したからである。新たに雇用された人々は、仕事のやり方も食糧を地方に配分する技術も持っていなかった。事前にこうなることが予測されていたにもかかわらず、それでも、二つの隣国に倣って「民主化運動」を開始してしまったのである。

すでに老齢で重篤な病気も患っていたと伝えられるカッザーフィーの支配は、最後の時期を迎えつつあったので、反政府運動の初期には、国民の大半は政府を支持し続けていた。その後遺症によって、反政府運動が成功裡に終わって、国家の新体制が模索されるようになっても、新政府が機能したのは、のちに説明するように、わずか二年間でしかなかったのである。

（塩尻和子）

14

カッザーフィーとは何者だったのか

「アラブの狂人」

すでに殺害され消されてしまったが、今日のリビアの成り立ちに大きな影響を残している独裁者カッザーフィーとは、どのような人物で、どのようにして「リビア」という国を四二年間も支配してきたのであろうか。人々が再び「独裁者」を求め始めた今、もう一度、彼の姿を追ってみることが必要であろう。

以前から、日本で「リビア」といえば、ほとんどの人々が「あの恐ろしいカッザーフィーの国のこと？」と指導者の名前を挙げるように、一九六九年九月一日に弱冠二七歳の陸軍大尉が指揮した無血クーデター（九月一日革命）が成功して以降、すぐに政権交代が起こるとか、やがて抹殺されるとか、さまざまな憶測が語られるなかで、カッザーフィーは二〇一一年一〇月までじつに四二年間もこの広大な国を支配し、有名な著書『緑の書』にしたがって「人民直接民主主義」を実施してきた。

この間、リビアはその特異な政治姿勢によって、国際社会からの強烈な批判を浴びてきた。革命の直後、カッザーフィーはイギリスとアメリカに、リビアに設置されていた彼らの巨大な軍事基地から完全に撤退することを要求して、これを実現させた。当時、アメリカのウィラス空軍基地（現在のマイティーガ国際空港）は地中海で最大規模の基地だといわれていたが、一九七〇年に撤収している。「リビアに外国の軍隊は要らない」、これが若いカッザーフィーとその仲間たちの信念であった。新聞社、教会、政党を閉鎖・廃止し、銀行は国有化した。欧米の石油会社、いわゆるメジャーはリビアでも巨大な利権を誇っていたが、カッザーフィーはこれにも噛みつき、原油価格の高率の引き上げを認めさせてしまった。さらにイタリア人の入植地を閉鎖して財産も没収し、ユダヤ人の不在地主の土地も没収した。しかし、これは革命政権による政策のほんの手始めにしかすぎなかった。

リビアは世界各地の反政権派やテロ組織を支援するだけでなく、みずからもさまざまなテロ事件、暗殺事件、暴動などに関与してきたといわれている。そのために、経済制裁や政治制裁だけでなく、軍事的制裁までもこうむることになり、特に一九八六年四月アメリカ空軍と海軍によるカッザーフィーの自宅の爆撃という手痛い攻撃を受け、生後一五ヶ月の幼い養女を失うという悲劇が生じた（詳細は第19章を参照）。

前政権時代には、ホテルの売店にもカッザーフィーの「緑の書」が売られていた。バーブ・アル・バハル・ホテルで。

隣国エジプトのサーダート大統領からは「狂人」とののしられ、アメリカのレーガン大統領からは「アラブの狂犬」と蔑まれてきた。しかし、若くして政権の座につき、欧米列強の批判や攻撃をものともせず、ひとり孤高を保ち続け、しかも四二年をこえる長期政権を維持していたという事実は、なぜか日本人の心情に訴えるものがあるようである。これも一種の判官びいきなのであろうか。長期の独裁政権を維持しながらも、自らをけっして首相にも大統領にも、まして国王にも擬せず、わずかに三階級だけ特進して「大佐」を名乗り、遊牧民の伝統に従って砂漠の質素なテント生活を愛し、西洋風の贅沢を慎むところが、妙にロマンを掻き立てられる要因なのかもしれない。

カッザーフィー支配下のリビアの正式国名を直訳すれば「大リビア・アラブ人民社会主義ジャマーヒーリーヤ」(al-Jamāhīrīyah al-ʻArabīyah al-Lībīyah al-Shaʻbīyah al-Ishtirākīyah al-ʻUẓmā) である。「ジャマーヒーリーヤ」はアラビア語で「大衆」を意味する「ジュムフール」の複数形「ジャマーヒール」を変化させた言葉で、大衆集団による国家または体制を意味するカッザーフィーの造語であり、適切な外国語訳は見当たらないようである。そこで、英語などで記述する際にも、「ジャマーヒーリーヤ」はそのまま残すことが多く、The Great Socialist People's Libyan Arab Jamahiriya としている。日本語では長母音を無視して「ジャマヒリヤ」とすることもある。なお、外務省編集協力による『世界の国一覧表』(「世界の動き社」二〇〇四年版)では「社会主義人民リビア・アラブ国」とされており、脚注で「リビア・アラブ社会主義人民ジャマーヒリーヤ国」と訳す場合もあるとしていた。

（塩尻和子）

15

カッザーフィーの生い立ち

★遊牧民の誇りのなかで★

カッザーフィーは一九四二年春にスルト（シルテ）の南方約四〇キロメートルの砂漠のなかの遊牧民のテントで生まれた。当時の遊牧民は生年月日にこだわりを持っていなかったので、生年は一九四二年であるとされているが、一九四〇年か、それ以前である可能性もある。

スルト一帯の砂漠は岩石砂漠で、ところどころに丈の低い潅木が生えているような荒蕪地であり、夏には猛暑になり冬には気温が零下まで下がることもある。流れる河川は一本もないが、冬季には雨が降るので小規模の農耕は可能である。父親の名はムハンマド・アブドゥル・サラーム・ハーミド・ムハンマドで、一九八五年に九〇歳を超える長寿を全うした。母親、アーイシャは一九七八年に死去している。彼らは、カッザードファと呼ばれる遊牧民の部族に属する、小さな家族であったらしい。カッザーフィーの父はラクダやヤギ・羊を放牧し、ときおり、それらを地中海沿岸のスルト、ミスラータへ、あるいはフェッザーン地方の内陸都市サブハーの市場へ売りに行くことによって、生計を立てていたと伝えられている。一家はこの地域に多い貧しい半農半遊牧の暮らしをしており、そのために子

リビア砂漠で放牧されているラクダ、春は出産の季節で子ラクダが見える。

どもたちも転校することが多く、幼いカッザーフィーも小学校を三度、転校した。地方都市の学校では、遊牧民の子どもはその貧しさから軽蔑されることが多かったようであるが、カッザーフィーは、おそらく二〜三歳程度、同級生より年長であり、また非常に勉学に優れていたので、かえって尊敬されて、いじめられることもなかったといわれている。

カッザーフィーの両親には三人の娘がいるが男子は彼一人だけで、しかも末子であった。両親は遊牧民の大半がそうであるように文字の読み書きができなかったが、子どもたちに伝統的な昔物語や英雄物語を話して聞かせることには熱心であったらしい。これもまた遊牧民の口承文化のひとつである。カッザーフィーは革命の指導者となった後も、たびたび砂漠の遊牧民のテントに両親を訪ねるきわめて親孝行な息子であり、特に母親を敬愛する点については人後に落ちない。両親が一人息子に熱心に語った英雄物語が後の彼の生き方の基礎となったのであろう。

カッザーフィーが生まれた年を一九四二年とすると、そのころリビアの地中海沿岸地域、スルト、ベンガジ、トブルクからエジプトのアル・アラメインにかけての一帯が、第二次世界大戦のもっとも熾烈な激戦地となっており、ドイツのロンメル将軍が率いる枢軸軍とイギリスのモンゴメリー将軍が指揮する連合軍とが激突した戦場ともなっていた。カッザーフィー自身はまだ生まれたばかりであったが、幼児の潜在意識のなかに、イタリア、ドイツの枢軸側だけでなく、イギリスやアメリカなどの外国勢力に対する嫌悪感、反帝国主義感情などが植えつけられたのかもしれない。

リビアの海岸地域を一六世紀以降、直接間接に支配していたオスマン帝国は、一九世紀の反オスマン運動とサヌースィー教団による反イタリア抵抗運動に手を焼いて、一九一二年のローザンヌ条約でリビアをイタリアに譲渡した。これによってリビアはオスマン帝国による支配が終わったのち、ただちにイタリアによる過酷な支配に喘ぐことになった。

一九二二年にはムッソリーニが、かつてローマ帝国の支配地であったリビアを再び「ローマ」に取り戻すという「リビアのレコンキスタ」を宣言した。彼の命令を受けた最高司令官グラツィアーニは、イタリアの法律にも国際法にも縛られずにリビアの反イタリア勢力を殲滅させることについての許可を要請し、ムッソリーニがこれに同意したと伝えられる。グラツィアーニはただちに反対派の制圧に着手した。イタリアはもともと自国が貧しく、リビアを占領した目的がイタリアの過剰農民人口のはけ口を求めるためであり、リビア人を懐柔することを考えもせず、直接、彼らの土地を収奪してイタリア人の入植者に与えるという方針を採ったために、リビア人から激しい抵抗を受けた。
当時、キレナイカでは、サヌースィー教団の導師、ウマル・アル・ムフタールが反乱軍を率いていたが、一九二九年にはイタリアの対リビア政策はいっそう過酷になり、反乱軍への物資搬入を遮断するためとリビア人がエジプトへ逃げ込まないようにするために、有刺鉄線を地中海沿岸から内陸へ向かって二七〇キロメートルも張りめぐらせ、ついで人々が反乱軍を支援しないように、キレナイカ地方の人々を強制的に移住させた。その結果、一〇万人の人々が強制収容所に入れられ、そのうち八万人もが飢えや病気によって死に、あるいはイタリア軍によって殺されたりした。この惨劇のなかでカッザーフィーの祖父もイタリア軍に抵抗して戦死し、カッザードファ部族の三〇〇〇人もが隣国チャドへ脱出せざるを得なかった。

（塩尻和子）

16

カッザーフィーの革命

★周到な準備の成果★

リビアの近代史は、オスマン帝国とイタリアとによって蹂躙された苦い歴史でもある。もっとも、オスマン帝国の支配は植民地支配に変わりはないものの、同じイスラーム教徒同士でもあり、リビア人を懐柔して一部地域の支配を委ねるという間接支配を採用した柔軟なもので、また支配範囲も地中海沿岸地域に限られていた。しかし、イタリアの支配は、リビア人に教育も文化も与えることなく、彼らの宗教や文化を認めることもなく、リビア人を排除して土地を収奪することのみを目的としており、植民地支配の当初から激しい反発を招く性質を持っていた。

このような部族の歴史を受け継いだカッザーフィーが、早くから政治活動に目覚めたとしても不思議ではない。カッザーフィーは小学校へ入る前、地方を巡回してクルアーンを教える巡回教師から週に一回、クルアーンの朗誦と文字の読み書きを習った。彼はこの教師から、サヌースィー教団の創始者ムハンマド・アリー・サヌースィーや、イタリア軍に対する抵抗運動を指揮したウマル・アル・ムフタールなどの憂国の英雄について教えられたに違いない。カッザーフィーは小学校を三回転校した後、サブハーで中学校に入ったが、そのときにはすでに政治に関心を持つ、早熟な生徒に育っていたようである。彼は中学校在学中にエジプトのナーセルの革命と思想に心酔して、政治活動に参加するようになった。当時のリビア王国政府はナーセルの革命には反対であったが、ラジオを通じて隣国エジプトからナーセルの演説を聞くことができ、彼の動向は逐一、リビアにも伝わってきていた。青年期のカッザーフィーにもっとも大きな影響を与えたものは、クルアーンとナーセルの『革命の哲学』であった。

カッザーフィーは一九六一年に、ナーセル擁護を掲げた大掛かりなデモを組織したとして学校を追われ、ミスラータの中学校に転校したが、そこでも同級生やサブハーの旧友を誘って、一緒に士官学校進学を画策し、中学校を卒業すると計画どおりに士官学校に進学した。彼はそこで一九六四年にナーセルにならって地下組織、自由将校団中央委員会を結成した。カッザーフィーは秘密裏に人員を確保し武器を貯蔵し、サブハーやミスラータ時代の旧友の中から右腕となる人物を慎重に選んでいった。

士官学校にはイギリス軍の下士官が教官として赴任していたが、彼らの記録ではカッザーフィーは不真面目な、よく問題を起こす学生であったようである。しかし、一九六六年、なぜかカッザーフィーはイギリスでの四ヶ月間の訓練コースに入ることが許された。ビーコンズフィールドでの一ヶ月間の語学訓練ののち、残りの三ヶ月間はドーセット州ボヴィントンの王立機甲師団の本部で陸軍の隊長となる教育を受けた。しかし、このイギリス滞在は彼の意識にリビア革命の実行をさらに強く決意させる結果となった。彼は、高価な物があふれるロンドンの街並みや、そこで中東やアフリカからの労働者が、ごみ収集や道路の清掃など、イギリス人が避けてとおるような卑しい仕事をさせられていることに、大きな衝撃を受けた。また彼はビーコンズフィールドで執拗な人種差別を受けたようで

内戦前の革命記念日、9月1日を祝すイルミネーション、祝賀会が開催される都市では至るところで豪華な電飾が見られた。

ある。

　このようなイギリスの姿は、カッザーフィーの目には、物質主義が横行し道徳が廃れて、退廃的な雰囲気が漂っているように映ったのである。

　イギリス留学後の彼にとっては、イドリース国王治下のリビアはもはや一刻の猶予もならないくらい疲弊していた。リビアではすでに一九五九年にスルト砂漠の地下から世界でもっとも良質の石油が発見されていた。一九六四年には大々的な採掘が開始され、国家収入は急激に増加した。社会の構造が資本主義経済を受け入れる準備が整わないままに、伝統的なリビア社会はめまぐるしい変化を被ることになった。社会の急変とともに、王国政府の外交政策の失敗が次々と表面化して、リビア各地で激しい抗議運動が展開されるようになっていた。

　カッザーフィーの革命は、周到な準備段階を経て、イドリース国王が外遊中で、しかも軍の最高幹部たちがベンガジでの中央会議に出席していた、その隙をついて一九六九年九月一日に決行された。前日の深夜に行動を開始した革命軍は、一日の未明までにトリポリとベンガジの王宮、放送局、政府関係施設などを、ほとんど抵抗を受けることもなく占拠して、いわば無血革命として成功した。新政権の方針は「王政の廃止と共和国制の樹立」であった。カッザーフィーはあくまでも慎重であり、革命成功から二週間を経た九月一三日になって、ようやく彼らの中心メンバーの名前が公表された。カッザーフィーを議長とする革命評議会のメンバー一二人全員の名前が公表されたのは、翌年の一月になってからである。

（塩尻和子）

III

国際社会とリビア

17

テロ支援国の過去

★日本赤軍もカルロスも★

リビアは日本人にとっては、日本赤軍派とのかかわりでも知られている。一九七五年八月、マレーシア・クアラルンプールの日本大使館を占拠した日本赤軍派が、日本政府関係者を人質にして日航機でリビアに送られ、トリポリ国際空港で釈放されたことを覚えている人も多いと思う。リビア政府はその後の赤軍派の活動を擁護し、活動家を匿っていたこともある。

最近まで日本大使公邸のすぐ近くに、地中海の浜辺にそって三階建ての大きな横長の古びた建物があったが、この建物はもともと「公衆浴場」のついたホテルで「ビーチホテル」と呼ばれていた。数年前まで、屋上の西の端にスチーム室の半円のドームが四基、残っていた。現在ではホテルは閉業しており、一部はレストランになっているが、以前の宿泊施設を利用してさまざまな事務所が入居している。このホテルにいつのころか、赤軍派の日本人が数名、泊まっていたことがあると聞いた。当時はトリポリで有数のホテルだったようであり、その赤軍派を取材する新聞記者たちも泊まったことがあるらしい。一九八五年五月から七月にかけては、イスラエル・テルアビブの空港乱射事件で知られる岡本公三も、多数のパレスティナ人とともに

トリポリ郊外のビーチホテル、もとは公衆浴場で、写真には左端の屋根に4基のスティーム・ドームが見える。現在はドームは取り外されてオフィスビルになっている。

市内のキャンプに滞在していたようである。

リビアは一九六九年の革命以降、世界各地の植民地解放闘争を支援するという名目で、各地の反政府組織やテロ集団を、経済的にも軍事的にも援助してきた。悪名高いベネズエラ人のテロリスト「カルロス」も、長い間リビアでかくまわれていたと伝えられている。一九七八年にはレバノンのシーア派の指導者、ムーサー・サドルがリビアで行方不明になるという事件もおこったが、この事件は迷宮入りとなっている。

その後、一九八六年四月のラ・ベル爆破事件を皮切りに、一九八八年一二月のロカビー事件、一九八九年九月のUTA機爆破事件などに、当時のリビア政府が関与したとされている。ラ・ベル爆破事件とは、一九八六年三月にアメリカ軍機がリビア軍機を撃墜した後の四月五日に、当時の西ベルリンのディスコ「ラ・ベル」で起こった爆破事件で、アメリカ兵二名、トルコ人女性一名が死亡した。

ロカビー事件とは、一九八八年一二月二一日、ロンドン発ニューヨーク行きのパンナム機が、スコットランドのロカビー村上空で爆破され、墜落した事件である。乗員一一名、乗客二五九名、計二七〇名全員が死亡するという大惨事となった。事故調査の結果、高性能プラスチック爆弾を埋め込んだラジカセが入ったスーツケースが発見されたが、これもリビアの仕業であるといわれている。

ロカビー事件は、ラ・ベル事件の一〇日後にアメリカ軍機がトリポリとベンガジの市内を空爆したことに対する報復として実行されたものであるといわれている。アメリカ軍によるトリポリ市内の空爆は、カッザーフィーの暗殺を目論んで彼の自宅を狙ったものであるが、彼の養女を含む三七名が死亡、九三名が負傷し、カッザーフィー夫人のサフィーヤも負傷したと伝えられる。しかし、カッザーフィーは難を逃れた。彼もまたヨルダンの故フサイン国王と並んで「アラブの生き残りの達人」と称されていた。

UTA機爆破事件も、一九八九年一月にアメリカ軍機がリビア軍機二機を撃墜した後の九月一九日に、コンゴからパリへ向かうフランスのUTA機がニジェール上空で爆破され、乗員・乗客一七〇名全員が死亡した事件である。

いずれの事件にも、事件の前後にアメリカによる空爆やリビア軍機の撃墜という事件が起こっており、リビア側、アメリカ側の双方からの報復の連鎖が起きていたことが考えられるが、どの事件においても一般市民に犠牲者が多くでていることも忘れてはならない事実である。その結果、リビアは国際的なテロ支援国家として、一九九二年から二〇〇三年まで国連による政治的経済的な制裁を受けてきたのである。

（塩尻和子）

18

アメリカとの因縁の関係

★二〇〇年にわたる確執★

一九六九年のカッザーフィーによるリビア革命以降、これまで国際社会のなかで、もっとも強硬にリビアを敵視してきたのは、いうまでもなくアメリカ合衆国である。歴代の大統領が意識しているかどうかは不明であるが、じつはリビアとアメリカは二〇〇年にわたる因縁の歴史を抱えている。

第8章で述べたようにリビアでは一七一一年、アフマド・カラマンリーが実権を握り、一二四年間続く王朝を興したが、これはリビアで最初の独立王朝となった。現在でもトリポリ旧市街のなかほどにこじんまりしているが美しいカラマンリー・モスクがあり、境内にはアフマド・カラマンリーの廟と一族の墓地が併設されている。礼拝に訪れる人々は敬意をこめて彼を「アフマド・パシャ」と呼んでいる。

カラマンリー朝は強力な海軍を擁しており、トリポリ沖を通過する商船から通行税を取り立てていたが、このためにイギリスやフランスなどからは「無慈悲で不道徳な海賊」だと非難を浴びていた。地中海の要所に居座るこの「海賊」王朝に対して、ヨーロッパ側の沿岸諸国は機会があれば攻撃しようと狙っていた。

カラマンリー・モスクにあるアフマド・パシャの一族の墓。36 ページのカラマンリー・モスクの写真を参照されたい。

一八〇一年、アメリカはヨーロッパ諸国が地中海を自由に航行できる権利を確保しようとして、フリゲート艦フィラデルフィア号で乗り込んできた。フィラデルフィア号にはマストが三本あり、三六門の大砲を積載して乗組員は三〇〇人という、当時では最先端の巨大軍艦であった。三隻の僚船を従えて、シチリア島・マルタ島を経由してトリポリ港を目指した。しかし、この最先端の巨大軍艦は、カラマンリー海軍によって拿捕されてしまい、トリポリ港に係留された。アメリカ軍はこれを奪還することをあきらめ、特殊部隊が策を弄してフィラデルフィアに乗り込み、爆破炎上させてしまった。この新鋭艦がカラマンリー軍の軍艦に模様替えされて、対ヨーロッパ戦線に加わることを恐れたからである。

トリポリ港を見下ろす位置に、リビアを支配した歴代王朝の政庁であった城砦「赤壁城」（アル・サラーヤ・アル・ハムラー）があるが、その屋上には、今でもこのフィラデルフィア号のマストがそびえている。

この赤っぽいレンガ造りの城砦には、政庁と牢獄が併設されていたが、今ではその大半が国立博物館になっている。アメリカ軍の捕虜たちは、この赤壁城の牢獄に閉じ込められていたという。

このアメリカ・リビア戦争は、その後じつに四年間も続き、一八〇五年になってやっと講和条約が締結された。アメリカは新鋭艦を失うだけでなく、カラマンリー朝の海上支配権を認めなければならず、捕虜の釈放のために六万ドルという、当時としては想像を絶するほどの莫大な金額を支払わなければならなかった。独立後間もないアメリカにとって、巨額の損害を招くことになった、とんだ「おせっかい」であるが、アメリカの余計な「おせっかい焼き」の癖は、このころから培われてきたのであろうか。

アメリカは二〇世紀にも、なにかと難癖をつけてはリビアに対する直接間接の攻撃を繰り返してきたが、一九八六年四月五日のリビア政府が仕組んだテロ事件であるとされているベルリンのディスコ「ラ・ベル」爆破事件は、ある意味でアメリカが待ち望んでいたシナリオである。その一〇日後の四月一五日、アメリカはトリポリ市内を空爆し、カッザーフィーの生後一五ヶ月の養女を含む市民一〇一人（死者三七人、負傷者九三人）を殺傷したからである。

上／アメリカとの海戦の戦勝記念に、現在でも赤壁城（トリポリ国立博物館）の屋上に立つフィラデルフィア号のマスト。

下／赤壁城の内部、ここにフィラデルフィア号の船員が収監されていた。

前述したようにリビアは、一九八六年四月の西ベルリンのディスコ「ラ・ベル」爆破事件を皮切りに、一九八八年一二月のロカビー事件、一九八九年九月のUTA機爆破事件などの大きなテロ事件に関与したとして国際的な非難を浴びてきた（第17章を参照）。

リビアは公式には、これらのテロ事件について国家としての責任は認めないという基本姿勢を堅持しているが、一九九九年三月にはロカビー事件の容疑者二名を引渡しオランダで裁判にかけることを了承した。次いで、その年の一二月にカッザーフィーがテロ活動支援の放棄を宣言して以降、容疑者の引渡し、賠償交渉の開始など、過去のテロ事件の後始末に積極的に携わるようになり、二〇〇三年からはそれぞれのテロ事件の被害者に相当額の賠償金を払うことで清算を行ってきた。ロカビー事件については、二〇〇三年八月にリビアの公務員が起こしたとしてその責任を認め、被害者一人当たり最高一〇〇〇万ドルの賠償金を、また、UTA機爆破事件については、二〇〇四年一月にシャルガム外相のパリ訪問時に被害者一人当たり一〇〇万ドルの追加賠償金を払うことで最終的に合意している。さらに、一九八六年のアメリカ軍によるトリポリ空爆の直接の契機となった、「ラ・ベル」爆破事件についても、二〇〇四年九月に賠償金を支払うことに合意した。

長らく孤高を保ってきたカッザーフィーも、今後の国際関係のなかでもっとも重要な相手はアメリカであることを十分承知していた。過去のテロ事件の清算が進むのに伴って、アメリカとの関係修復への動きも着々と進行していた。二〇〇四年六月末にはバーンズ国務次官補がリビアを訪問して、連絡事務所の相互設置について合意した。その成果によって、九月に二度にわけてアメリカによる制裁が解除されたが、リビアは依然としてアメリカ国務省の「テロ支援国家リスト」に名を連ねていた。

第18章

アメリカとの因縁の関係

二〇〇三年三月にエジプトのシャルム・エル・シャイフで開催されたアラブ首脳会議の席上、カッザーフィーがサウジアラビアを非難したために、当時のサウジアラビアのアブドゥッラー皇太子（一九二四〜二〇一五、第六代国王）が激しく反発した模様が、ヨーロッパ中に衛星中継されたことがある。これに関連して、翌年の二〇〇四年六月になって、リビアがサウジアラビアの皇太子暗殺計画を立てていたという報道がアメリカの新聞紙上に流された。もし、それが事実であれば、当時のリビアに対する肯定的な評価が一気に覆る可能性があった。

それでも、アメリカは当時のバーンズ国務次官補のリビア訪問に先立つ二〇〇四年二月に外交官を派遣して、ベルギー大使館に間借りした形で「在リビア・アメリカ合衆国利益代表部」を正式に再開したが、もともとアメリカはベルギー大使館内に「アメリカ利益代表部」をおき、非公式に一〜二名の外交官を派遣していた。バーンズ国務長官がリビアを訪問して、相互に連絡事務所の開設について合意すると、ただちに利益代表部は「連絡事務所」に昇格となり、コリンシアホテルに移ってアメリカの在外公館となった。巷では、アメリカはすでにトリポリ郊外の広大な土地を購入して、巨大な大使館を建設する準備に取りかかっていると、噂されていた。私はたまたまある夕食会で隣に座ったので、アメリカ連絡事務所長のベイリーに直接聞いたところ、まだ土地探しの段階だとは言っていたが、もしかしたら巷の噂のほうが真実かもしれなかった。しかもその時点ですでに三〇名をこえるスタッフを配置していた。いっぽうではリビアをなかなか「テロ支援国リスト」から外そうとせずに慎重に様子見をしながら、他方では着実に外交関係の設置を進めているところに、現代のローマ帝国、アメリカのしたたかさを垣間見る思いがしたものである。

（塩尻和子）

19

カッザーフィー爆殺未遂事件

★高まったカリスマ性★

一九八六年四月一五日早朝にレーガン大統領の指示にもとづいて、アメリカ空軍・海軍の合同作戦によって行われたトリポリ市内攻撃の顛末は、『カッザーフィーとリビア革命』*Qaddafi and the Libyan Revolution*（David Blundy & Andrew Lycett, Corgi Books, 1988）によれば、以下のようであった。

一九八六年四月一四日、トリポリの中心地から三キロメートルほど離れたバーブ・アル・アズィーズィーヤの兵舎にある地下壕のなかで、カッザーフィーは一人で遅い夕食をとっていた。ここは何棟かあったカッザーフィーの私邸兼執務所であり、いわばリビアの「大本営」でもあった。この地下壕は核兵器攻撃には敵わないが、それ以外の攻撃には耐えうるように西ドイツの建築家が設計したものである。

バーブ・アル・アズィーズィーヤの兵舎は長さが約一〇キロメートルになる細長い滴型の陣地で、高い塀に囲まれ、当時の最新鋭の防犯機器が装備されていて、外部からは容易に近づくことができない場所であり、空からのミサイル攻撃に備えるために、フランス製の迎撃ミサイルが兵舎の外側に整備されていた。常時、重装備の軍隊が兵舎の内外を警護しており、ロシア製の戦車が配備されていた。カッザーフィーが国内のあちこちに配置している部下たちと密に連絡をとるための通信用鉄塔も聳えていた。まさにカリスマ的指導者への警護は完璧なようにみえた。実際、私が二〇〇五年八月三一日、カッザーフィーの妻、サフィーヤ夫人の晩餐会に招待されて、この兵舎を訪れたときにも、晩餐会の会場に到着するまでに入り口から四～五回もの厳重な検問を通過した（【コラム5】【コラム6】を参照）。

外部のものものしい警護状態とは打って変わって、内部には二面のテニスコート、サッカー場、庭園に芝生も整備されていて、快適な居住空間になっていた。サフィーヤ夫人を始めカッザーフィーの家族は、高級な家具が備わった二階建ての大きな邸宅に住んでいた。この邸宅の近くにカッザーフィーは大テントを張って遊牧民の伝統的な暮らしを再現させ、公賓の接遇の際に使っていた。このテントの外側は当時のリビアを象徴する緑一色に塗られていたが、内側はアラブ式に色とりどりのキルトで飾られていた。そこにはカッザーフィーの著書『緑の書』から抜粋された言葉が刺繍されていたといわれる。

四月一五日の早朝、カッザーフィーは地下壕の隠れ家で、このところ悩まされていた腰痛対策と精神的安定のために、執務室の床にじかに寝転び頭までシーツを被って、二時間も誰にも妨げられずに横になってリラクゼーションに努めていた。そのときすでに「エルドラド・キャニオン」と名づけられたペンタゴン（アメリカ国防省）の作戦が、イギリスのレイクンヒース・アメリカ空軍基地で開始されていた。二四機のF111戦闘機が、五機の滞空レーダー基地EF111、二八機の空中給油機、一機のSR71高空偵察機を伴って、すでに一四日の午後、リビア時間で一七時三〇分にアメリカの基地を飛び立ち、イベリア半島を大きく迂回して、超音速で地中海上をリビア目指して飛び続けていた。ほぼ同時刻にベンガジ沖の地中海に展開していたアメリカ海軍の空母「コーラルシー」と「アメリカ」がA6攻撃機、A7攻撃機、およびF18戦闘機の出撃準備を終えていた。

午前二時になる数分前、一三機のF111戦闘機と三機のレーダー妨害機が無防備なトリポリ上空に出現し、空港とバーブ・アル・アズィーズィーヤの兵舎一帯を爆撃した。アメリカのレーダー妨害機の威力が功を奏して、リビアの防空体制はなにも役に立たなかった。空襲警報も鳴らなかった。このころにはすでに、リビア第二の都市ベンガジでも軍事基地が大攻撃を受けていた。

リビアは第三世界の国としては、異常なまでに莫大な軍事予算をかけて整備された、近代的な軍隊を持っていた。フランス製のミラージュやロシア製のミグ21、ミグ23など五三五機の戦闘機、人口比では世界一多い戦車数などは言うまでもなく、ひそかに密輸されたアメリカ製の武器や軍事機器も入りこんでいたようである。しかし、装備は整っていても、軍隊の教育や訓練は未熟で、最新鋭のコンピューターや探査機器類は、その梱包を解かれることさえない場合もみられたという。

カッザーフィーはのちに、アメリカ空軍機の攻撃の際には家族とともにいたと語っているが、おそらく地下壕にいたものと思われる。彼がいた地下壕を含む司令本部は、なにひとつ被害を受けなかった。しかしテニスコートと家族の住居の玄関あたりに爆弾が落ちた。この爆風によってカッザーフィーの二人の息子が軽傷を負い、生後一五ヶ月になる養女が殺害された。カッザーフィーにハナーという名の養女がいたことは、彼女が亡くなって初めて公表されたことである。

これは明らかにカッザーフィーの暗殺を目論んだ攻撃であったが、彼の居所と考えられる地下壕にも、ベドウィン・テントにも、爆弾はかすりもしなかったのである。しかし、誤爆による被害者は、死者が一五人の市民を含む三七人、負傷者は九七人にのぼったといわれている。

カッザーフィーは、この空爆の二日後に海軍士官の制服を着てテレビに出演し、リビアの大勝利を宣言し、国名を「リビア・ジャマーヒーリーヤ」から「大リビア・ジャマーヒーリーヤ」へ昇格させることを公表した。

この事件によって、カッザーフィー支配下のリビアが莫大な予算を費やしながら、国防機能が不十分であり、軍隊に危機管理能力がなかったこと、空爆に対抗する訓練が不足していたことなど、カッザーフィーの統治能力に対していくつものマイナス要因が明らかになった。しかし、カッザーフィーはアメリカの蛮行の被害者として、また、その蛮行に打ち勝った指導者として、まるで不死鳥のように甦り、さらにカリスマ性と英雄度を高めていくことになった。当時、ＣＩＡはレーガン政権に対して、リビアを攻撃することはカッザーフィーの名声に寄与するだけであると警告を与えていたといわれているが、事態はそのとおりになってしまった。

（塩尻和子）

コラム5

「アメリカ蛮行の記念碑」での食事会

塩尻和子

バーブ・アル・アズィーズィーヤには二〇一一年の内戦がおこるまで、「アメリカの蛮行の記念碑」として半ば廃墟になったカッザーフィーの家族の住居が、爆撃を受けた後の、そのままの形で保存され、賓客に公開されていた。

その公開の例を示そう。これは私の夫（前駐リビア日本国大使塩尻宏）が、二〇〇三年九月にバーブ・アル・アズィーズィーヤでの会食に招待されたときの見聞記である。

夫たち外交団の一行は、午後一〇時一五分ころにバーブ・アル・アズィーズィーヤ地区（「殉死者広場」の南南西約二キロ）にある軍事キャンプの前に到着し、強固な車止めを施したチェックポイント二ヶ所を通過して、構内に進んだ。照明塔で照らされた広場の一角に数十台の食事用テーブル（七人掛け）が並べられてあり、その手前で車を降りて、招待客たちは各自、適当な席に座った。

見回すと、高い塀に囲まれた広大な敷地のなかに、建物がまばらに点在している。夕食会場のすぐ近くで敷地のほぼ中心と思われるところに、こぢんまりとした四角い二階建ての建物があり、コンクリートの外壁や二階の窓などは大きく損傷し、一部は崩れかけていた。その背後には屋内会食用の円形ドーム型の建物があり、その近くには厨房施設と見られる中規模の建物とサロン風の小型の建物が見られ、それらの建物から離れた芝生部分には二張りのテントが見られた。

同席の人々によれば、目の前の崩れかけた建物は一九八六年四月にアメリカ軍の爆撃を受けたもので、当時トリポリの居宅としてここを使っていたカッザーフィーは、九死に一生を得た。当時は「アメリカによる蛮行の証拠」とし

バーブ・アル・アズィーズィーヤで。アメリカの爆撃によって崩れた建物を見学する人々。(2005年10月、堀江正彦氏提供)

て、彼が招待した賓客に見せていた。しかも夜間には照明施設でライトアップされていた。カッザーフィーは二〇一一年の内戦前まではトリポリ滞在中はこのキャンプに住んでいたそうであるが、どうやら庭の向こうに見えるテントを使っていたのではないかということである。

その夜、この「崩れかけた建物」の前庭にステージが設えられ、扇形に並べられたテーブルの先の一〇メートルほど離れた場所に、ステージ正面に向かって置かれた二人用テーブルがあり、そこにはカッザーフィーが白っぽい色のジャケットを着てすわり、隣にアフリカの島国サントメ・プリンシペ民主共和国の大統領が着席しており、その周辺には赤いベレー帽を着けた戦闘服の軍人一〇名ほどが取り囲んで警戒していた。

夫のことであるから、どんな料理が供されたのかは、よく覚えていないという。

コラム6

女性たちの革命記念日

塩尻和子

突然の電話から

おそらく私はバーブ・アル・アズィーズィーヤでの宴席に招待された数少ない日本人女性だろうと思われるので、私の体験もお話ししたい。

それは二〇〇五年八月二九日の午後二時過ぎのことであった。私がトリポリの日本大使公邸で、プロトコール（儀典局）からという電話を受け取ると、英語で「私が誰だかわかりますか」という若い男性の声がした。一瞬、いたずら電話かもしれないと気を引き締めながら「いいえ、知りません」と答えると「ファーストレディのプロトコールだ」と自分の名前と役職を名乗り、「明後日水曜日にあなたを招待したいので、午後八時にバーブ・アル・アズィーズィーヤのマナール門まで来てほしい」という。これは各国大使夫人や女性への招待で、男性には別に招待状がでるが、女性には電話連絡のみである、という。私はあわてて何度も「明後日とは八月三一日のことですか」と聞いたのだが、相手は「明後日、水曜日」と繰り返して電話が切れた。その後、大使館から、午後八時からという連絡と午後九時からという連絡が混在していることが知らされ、当日の三一日午前一〇時になって、「午後九時から」という確認がとれた。

カッザーフィーは国家元首でも大統領でもなく「革命の指導者」と名乗っているが、名目はともかく、カッザーフィー夫人はなんと言ってもこの国で最高位の女性である。そのファーストレディに会うのだからと、私は和服で行くことにして夏用の薄手の絽の着物を選んだ。昨今、絽の着物など日本にいても着る機会はまずない。せっかく用意してきているのだから、こんなときに着ないでどうする、と思う反面、リビア政府が主催する集まりでは、何時間も待たされ、あちこち引き回された挙句に、夜明け近くになってようやく散会するという話も聞く。暑い時期に絽とはいえ着物を着て、何時間も過ごせるのかとちょっと悩んだが、勇気を出して着物で行った。

バーブ・アル・アズィーズィーヤはカッザーフィーがトリポリに滞在している時は居所にしている場所で、彼を警護するための軍事基地にもなっている。そこにはアメリカの空爆によって破壊された建物が「記念碑」として残されているが、それは宴会場のすぐそばだと聞いていた。しかしその夜、私は緊張していて、宴会場の周辺を見渡す余裕がなく、車を降りると係の女性に案内されて、すぐに会場内に入ってしまった。

これから何が始まるのか、様子がよくわからないのに加えて、マナール門を入ってから五〜六回も検問所を抜け、運転手は途中で携帯電話を取りあげられるというぴりぴりした警戒ぶりで、私もひどく緊張してしまい、ここがあの空爆の現場だということをすっかり忘れていたのである。

グリーンの「王妃様」の雰囲気で

カッザーフィー夫人の晩餐会では、五〇〇人は入れそうな巨大なテントを張った円形の宴会場に、リビアで唯一の欧米並みホテル、コリンシアホテルからビュッフェが出ていて、料理もサービスもかなり行き届いていた。私は「日本共和国大使夫人」（ハラム・サフィール・ジュムフーリーヤ・アル・ヤーバーン）という名札のある席に座ったが、ふと見るとどの国の名札にも「共和国」（ジュムフーリーヤ）と記入してあった。私が座ると、なぜか案内の女性が私の名札を取って行ってしまった。着席したことを確認するために、持っていったのであろう。しかし、

パーティーの席次札。「日本共和国大使夫人」とある。

そのうち、対応できなくなったらしく、名札はそのまま残されるようになった。私のテーブルはほとんどがアジアの大使夫人に割り当てられていたが、彼女たちは皆、アラビア語が読めないので勝手に好きな仲間同士で座り始め、そのうち、名札は有名無実となってしまった。ソマリア大使夫人の席に、遅れて来たアメリカの参事官夫人が座った。会場は空席が目立っていたが、カッザーフィー夫人が到着するとリビア関係者たちがどやどやと入ってきて、たちまち七割くらいまで埋まって、なんとか格好がついた形になっていた。

エアコンはついていたが、三〇〇人以上という人数では効いていないのと変わらない。周囲の夫人たちと「きっと長く待つのでしょうね」といいながら、一時間以上待ち続けた。言うまでもなくアルコール類は供されないが、水やジュースなどの飲み物は十分に配られていた。午後一〇時一五分を過ぎて、暑いしのどが

コラム6

女性たちの革命記念日

渇くし、待ちくたびれたころ、やっとカッザーフィー夫人が来賓のチャドの大統領夫人を伴って現れた。

ファーストレディはこの国のシンボルカラーの、目にも鮮やかな緑のアラブ・ドレスに、同じ色の薄いベールで髪をおおっていた。ドレスはリビアの伝統衣装ではなかったが、アラブ世界で一般に着られるガラビーヤ風で、金で豪華な刺繍がいっぱい入っていた。結婚前は看護師だったという夫人は背が高く大柄で、色は浅黒く彫りの深い顔で、自信にみちた笑顔が印象的であった。夫人が入場すると全員が立って、拍手して迎えた。まさに「王妃様」の対応である。

カッザーフィー夫人は、周囲にいたリビア高官の妻らしい女性たちと抱擁してたがいに頬をくっつける挨拶をしただけで、招待客にたいしてはなにも挨拶も言葉もないままに、チャド大統領夫人と並んでメインテーブルに座った。夫人は終始笑顔を絶やさなかったが、ブルーのスーツのチャド大統領夫人のほうは、かなり緊張しているようにみえた。背後には通訳らしい女性たちが立っていたが、二人はほとんど会話を交わしていなかった。

カッザーフィー夫人が着席するとすぐに食事が開始され、女性たちがわっと列になってビュッフェに並んだ。私は七時に家で軽く食事をしてきていたが、興味本位ですこしだけ取って味見してみた。この国としてはかなり豪華な料理で、種類も量もたっぷりあり、味もなかなかであった。食事の間中、アラブ音楽の演奏とリビアのフォークロア・ダンスが続いていたが、食事をしているそばで、しかもテントのなかで、飛び上がったり走ったりするのには、舞い上がる埃が気になってしまった。ダンサーたちは男性も女性もいた。まず踊りながら前に歩みだして、カッザーフィー夫人に挨拶し、最後にも挨拶して引き上げていたが、どう見てもプロのダンサーではなく、大学生か軍隊の兵士たちの中から訓練した集団のように見えた。

写真撮影は禁止――証拠の名札

午後一一時四〇分を過ぎたころ、カッザーフィー夫人がメインテーブルの前にチャド大統領夫人と並んで立つと、招待客も立ち上がり列を作って、一人ひとり夫人に握手して挨拶をした。私はアラビア語で自己紹介して「記念日おめでとうございます」（クッル・アーンム・ワ・アントム・ビ・ヘール）と言ったが、夫人はおや、というような顔をしてから笑顔でうなずいてくれた。夫人の背が高いので、私は見上げるようにして挨拶をしたのである。着物を着て行ってよかったと思った瞬間でもある。

私はなんとかして会場で写真を撮ろうと思ってハンドバッグに小型カメラを入れてきていたが、周囲の人たちにそれとなく聞くと、「昨年パキスタンの大使夫人が撮ろうとして叱られたので、今年もきっと駄目よ」と言う。それでも諦め切れず、セキュリティの女性に確かめたら「もちろん禁止」と言われてしまった。会場ではプロの男性カメラマンが二人いて、最初から最後まで、ずっと写真とビデオ撮影をしていたが、客は勝手に撮るなというのであろう。しかし、「リビア女性協会」という名札がついたテーブルの女性が、薄いベールにカメラつき携帯電話を隠しながらこっそりと撮影していたのを、私はしっかりと見つけてしまった。リビア人でも、カッザーフィー夫人の写真を撮りたいという気持ちがあるのは、当然のことなのかもしれない。

会場の入口に近いテーブルに、女子警察士官学校の制服を着た若い女性たちが座っていた。私が入っていった時、彼女たちと目があったので「今晩は」と挨拶をしたら、元気な声で挨拶を返してくれた。私たちよりかなり遅れて彼女たちも食事をとりにビュッフェテーブルに並んでいたが、なかには欧米人と見間違えるほど色

コラム6

女性たちの革命記念日

白の美人が数名いるのが目についた。リビアに四年以上滞在しているベトナムの大使夫人によれば、彼女たちは女子警察士官学校の生徒のなかでもトップクラスの優等生だという。リビアではカッザーフィーを警護する女性警備軍団、通称アマゾネス軍団、が有名だったが、そのころはカッザーフィーの周辺にその姿がないようであった。それだけに、この可愛い女子警察士官の姿も、ほんとうに撮りたかった。

仕方がないので、私はせめてもの記念と出席した証拠にとテーブルの名札をもらいに案内の女性のところに行き、「えっ、アラビア語が読めるの」と驚かれながら、彼女と一緒に大きな束になった名札をひとつひとつ調べて「日本共和国大使夫人」の名札を取り返して来た。

「昨年は、カッザーフィー夫人が出るまで、客はなかで待っていた」と聞いたが、今回は夫人に挨拶を済ませたらそのまま出て行っていいといわれた。帰宅したら午前一二時半を過ぎていたが、幸いなことに家を出てから帰宅まで四時間の行事となった。

20

国連制裁解除

★「バスに乗り遅れるな」★

一九九二年からほぼ七年間つづいてきた国連制裁は一九九九年に解除されたが、それだけでは、国際社会とリビアとの関係に大きな変化は起こらなかった。しかし、二〇〇三年九月にリビアが公式に国際社会復帰を宣言して以降は、リビアに対する欧米の目が一新された感があった。欧州諸国からは政府・民間を問わず続々と各種ミッションがリビアを訪問しており、トリポリ市内にあるリビアで唯一の外資系のコリンシアホテルも、一泊平均で三〜四万円という高値にもかかわらず、連日満員の盛況ぶりである。まさに誰も彼もが「バスに乗り遅れるな」といった雰囲気が見受けられるようになっていた。

しかし、押し寄せる欧米勢力も、いったん、リビア国内に入ってみると、ジャマーヒーリーヤという特異な政治思想が刻み込まれた政治システムと、長く国際社会から隔離されてきた間に定着した非合理的な手続き、命令伝達や指揮系統の不透明さなどに、たちまち戸惑ってしまうようであった。独裁体制やテロ支援の暗い歴史、カッザーフィー指導者の奇抜な言動などから、リビアは中東のなかでも扱いがたい、理解しがたい国であるとのイメージが、以前から定着していることを、改めて実

トリポリの中心地、殉教者広場につづくヨーロッパ風の町並み。中央に見える馬車は観光用。反対側に国立博物館がある。

感させられることになる。

リビアは、革命以降、海外各地の植民地解放闘争を支援するとともに、国内外の反政権派の粛清に明け暮れてきたといわれているが、一九九九年四月には国連による経済制裁の凍結を引き出して以降、ロカビー事件の容疑者の引渡しを行い、国連による経済制裁の凍結を引き出して以降、徐々に国際社会との協調路線を模索するようになっていた。二〇〇三年九月から突然、公然と掌を返したように大幅な路線転換を打ち出した背景には、外交、経済、政治の各面において必要に迫られたという事情があったと思われる。

一九六九年の革命以来、カッザーフィーの政策は、独自の共産主義でも資本主義でもない世界観「第三世界理論」に基づいて、旧帝国主義勢力である欧米諸国との対決姿勢を鮮明にし、世界各地の解放闘争を積極的に支援してきた。そのためにアメリカを始めとする世界の主要国との軋轢を引き起こし、国際社会との緊張関係は九〇年代まで続いた。その結果、一九九二年には国連制裁を課せられ、国際的孤立状態に陥ったのである。この国連制裁は一九九九年の停止まで実質七年間におよび、リビアへの物資の搬入が厳しく制限されて、医

最近目立つようになったハンバーガー・ショップ。女性たちも窓際に座って食べている。

薬品にも事欠くような状況となり、経済的に追いつめられた。また、この制裁の結果、国民や軍の間に閉塞感が高まり、本来国家を守る立場の軍による反乱事件も、早くも制裁開始の翌年、一九九三年に起きるなど、国内の引き締めに限界が出てきていた。

当時、カッザーフィーは「リビアは南アフリカやパレスティナやIRAなどを物心両面で支援して欧米諸国との対立を続けていたが、気づいてみるとその当事者たちはいつの間にか欧米諸国とも関係を築いていた。世の中がそうなったからには、リビアだけがいつまでも孤立状態でいる必要はないと悟り、欧米諸国との対立関係を解消することとした」（二〇〇四年三月二日・全国人民会議での演説）と主張している。彼がこれまでの頑なな方針を大転換して、一九九九年四月にロカビー事件の容疑者の引き渡しに応じ、被害者にたいする賠償金の支払いを承諾して、国連制裁の停止を引き出す方向に進まざるを得なかった背景には、実際にはさまざまな側面でせっぱ詰まった事情があったのである。

（塩尻和子）

21

大量破壊兵器放棄宣言

★カッザーフィーの大変身？★

二〇〇三年一二月一九日に、カッザーフィーは唐突に大量破壊兵器（ＷＭＤ）の放棄宣言を行い、突然大変身したかのようにみられたが、これも基本的には第20章で述べたことと同じ事情と理由によるものと理解できる。もともとイギリスのインテリジェンスはアメリカのＣＩＡと共同で入手した情報をもとにして、数年前からリビアに大量破壊兵器が存在することを突き止めていた。カッザーフィーがその放棄交渉に応じる姿勢を、極秘裏にブレア首相に伝えてきたのは、二〇〇二年一〇月ころといわれている。巷間では、アメリカによるイラク攻撃とサッダーム・フサインの失脚劇を見て、カッザーフィーが怖じ気づいたからだとの説も流れたが、彼が大量破壊兵器の放棄を決意したのはイラク攻撃が行われるかなり前であったといわれていることから、その見方は当たっていないようである。

これらの経緯について、リビアの事情としては以下のことが推測される。リビアは一九九九年に国連制裁の停止を勝ち取ったが、依然としてアメリカによる「テロ支援国家」の指定は継続していた。またイラン・リビア制裁法（ＩＬＳＡ）が継続している限り、欧米諸国が抱くリビアのマイナス・イメージを払拭することはできない。欧米諸国との協力関係を改善することは、リビアの経済発展に不可欠な要因であるが、リビアに対するマイナス・イメージは、それら諸国との協力関係拡大への大きな阻害要因となったままであった。

OPEC（石油輸出国機構）資料によれば二〇〇三年のリビアの石油収入は一三四億ドルにのぼるが、この毎年の石油収入の半分ともいわれる莫大な資金を、二〇年間にわたって投入し続けた大量破壊兵器計画も、蓋を開けて見ればアメリカの足もとにもおよばない代物でしかなかったという現実に直面したものと思われる。そこで、このままむざむざと莫大な資金をつぎこむよりも、むしろこの大量破壊兵器の問題を外交カードとして最大限に活用して、一気にリビアのマイナス・イメージを払拭し、国際社会への復帰を果たすと同時に、海外からの投資も呼び込んで国内経済の活性化に繋げようとしたものである。当時、イラクの大量破壊兵器に対する国連査察が実施され、ついでイラク戦争が始まっていた時期でもあり、テロや大量破壊兵器についての国際的関心が頂点に達している時期と一致する。

カッザーフィーのこの一石二鳥の狙いは成功し、結果としては一石三鳥ともいえる大きな外交的成果をあげることになった。二〇〇四年二月にはアメリカ市民のリビア渡航制限が二〇数年ぶりに解除され、ついで四月にはイラン・リビア制裁法が解除される（イランだけは制裁が残り、イラン制裁法となった）など、各種の制裁が一気に解除・緩和に向かったのである。

しかし、注意しなければならないことは、カッザーフィーのこの政策転換は彼がその思想や哲学を変えたわけではなく、欧米諸国の政治体制や価値基準を容認するようになったわけでもない。彼は少なくとも三〇年から五〇年後のリビアの将来を想定しながら、現実に対処しているようにみえる。このことは、二〇〇四年二月と三月に行われた彼の演説からもうかがわれる。そういう意味では、カッザーフィーの思考には熟慮された政治的展望が描かれているように思われた。

これらの演説は大量破壊兵器廃棄宣言後に初めて発表されたものであり、彼の真意と心情が吐露されたものと受け止めることができる。彼はたんなる「アラブの狂犬」ではなかったということができよう。

第二次世界大戦後、冷戦と緊張と解放運動が広まりを見せるなかで世界は核の時代に入った。リビアも七〇年代に入って核兵器の入手を強く望むようになったが、冷戦の終焉、緊張緩和時代の到来とともに戦争の方法や理念が変わってきた。今ではいかなる国も国民軍だけでは自らを守ることはできず、核保有国は単独では生存できなくなった。そのためにリビアの政策の再検討が始まったと、カッザーフィーは主張している（二〇〇四年三月二日・全国人民会議での講演）。

リビアの人々は、世界で初めて日本に投下された原子爆弾の被害についてよく知っており、私も日本人だと自己紹介したときに「お気の毒に、原爆が落とされましたね」とお見舞いを言ってもらったことがある。それだけに、現実に核爆弾を製造しても、それを使えば結果がどうなるかということをよく知っている。リビアのように技術的には発展途上にある国が核爆弾を一個持っていたとしても、また数千個を保有しているアメリカでさえも、今では実際にその核爆弾を他国に投下することは考えられない。そうであれば、いかなる国民国家も、核兵器によって自らを守ることはできないことになる。

トリポリの市街地、500メートルおきくらいにモスクがある。

カッザーフィーによれば、ベトナム、イラク、パレスティナなどの例をみても、実際の戦闘で必要なのは核兵器ではなく通常兵器や小型兵器であり、この現実を考えると、リビアが核爆弾を製造して、それを飛ばす手段さえもないのは、銃弾を作っても銃がないのと同じで、役に立たないということになる。

そのため、国際社会から、大量破壊兵器（WMD）の製造計画を持っているとつねに疑われていたリビアは、関係諸国とIAEAに対してWMDを放棄したいと伝えたのである。それと同時に「全世界がリビアのこの決定を評価したものの、信用されていないようであり、検証の必要があるとしてIAEAが部品を引き取っていくことになっている」と述べていた。

（塩尻和子）

22

カッザーフィーの後継者は誰か

★「あの家族」を継ぐ者★

当時、国民の間で、カッザーフィーの後継者だと噂されていたのは、次男のサイフ・アル・イスラームであった。彼は一九七二年六月にカッザーフィーの私邸兼軍事基地があったトリポリ市内のバーブ・アル・アズィーズィーヤで生まれたと伝えられる。母親はカッザーフィーの二番目の妻、サフィーヤ・ファルカーシュである。アル・ファーティフ大学（現トリポリ大学）工学部を卒業したのち、一九九八年からウィーンのイマデック大学経済学部に留学し、二〇〇〇年に同大学ビジネススクールでMBAを取得し、二〇〇八年にはLondon School of Economicsより博士号を取得した。

一九九〇年代後半から海外留学の傍ら、父親であるカッザーフィーの意向を受けて非公式な形で対外関係や国内の経済・社会開発計画の策定などに関与し始めた。二〇〇〇年代に入ると、カッザーフィー国際慈善基金（一九九八年設立）の総裁としてリビアが関与したとされる事件の解決のために奔走した。

第17、18章で触れたように、ロカビー事件の賠償合意（二〇〇三年八月）、UTA機爆破事件の追加賠償の原則合意（二〇〇三年九月一日）、ラ・ベル事件の賠償合意（二〇〇四年八月）、フィリピンでテロ組織アブサヤフにより拉致された旅行者（六名：フランス、ドイツ、レバノン、南アフリカ）の解放（二〇〇〇年八〜九月）、西サハラでイスラーム過激派により拉致されていたドイツ人及びスイス人旅行者（一三名）の解放（二〇〇三年八月）、ポリサリオ活動グループにより拘留されていたモロッコ兵捕虜（三〇〇名）の送還（二〇〇三年一一月）などの問題解決は、いずれも表向きはカッザーフィー国際慈善基金の折衝や活動によるものである。これらの問題の解決に際して、サイフ・アル・イスラームは、あるスピーチのなかで「ムアンマル・カッザーフィーの息子として個人的にかかわった」と述べていた。

二〇〇三年一二月には米、英、リビアの三国から「リビアの大量破壊兵器計画放棄宣言」が同時発表された。当時リビアに在勤していた私の夫、塩尻宏が同僚の英国大使から後日談として聞いたところでは、二〇〇二年秋ころにロンドンに遊学中であったサイフ・アル・イスラームが、ブレア英国首相に対して欧米諸国が懸念している核兵器を含む大量破壊兵器計画を放棄する用意があるとのカッザーフィー指導者のメッセージを伝えたことが端緒となって、翌二〇〇三年二月ころから八ヶ月にわたる米・英・リビアの秘密交渉が行われた結果、上記の宣言が実現したという。

欧米マスコミへの露出が増えたサイフ・アル・イスラームは、父親であるカッザーフィー指導者の意向を受けたと見られるその動向が益々注目されるようになり、やがて後継者と目されるようになった。国際社会との関係正常化を急ぐリビアと同国の地下資源や開発需要への関与を当て込んだ欧米諸国の期待感とが相まって、双方の間で首脳・要人レベルの接触が活発化した。それに伴い、サイフ・アル・イスラームも意欲的に諸外国への訪問を積極化し、二〇〇五年四月三日から九日まで、愛・地

カッザーフィーの次男、サイフ・アル・イスラーム、外務省公賓として来日。彼の絵画展会場で在日リビア人に囲まれている。2005年4月。

球博（愛知万博）の賓客として来日した。その際、リビアをテーマとした絵画を披露するための催しとして東京で「砂漠は沈黙ではない」（The Desert is Not Silent）と題する展覧会が開催されている。

彼は日本滞在中に小泉総理、町村外務大臣、麻生総務大臣、谷垣財務大臣、中川経済産業大臣、中山文部科学大臣、河野衆議院議長（以上はすべて二〇〇五年四月当時の役職）、森元総理と会談し、TBSのニュース番組では筑紫哲也と対談、四月五日には午前中に国連大学で「二一世紀のリビア」と題して当時のリビアの経済開放政策について講演し、夕方には赤坂の国際交流基金フォーラムで「砂漠は沈黙ではない」の開会式に、三笠宮寛仁親王、小池百合子環境大臣らとともに出席した。サイフ・アル・イスラーム自身も油絵の趣味を持っており、彼の作品も数多く展示されていたが、そのなかには、父親であるカッザーフィーを描いたものも出品されていた。

私は国連大学での講演会に出席し、国際交流基金フォーラムでの絵画展ものぞいてみたが、日本に滞在するリビア人たちが、敬愛の念をこめて彼を取り囲み次々と挨拶をする姿を見て、外国ご訪問時の皇太子殿下に接する在外日本人の意識と同じようなものを感じた。カッザーフィーの後継者と目されていた彼は、遠い日本で働いたり学んだりするリビアの人々にとっては、まさにお世継ぎの「皇太子殿下」だったのであろう。サイフ・アル・イスラーム自身は、スキンヘッドで背が高く、ウィーンで教育を受けたというだけあって礼儀正しく、身のこなしもエレガントで洗練された感じがした。国連大学での講演も流暢な英語でそつなくこなしていて、「アラブの狂犬」カッザーフィーの後継者というよりも、革命前までリビアを支配していたイドリース王朝のプリンスのようにみえたものである。

サイフ・アル・イスラームが日本を離れたあとになって、在日の外国プレスが騒ぎ始め、「彼はいったいなにをしに来たのだ。なぜ小泉総理大臣を始め六人もの閣僚と会談したのだ」という問い合わせが政府関係者にあったという。まるでリビアの後継者問題について、日本政府がなにかをつかんでいるのかと勘繰っているようである。

カッザーフィーは時折その健康状態が取り沙汰されるようになっていたが、一九四二年春に生まれたとすれば二〇〇六年五月には六四歳になっていた。まだ高齢とはいえないものの、加齢に伴いその指導力に陰りが生じてくるようになれば、本質的に部族社会であるリビアに、ある種の軋轢が生じる可能性は、無論、否定できなかった。サイフ・アル・イスラームは筑紫哲也とのインタビューで、「父親の後継者になろうとは思っていない」と語っていたが、胸のうちはわからない。そのころ、シリアでは故アサド大統領の次男バッシャール・アサドが後継者に納まり、エジプトでもムバーラク大統領が息子を後継者にしようと画策していたと伝えられていた。

第22章

カッザーフィーの後継者は誰か

サイフ・アル・イスラームは、カッザーフィー基金はリビア当局とは関係ないNGOであり、自分はその総裁であるとしながらも、時には一市民として動くこともあれば、カッザーフィー指導者の息子として動くこともあると述べていた。また、過去のリビア社会の不適切な部分を見直して、時代に合わせて改革すべきであり、その拠り所は「良心」であるとも述べていた。さらに、そのため時には内外から批判を受けることもあるとも述べていたが、これまでのところ、リビア国内で彼の言動についての批判的な声が表立ったことはない。

彼は自分がカッザーフィー基金を独裁的に運営していることは自覚していたようであるが、最高権力者の息子であり、その信頼を受けているかぎり、誰からもなんらの制約をも受けることなく動いていたと見られている。サイフ・アル・イスラームはみるところ、理知的で明朗快活な好青年であるものの、一切の公的な役職を持たない彼の言動が、リビアの政治・経済に実質的な影響を与えていたことは、リビアの将来にとって、どのような隠された意味があったのだろう。

リビア政府が関与したとされている大きなテロ事件のロカビー事件、UTA機爆破事件、ラ・ベル事件などの賠償合意は、カッザーフィー基金の名前で行われている。その賠償金額の総計は数十億ドル（ロカビー事件分だけでも二七億ドル）にのぼるが、それらは収支バランス表には記載されておらず、別扱いとなっているようであった。

かつてのリビアの若者たちは、会話のなかでカッザーフィー一家のことを、皮肉をこめて「あの家族」と呼んでおり、「あの家族」の動向が今後のリビア社会の行く末に決定的な影響を与えることをよく理解しつつも、大きな懸念を抱いているようであった。この不安感がその後、解決の道筋さえも見えてこない泥沼の内戦という危機にまでつながるとは、当時は誰も思っていなかったようである。

二〇一一年二月に反政権運動が勃発するまで、革命以来四二年も続いてきたジャマーヒーリーヤ体制の下で、リビアの人々はそれぞれの生活基盤を築いてきた。カッザーフィーとその側近から構成される最高指導部は、自分たちが治めるリビアの安定と発展のため、時には大胆な「改革」が必要であると考えていたようである。しかし、この体制のもとで、ある意味で特権階級としてそれなりに恵まれた暮らしをしてきた支持者たち、いわゆるオールドガードは、当然ながら「改革」に戸惑いと不安を感じていた。

これに対して、サイフ・アル・イスラームは、官僚主義の弊害や治安当局の不透明さを指摘し、「リビアにおいても人権侵害があった」、「革命裁判所や人民裁判所は虚構であった」など、当時から歯に衣を着せぬ発言をしていた。リビア政府によるとみられる人権侵害に疑念と不安を抱く人々にとっては、サイフ・アル・イスラームの発言は、自分たちの言いたいことを代弁してくれていたようである。実際、サイフ・アル・イスラーム自身も述べているように、体制批判の言動を行ったジャーナリストなど一般市民が、ある日突然に姿を消し、そのまま行方不明となるか数日後に遺体で発見されるという事件が珍しくないのが、そのころのリビア社会の現実でもあった。

二〇〇五年六月にも、政府批判の記事を書いた後に行方不明となっていたジャーナリストが、拷問を受けた他殺体となってベンガジで発見されている。


（塩尻和子）

リビア人小説家、ヒシャーム・マタール

田中友紀

二〇一八年三月、フォトジャーナリストのダリン・ザミット・ルピ（ルピについては【コラム8】を参照）から、リビア出身の作家ヒシャーム・マタールの最新作『帰還』（*The Return: Fathers, Sons and the Land In Between*）を読むように強く薦められた。マタールの受賞歴の多さもさることながら、父親が反カッザーフィー派のリーダー格であったという事実を知って好奇心を抑えられず、マタールの全作品を読破してみることにした。

リビア人の両親を持つヒシャーム・マタールは、一九七〇年ニューヨーク生まれ、少年期までトリポリ、カイロで過ごした。文壇デビューは二〇〇六年、*In the Country of Men* というノンフィクションで、二〇一一年に二作目の小説 *Anatomy of a Disappearance* も世へ送り出された。デビュー作は『リビアの小さな赤い実』（金原瑞人、野沢佳織訳）という美しい邦題と共に日本の読者へも届けられた。

マタールの三作目となる *The Return* は、二〇一七年のピューリッツァー賞（伝記部門）を獲得し、バラク・オバマ元アメリカ大統領が退任後に「この夏お勧めの本」として推した話題のノンフィクションである。同作は日本語にも訳され、二〇一八年末に『帰還——父と息子を分かつ国』（金原瑞人、野沢佳織訳）という邦題で人文書院から出版された。

『帰還——父と息子を分かつ国』（人文書院刊）

この最新作は、一九九〇年に忽然と家族の前から姿を消した父の足跡を求めて、故国リビアに三三年ぶりに「帰還」したマタールの心の軌跡を描いた作品である。久しぶりに戻った祖国で懐かしい人々や風景に触れ、父を奪ったカッザーフィーへの恩讐にマタールが葛藤している様子、消えてしまった父の姿を回想していく様子に胸を何度も掻きむしられた。

マタールの父親の名はジャーバッラー・マタールといい、王国時代はロンドンの大使館に武官（陸軍中佐）として派遣されていた。カッザーフィー時代前半に米国で外交官として働き、のちに貿易商として成功したジャーバッラーは、築き上げた富でカッザーフィー体制転覆を企てていた。ゆえに、リビアでは身の安全が脅かされていたため、ジャーバッラーと家族はリビアを去りカイロに居を構えた。だが一九九〇年、カイロの自宅からジャーバッラーは拉致されてしまう。ジャーバッラーはカッザーフィーの指示でトリポリにあるアブー・サリーム刑務所に送致され、そこで亡くなったとみられているが誰もその真実を知らない。

一九六九年の共和革命からほどなく、カッザーフィーは在外リビア人に対して強制的な帰国命令を出した。ほとんどのリビア人は命令に従ったものの、何らかの事情を抱えていた人々は帰国しなかった。一九八〇年代になると、反政権派に対する弾圧は急に激しくなり、国内では見せしめの公開処刑が横行した。在外リビア人も以前に増して暗殺の危険にさらされるようになった。

カッザーフィー政権崩壊後、カッザーフィー時代初期に外務大臣であったマンスール・ラシード・キーヒヤーの遺体が旧諜報機関所有の冷凍庫で見つかったとのニュースが流れた。キーヒヤーは一九九三年にカイロのホテルから忽然と消息を絶っており、その安否が案じられていた。ベンガジのパシャ家系出身で、王国

リビア人小説家、ヒシャーム・マタール

時代から外交に関わっていたキーヒヤーは、一九八〇年にリビアの国連大使を辞職してから反体制派の中心的人物となっており、ジャーバッラーと同じくカッザーフィー体制を脅かす存在

住人がカッザーフィー政権に反対してリビア軍に取り壊された家の跡。トリポリ、2006年1月14日。

だと見なされていた。

これまで筆者は聞き取り調査を実施し、多くの在外リビア人と話をしてきたが、そのなかにはマタールやキーヒヤーのように家族や親族がリビア国外で拉致され、いまだ行方不明のままという境遇の人々もいた。ありえない場所で家族や親族の遺体が見つかったという話を聞いて言葉を失い、その残酷さに震撼することも一度や二度ではなかった。

そのようなリビア人に接するうちに実感したのは、在外リビア人の母国に対する感情の差である。筆者が出会ったリビア出身者のなかにはリビアにルーツがあることさえ消してしまいたいような人も多く、カッザーフィー体制が崩壊したことにも関心を示すことはなかった。そのような人々は、家族や親族が誰もカッザーフィー体制の犠牲になっておらず、他人である筆者に政治的立場を決して明らかにするようなことはなかった。

それに対して、マタールのように家族や親族が行方知れずになった人々は、抑圧から逃れ安住の地にいても故国に執着せざるを得ない。「リビアには何も奪われたくない。何も与えたくない」とマタールは最新作で哀哭したが、祖国の動向を無視して生きていくことはできなかった。

一九九〇年代に親族を残酷な方法で殺された筆者の知人は、カッザーフィー体制崩壊後すぐにベンガジの実家に戻った。そこから送ってくれた画像には、親族らが守り抜いた邸宅やその裏庭に生えていたオレンジやオリーブの木、瀟洒なイタリア風家具などの思い出の品が写っていた。彼もまたマタールのように昇華できない思いと、自分だけが安全な場所にいるという後ろめたさと共に数十年を過ごしてきたのであった。

リビアの近代史を振り返ってみると、イタリアのリビア支配に対抗して形成された「リビア人」という同胞意識は脆弱で（同胞意識については【コラム3】を参照）、リビア王国時代に入ってもキレナイカを中心とした部族主義は強かった。弱小部族出身のカッザーフィーは反政権派を懐柔するため、リビア・アラブ共和国を樹立してすぐの政権初期は地方の有名部族や名望家に対して寛容な対応をしていたものの、政権中盤からは裏切りの気配に過剰に反応しすぎてしまい、他者を残酷に切り捨てることでしか体制を維持することができなかった。

現在もなお、リビアでは泥沼の抗争が治まる兆しはない。再び、この国はカッザーフィー時代のように、圧倒的な暴力の行使でしか統治することはできないのだろうか。マタールの小説から溢れ出る血の涙に耳を貸し、喉の渇きを覚えながら沈思するという反暴力的な営みは、リビアの安定には何も寄与することができないのだろうか。

23

リビアの若者意識

★豊かな国の貧しい意識★

一九六九年の革命後、リビアの教育制度はジャマーヒーリーヤ体制に沿って整備され、授業料は無料となった。そのために大学のレベルが落ちたともいわれるが、それまでは家計が許さず大学まで進むことができなかった多くの若者に勉学の機会が与えられるようになったことも事実である。この時期、リビアの識字率は急速に向上している。しかし、毎年、高学歴の若者を輩出するようになっても、彼らが働ける場は用意されてこなかった。農業や工場や油田建設のような苦しく汚い肉体労働は、おもにアフリカからの流入民に任せ、彼らはできれば、ホワイトカラーの仕事に就きたがったが、政府が十分な就職口を用意できるはずもなかった。急増する若年層の失業は、旧政権の崩壊後、特に深刻な問題となっている。

しかし、「仕事」そのものが少ないのではない。油田やガス田、石油精製工場や天然ガスパイプライン、大人工河川などの国家規模の建設事業を始め、農業、住宅建設、道路整備、ごみ収集と清掃など、都市とその周辺だけでも多くの仕事がある。しかし、リビアの若者たちは、特に大学や専門学校を出た高学歴の青年たちは、これらの３Ｋ（キケン、キツイ、キタナイ）

上／トリポリ郊外の女子高校前。下校時で出迎えの家族が集まっている。

下／リビアの秀才たちが集まるトリポリ大学（第31章参照）の構内。

に相当する仕事を蔑視して、決して就こうとはしない。彼らがあこがれる外資系企業への就職や、エアコンの効いたオフィスで机に座って行う事務職などは、よほどの語学力やコンピューター技能や知識などがなければ就けるものではないし、就職口も狭い門である。そのため、この現象は正確には失業ではなく、未就業というべきものであるかもしれない。

私がトリポリで知り合ったあるリビア人の友人にも四人の子女がおり、全員が大学へ進んでいる。しかし、規定の年次で卒業することができず留年をくりかえしたり、専門学校に転校したりして、三〇歳過ぎの長男から二五歳の長女まで、四人の子どもがいまだに就職もせず、親元にとどまっている

第23章

リビアの若者意識

という。彼らは外資系企業で働いてきた「父親の子」にふさわしい就職口をみつけたいと願っているというが、そのような職に就くためにはかなりの努力をしなければならない。その努力をしようとしないで、あるいは、努力をする意欲ももたないまま、親の厄介になっているのが現状である。

彼らは、アフリカ人が担っている肉体労働や、エジプト人やシリア人が請け負っている店員やレストランのボーイなどは、リビア人の子弟が就く仕事ではないと考えているようである。友人の妻は、子どもたちの不甲斐なさと将来への心配から、精神的に非常に参っており鬱病の傾向がある。医者は転地療養を勧めるが、彼女にとってもっともよく効く薬は子どもたちの自立であろう。

それでは、仕事にあぶれた若者たちは、いったい、なにをしているのか。昼間からプールバーやカフェ、ハンバーガーショップに入り浸ったり、夜中に轟音を上げてオートバイで疾走したりする若者の姿が、ここリビアでも見かけられるようになってきた。これらの「怒れる若者」たちが、小遣い稼ぎをかねて、より弱い立場のアフリカ人たちを襲うこともありえるのかもしれない。

リビアでは、都市機能や日常生活の設備がまだ十分には整っていないので、一見すると途上国の様相を呈しているが、実際には豊かな産油国である。どの先進国もかかえている青少年問題が、はやくもリビアに発生しているようである。この国でも、つつましい生活のなかで身を粉にして働きながら、必死で家族を守ってきた父親の世代の意識は、次世代には受け継がれていかないような気がしてならない。

（塩尻和子）

トリポリ空港の内部。2013 年 6 月。

IV

深刻な難民問題

24

よりよい生活を求めて

★夢のアフリカ連邦★

七六ページで述べたが、二〇一八年世界銀行の統計によれば、リビアの人口は約六六六七・八万人とされる。他方でリビア政府の統計によると、二〇一七年の推定で六三八万人であるが、この数字には在留外国人数は含まれていないと思われる。アフリカ系を中心とした在留外国人（不法在留者を含む）の数を加えると九〇〇万人を超えているという報告もある。日本の約四・六倍という広大な国土を考えると、世界でもっとも人口密度の低い国のひとつであるが、実際に居住可能な土地は地中海沿岸の都市圏に集中しており、二〇〇二年の統計によれば八六パーセントが都市に住んでいる。二〇二〇年二月現在の状況もそれほど変化していないと思われる。

現代のリビアが抱える深刻な問題のひとつに、人口増加率の高さがあげられる。二〇〇五年の推定では、人口のほぼ半分は二〇歳以下であり、四〇歳以上は一五パーセント、六〇歳以上はわずか五・四パーセントにすぎない。二〇〇五年の推定から計算すれば、人口増加率は三・六パーセントをこえる。このことは国民の大半が一九六九年以降の革命政権下の生活しか経験していないということと、若年層の雇用問題がますます深刻になっていることを示している。

リビアは一九八〇年代以降、アフリカの盟主たらんと欲して、アフリカ支援に力を注いできていた。一九九八年二月にはリビアが主導して「サヘル・サハラ（地中海沿岸・サハラ砂漠諸国）共同体」（CEN-SAD）という共同体機構を設置した。黒いアフリカ大陸を緑、黄色、青の帯が取り巻いているCEN-SADのポスターは、公共機関のあちこちに見える。内戦後の現在ではこの政策はもはや施行されていないように思われるが、リビアのこれまでの対アフリカ政策に期待して、アフリカから流入する移民労働者の数は、内戦前より増えているという報告もある（第26章参照）。

この共同体機構には、二〇〇〇年二月までにリビア、ブルキナファソ、マリ、ニジェール、チャド、スーダン、中央アフリカ、エリトリア、セネガル、ジブチ、ガンビアが加盟し、最近まで北・西アフリカを中心に二一ヶ国が加盟していた。リビアはこれらの国々とさまざまな協力協定を結んでいるが、そのひとつに「参加国の個人、資金、利益の通行の自由」が掲げられている。

その協定を実行していることを示すように、トリポリ国際空港の入国審査場では左から、リビア人、CEN-SAD加盟国の国民、外交官、その他の国の国民の順に審査ブースが分けられている。そのために、この機構に加盟しているアフリカ諸国からの労働者の入国が大目に見られているが、それ以外の、特にサハラ以南のアフリカ諸国、ガーナ、トーゴなどからも多くの移民が流入している。なかには高等教育を受け外国語に堪能であるが、自国ではよい職業に就くことができないので、リビアの豊富な石油収入をあてにして入り込んでくる若者たちもいる。サハラ以南のアフリカ人はリビアだけでなく、モロッコ、アルジェリア、チュニジアにも流入しているが、特に産油国リビアには多い。

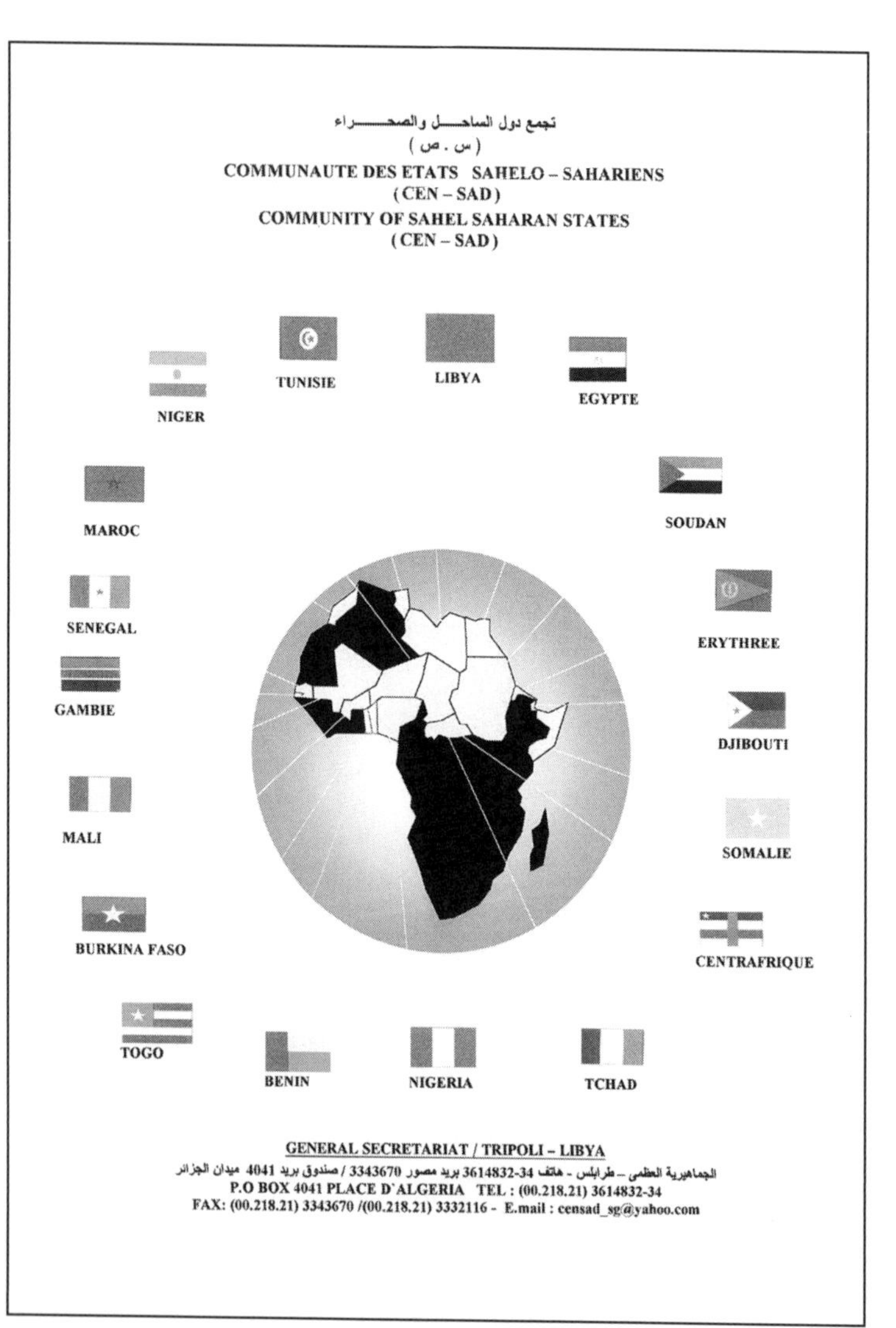

アフリカ連邦を意図したCEN-SAD加盟国を示したポスター。

リビアで働く出稼ぎ外国人、左から二人はガーナ人、右端はエジプト人。2003年7月。

共同体機構があるからと言って、彼らがリビアに入国するのは、決してやさしいわけではない。実際に、彼らは長い時間をかけて高額の手数料も払い、小説より過酷な旅路を乗り越えてトリポリへやってくるが、自分が望む職業に就ける者は、ほんの一握りであり、その彼らもリビアでの就業が保障されているわけではない。

トリポリ市内の一角、大きな市場の前の広場には、職にあぶれたアフリカ人のたまり場があり、自分にできる職種を示すために、手にブラシ、バケツや工具などを持って立っている。時折、これらの人々のなかから窃盗団を形成するものがあり、駐車していた車が鍵をかけていたにもかかわらず盗まれてしまったり、留守中に泥棒に入られたりした家もあると聞いている。リビア人の側でも、これらの不法滞在者たちの言動に対して神経質になっており、「リビア人の少女がナイジェリア人にレイプされた」という噂や、「アフリカ人の麻薬売買や売春組織とリビアの治安当局とのトラブル」などといった事態を発端として、二〇〇〇年九月にはリビア人によるアフリカ系滞在者への排斥運動がおきていた。

リビア政府も社会のリビア化を計画しており、まもなく不法在留者はいうまでもなく、外国人労働者を締め出す政策を打ち出すといわれていた。しかし、いわゆる3Kの労働を嫌う傾向がある若いリビア人が、外国人労働者が携わっていたようなきつい肉体労働に就くことができるかどうか、私には疑問であった。またこれまでの長い期間、外国人労働者なくしては都市や住宅の建設もできなかったこの国で、ただちに本国人が外国人にとってかわることは、難しいことである。

前述のように前政権時代のリビアは、アフリカの盟主を目指してアフリカ統合の旗振り役を務めてきており、「地中海沿岸・サハラ砂漠諸国共同体」（CEN-SAD）に加盟しているアフリカ諸国の国民はビザなしでリビアに入国できた。そのために、リビアにいるアフリカからの流入民はトリポリを中心に数十万から百万人ほどにもなるといわれている。また、エジプト、スーダン、チュニジア、リシア、ヨルダンなど周辺アラブ諸国からも、パキスタン、バングラデシュ、フィリピンなどのアジア諸国からも、多くの出稼ぎ労働者が入国している。これらの外国からの流入民総計は二五〇〜三〇〇万人とも推測される。

アフリカからの出稼ぎ労働者のなかにはリビアを足掛かりにして最終的にはヨーロッパに赴くことを意図している者も少なくない。機会を見つけてはリビアを経由して不法にイタリアへ入り込み、イタリアを通過してフランスやドイツへ移住しようと計画しているという。実際にベンガジ郊外あたりの警備の手薄な海岸から小さなボートで地中海を横断しようとして捕まったり、遭難したりする事例も多々みられる。

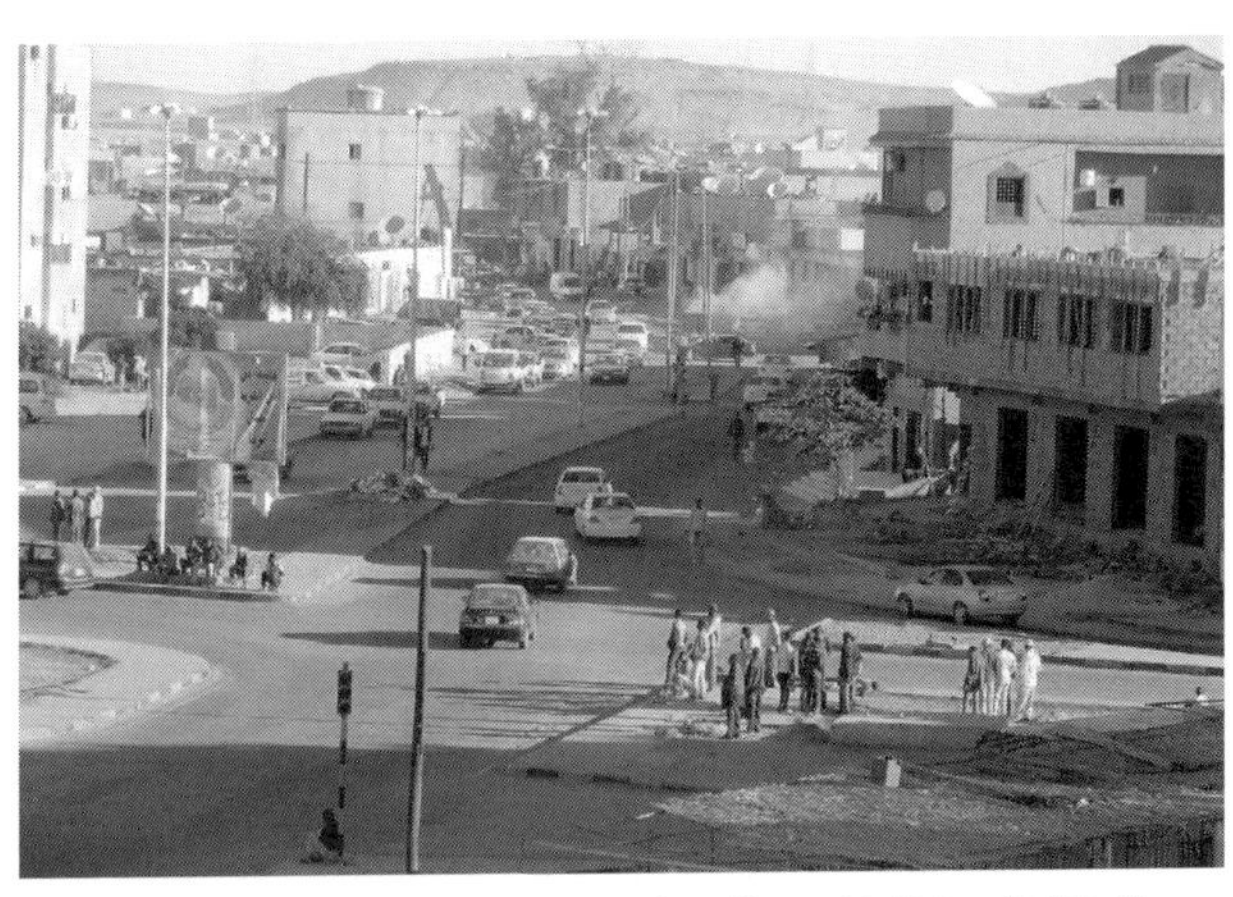

アフリカ系の人々の姿、サブハー市内の朝の様子、ゴミ焼きの煙が上がっている。2012年12月

リビア内戦後も、リビアから地中海を越えてイタリア、フランスへと渡って行くこれら不法移民の問題は、リビア・EU間の主要な懸案のひとつとなっている。これらアフリカ人の圧倒的多数はビザを必要としないCEN-SADに加盟している周辺諸国からやって来たか、あるいは不法入国者と見られているが、そのほとんどが未熟練労働者である。繰り返しになるが、近年、リビア政府はリビア人の雇用を優先させようとする政策を掲げており、なんらかの技能を持った者でも就労許可を得ることが困難となってきた。そのため彼らが働き口を見つけるのは容易ではない。運良く働き口があったとしても、建設現場や農園の作業員、個人企業の従業員など現業部門の臨時雇いが通常である。その結果前述のように、トリポリ市内の主要な交差点などには、新政権になっても、働き口を求めて所在なげにたむろするアフリカ人の姿がいつも見受けられるのである。

（塩尻和子）

25

リビア経由でヨーロッパへ

★「中央地中海ルート」★

地中海に面したヨーロッパの国々でテレビをつけると、地中海で移民らを乗せた船が沈没したというニュースがあまりにも頻繁に流れてきて驚いてしまう。ニュースのみならず、スペインで視聴したドラマでは、地中海を渡ってきたアフリカ系不法移民役として黒人男性が登場していた。ヨーロッパ社会における移民たちの存在感は年を追うごとに大きくなってきており、それと同時に問題も多発している。

特に、二〇一五年から二〇一六年にかけて、地中海を船で渡りヨーロッパを目指す人々が急増した。その理由は不安定な中東情勢やアフリカ諸国の経済悪化などである。戦乱のシリアから逃れた人々が流入した「東地中海ルート」のピークは二〇一五年で、八五万人以上が海を渡った。この経路の距離は短く、トルコ東部のイズミル周辺の地中海沿岸からギリシアのレスボス島までは五キロにも満たない。

これに対して、リビアからEU圏のイタリアやマルタを目指す「中央地中海ルート」と呼ばれる海路がある。この旅路の距離は長く、もっとも近いイタリア領ランペドゥーザ島へさえも二〇〇キロ以上はある。最近では、リビア沿岸を出港した船はその沖合で救助されることが多いが、沈没してしまい死者を出してしまうことも少なくない。そのため、移民らは悪天候の日が多く波の高い冬の時期を避け、天候が落ち着く春、そして初夏に出発する傾向がある。しかし、気候のいい時期においても転覆事故による溺死や低体温症による死者は後を絶たない。また、燃え盛る日差しに長時間晒され脱水症状で命尽きる人もいる。国際移住機関（IOM）によれば、このルートでもっとも多くの死者を出したのは二〇一六年で、その数は四五八一人に上ったという。

実は、カッザーフィー政権時代においては、移民らを乗せた密航船がリビアからヨーロッパに向かうことは少なかった。現在のリビア発移民の多くを占めるサハラ砂漠南縁国（スーダン・ニジェール・ナイジェリア等）の出身者は、一九九〇年代末には、リビアが主導して一九九八年二月に創設した「サヘル・サハラ（サヘル・サハラ諸国）共同体」（CEN-SAD）という機構によって保護されていた。経済的移民が主であったこともあり、サヘル・サハラ出身者らはリビア国内で仕事を見つけることができたため、死の危険を冒してまで地中海を渡る必要はなかった。

しかし、リビアが二〇〇三年に国際社会に復帰してからは風向きが変わり始めた。カッザーフィーはEU諸国、特にイタリアに協力してリビア国内に流入する不法移民の取り締まりの強化を開始した。二〇〇三年にはイタリア政府の援助でガリヤーン、クフラ、サブハーに移民強制収容キャンプが建設された。二〇〇四年末の欧州委員会の報告によれば、エジプト、サヘル、サハラ出身者を中心とする五万四〇〇〇人におよぶ移民が、同年リビアから母国へ強制送還されたという。そのため、サヘル・サハラ出身者がモロッコへ移動し、スペイン領の飛び地であるセウタやメリーリャからヨーロッパに渡ろうとするケースが急増した。

そして現在、カッザーフィー政権が崩壊してからは、リビア発の中央地中海ルートでヨーロッパを目指す人々が絶えなくなった。干ばつや紛争、そして経済的な理由で故郷を離れざるを得なくなったサハラ・サヘル出身者は、内戦によって国境警備が手薄になったリビアに入国、内陸部の中心都市のサブハーへ移動し、その後ブローカーらに連れられ地中海沿岸まで移動するのが通例となっている。移民らが多額の手数料を払って乗り込んだ小さな船は、沈没の危険のみならず多くの危険にさらされている。国連難民高等弁務官事務所（UNHCR）によれば、中央地中海ルートを辿った若者や子どもたちの四分の三は虐待、人身取引、搾取の被害にあったという。

とはいえ、このような状況に国際社会、特にEUがこれまで策を講じてこなかったわけではない。地中海を船で渡る人々の数が最大となった二〇一五年、マルタのヴァレッタでEU移民サミットが行われた。移民の受け入れ先であるEU諸国と送り出し国となっているアフリカ諸国の代表は、人々が移動せざるを得ない原因の解決、より安全な正規移民ルートの開設、移民と庇護希望者に対する保護の強化、移民に対する搾取と人身売買の禁止などについて取り決めた「ヴァレッタ・アクションプラン」に合意した。

リビアに対してEUは、①リビア沿岸警備隊（LCG）の訓練、②移民および難民の保護と援助、③地域社会への支援、④国境管理の改善という四つの課題を克服するために、二億三七〇〇万ユーロの拠出を決定した。EUはすでに二〇一六年からリビア沿岸警備への支援を始めており、二〇一七年からオペレーション・ソフィアを通じてリビア沿岸警備隊に設備の提供や訓練を行っている。実際、二〇一九年三月までに約四百人のリビア沿岸警備隊員が捜索救助や人身売買防止に関する訓練を受けた。さらに、国民和解政府（GNA）はイタリアと協定を結び、移民らを乗せた船が出発する港や海上での警備、また移民らをリビア国内の収容所に保護することに対しての取り決めを行った。

さらに国際社会は、リビア国内にいる移民、および紛争によって脆弱になっている地域への支援も強化している。二〇一八年七月には、EUからリビア国内にいる移民や難民の保護を強化するために二九〇〇万ユーロが拠出されることが決定し、国際移住機関（IOM）と国連難民高等弁務官事務所（UNHCR）が受託機関となって支援が行われることになった。この「リビアに取り残されている脆弱な移民に対する保護と緊急援助のための総合的アプローチ」と呼ばれるプログラムは、移民らの降着地点、収容施設、南部の砂漠地域や都市部までリビアのあらゆる地域で実施される。さらに、二〇一八年十一月には、難民、国内避難民、受け入れ先コミュニティを包括的に支援する「リビアの回復、安定、および社会経済開発」プログラムが開始された。このプログラムにはEUから五〇〇〇万ユーロが拠出され、リビア当局、イタリア開発協力機構、国連開発計画（UNDP）、国連児童基金（UNICEF）が実施機関となって、地方自治体が健康・教育・水と衛生などという基本的な社会サービスを提供できるよう援助が行われることになった。

他方、移民発生を抑制するための具体的な取り決めや、移民問題に対する負担が高い国々への軽減措置も講じられている。二〇一八年六月のEU首脳会議では、サハラ以南のアフリカ諸国へのさらなる投資や、移民問題に対して負担の大きいトルコやモロッコなどへの経済支援が決定した。また、難民らが最初に到着した国が難民認定審査を行うとするダブリン規則を改革し、EU域外と接している国の過度な負担を軽減することが協議された。さらに、EU域外との国境警備強化のひとつとして同域外で難民審査を行う「地域下船プラットホーム」も提案されたが、当該国のモロッコなどから反対を受け、合意形成が困難な状況となっている。

様々な問題を抱えているものの、二〇一七年・二〇一八年と中央地中海ルートをたどる人々の数は減少傾向に転じた。二〇一八年、溺死する人々の数はピーク時の四分の一ほどに減った。しかし、数は少なくなったと言っても、中央地中海ルート上で亡くなった人々の数は溺死、病死を含め、二〇一七年が二八五三人、二〇一八年が一三一四人との統計（世界移住機関調べ）が出ており、地中海での悲劇が治まったとは言いがたい。

二〇一九年春、ハリーファ・ハフタル率いるリビア国民軍（LNA）がトリポリ市内へ進軍し、戦闘はさらに激しさを増している。トリポリ周辺にはいくつかの移民収容施設があるが、同年七月にLNAが東部に位置するタジューラ収容所に対して空爆を行った。国連は、この空爆による死者は少なくとも五三人、負傷者は一三〇人、と報告している。地中海での溺死は減ったものの、「保護」という名目で移民らはリビア国内の収容所に足止めさせられており、新たな脅威にさらされている（ハフタル将軍については【コラム20】と第50章を参照）。

近年、イタリアは地中海上でNGOが救助した移民船の入港を強く拒否している。行き場をなくした移民の苦難はいつになったらなくなるのか。内戦が収まらないリビアの状況と、地中海を越えてヨーロッパを目指す移民たちの問題は、表裏一体であることを忘れてはならない（内戦後のリビア国内の移民労働者の現状については、第26章を参照）。

（田中友紀）

コラム8

地中海を渡る難民を撮り続けて

田中友紀

リビアから「中央地中海ルート」を辿る移民や難民らの姿を、長年に渡り記録し続けているフォトジャーナリストがいる。現在、ロイター専属のフォトジャーナリストとして活動するダリン・ザミット・ルピ（Darrin Zammit Lupi）は、マルタの地元紙で働いていた二〇〇二年から移民らの哀歓の瞬間を長年追いかけてきた。彼のフィールドは救助の最前線であるNGOの救助船上、そしてマルタ、ランペドゥーザ、シチリアの港湾施設、収容施設など多岐に及ぶ。

二〇一五年の初春、私はマルタのとある書店のショーウィンドーでルピの写真集（*Isle Landers*）に偶然出会った。その表紙には、救助された人々を乗せた白い脱出用のゴムボートが濃紺の地中海を進む様子が写し出されていた。私は営業終了間近の書店にあわてて飛び込み、分厚い写真集を開くと、そこにはアフリカ系の男性たちがマルタ軍に救出される様子や、隙間なくギッシリと移民が押し込まれた船の内部などが写し出されていた。地中海の惨劇を伝えたルピの写真は、圧倒的な迫力で筆者に迫って来た。

特に印象的だったのは、真夏の燃え盛る太陽の下、吹き付ける潮風の塩分で顔が白くなってしまった幼児の写真である（次ページ）。その怯えて硬直した顔からは、船のなかで長時間悪夢のような時間を過ごしてきたことが伝わってきた。

Isle Landers（写真：ダリン・ザミット・ルピ、BDL Books, 2018年）。

マルタ軍の船上にて。吹き付ける潮風と強烈な日差しで、顔の皮膚が白く乾燥してしまった女児。(ダリン・ザミット・ルピ氏提供)

マルタでは二〇一四年末から二〇一五年初頭にかけて、ルピの *Isle Landers* 写真展がヴァレッタのエキシビションセンターで開催された。

当時、移民に対する関心が高まっていたマルタでは、この写真展に関する新聞報道、テレビ報道が盛んに行われ、同年にヴァレッタで行われたEU移民サミットのオープニングセレモニーにもルピの写真が使用された。また、ルピの写真展はヨーロッパやアメリカでも開催され、これまであまり関心が寄せられなかった「中央地中海ルート」の過酷さに注目が集まった。

遠く離れた日本においても「エクソダス――地中海を渡る脱出」写真展が二〇一八年三月に東京外国語大学アジア・アフリカ言語文化研究所で開催され、来日したルピから地中海の危機的な状況について詳細が語られた。ある参加者が筆者に「地中海を渡る移民にアフリカ系が多いことも、船がリビアから出発していることも、救助された人々がマルタに上陸していることも初めて知った」と感想を述べてくれたことが印象的であった。

26

政変後の労働市場

★流入する移民労働者★

リビアは、世界有数の石油・ガス産出国であり、同国の主要な外貨獲得源である石油・天然ガス部門の対GDP比率は七〇パーセント前後と高い水準にある。しかし、資本集約型産業である同部門の就労者数はわずか約四万人に過ぎない。他方、リビアの人口は周辺諸国と比べて少なく、石油・天然ガス以外の産業部門、特に建設業、サービス業、農業といった業種では労働力が不足していた。リビア人はこうした業種への就業を一般に敬遠する風潮があったことから、これら業種の多くを外国人労働者が担ってきた。カッザーフィー政権下においては、一九八〇年代まではアラブ諸国から多くの労働者を受け入れ、一九九〇年代以降はカッザーフィーによる汎アフリカ主義への政策転換によってサハラ以南のアフリカ諸国から多くの労働者がリビアに流入した。在留外国人の数は、政変前の時点で二五〇万人から三〇〇万人に上ったと推計されている。ただし、内戦中、不法に滞在する外国人のうち約一〇〇万人がリビアを逃れたと考えられている。

外国人労働者は、貧困、政治的な迫害、武力紛争などから逃れるためにリビアにやってくる。特に、サハラ以南のアフリカ

Ⅳ

深刻な難民問題

諸国から流入した労働者は、政変前はカッザーフィーのアフリカ諸国に対する門戸開放政策により、比較的に自由な入国が許され、リビア政府による対応も緩やかであった。しかし、政変後のリビアの混乱は、こうした状況を一変させた。

第23章でふれたように、二〇一一年の政変前からリビアは若年層の失業問題に苦しんできた。こうした状況は、政変後の混乱によってさらに悪化した。たとえば、リビアの失業率は政変前には約一三パーセントであったが、政変後には約一七パーセントまで悪化したと見られている。失業者のなかには、内戦以後、武装組織に加わった市民もいたとの報告もあり、民兵の一定割合が失業中の若者であったことは想像に難くない。このように、政変後の武装集団の台頭は、皮肉にも若者を含む失業中のリビア人に就業の機会を与えることになった。こうした状況を作り出した要因は、民衆蜂起以降の社会的・政治的混乱であることは言うまでもない。現在、若年層の失業問題の解消や戦闘員の武装解除が急務となっているものの、こうした問題に対して十分な措置が講じられていないのが実情である。政変後、リビア国民の雇用状況が改善されないなかで、在留外国人やアフリカ諸国から新たに流入する移民労働者をめぐる状況は厳しさを増すことになる。

前述のように、二〇一一年の内戦当初は、リビアで労働者として働いていた在留外国人の約三割強が国内の混乱を避けるために国外に脱出したと見られている。しかし、こうした状況は翌二〇一二年から変化し、リビアにはサハラ以南のアフリカ諸国から移民労働者や難民が再び流入し始めることになる。こうした人々はなぜ危険を冒してまでリビアにやってくるのか、そして、なぜ彼らはリビアに留まるのだろうか。

第一の理由としては、やはり貧困や出身国の家族を養わなければならないという経済的な理由が挙げられる。特に、リビアは近隣の国々やサハラ以南のアフリカ諸国に比べて賃金が高く、このことは移民にとってリビアでの労働をより魅力的なものにしているようだ。

第二の理由は、リビアがカッザーフィー政権時代から多くのアフリカ諸国から出稼ぎ労働者を受け入れてきたことである。そのため、既に出身国毎に独自のネットワークが出来上がっており、そうしたネットワークの存在は内戦後もリビアへの移民労働者の流入を促すことになったと考えられる。内戦後の人手不足もリビアでの移民の就労を支える要因になっている。

第三の理由は、リビアが地中海を渡ってヨーロッパを目指す移民にとって良好な地理的位置にあることである。また、何よりもまして二〇一一年以降の政治的な混乱によってリビアの法秩序が大きく失われ、国境管理能力が低下したことが、皮肉にもヨーロッパを目指す移民のみならず、リビアに居続けたいと考えている外国人労働者にとっても好都合な環境を作り上げたといえよう。他方、こうした現状は、不法滞在の状態にある移民労働者にとって、より危険な環境を作り出すことにもなった。

外国人労働者のなかには違法に入国した者や在留期限が切れた不法滞在者もおり、その多くは日雇いなどで生計を立てている。こうした人々は、人通りのあるロータリーや道端に立ち、そこを通り過ぎる車に対して、工具を手に自らができる仕事をアピールする。私がリビアを訪れた際にも、しばしば目にしたが、こうした光景はリビアの都市部では至る所で確認できる。そして、その多くがアフリカ諸国からやって来た労働者であり、彼らもまたこうした不安定な状況から脱して、リビアで安心して滞在できるように安定的な職に就くことを望んでいる。そうすることで、母国に送金できる定期的な収入が得られ、また、安定した就職先を見つけることによって、不法滞在の状況が解消されることになるからである。そして、何よりも、安定した就職先を見つけたアフリカ諸国出身者は、ロータリーで仕事を待つ他の国から来た労働者に比べると、当局による拘束や国外追放にあう可能性が少ないからである。

ただ、現実には、アフリカ諸国出身者がより安定した就職先を見つけることは難しい。また、アフリカ諸国出身者に対する人権侵害は以前から報告されていたが、政変以降は、顕著に見られるようになった。その要因のひとつとして、内戦中、旧政権が反政権派部隊との戦闘においてアフリカ諸国出身の傭兵を使ったことが、アフリカ諸国出身者全体に対する印象の悪化につながったことが挙げられる。こうした感情は旧政権が崩壊した後も根深く残り、アフリカ諸国出身者が治安組織や民兵によって不当な扱いを受けたり、暴力や理由のない拘留を受けたりするなどの深刻な人権侵害が続いている。また、国内経済の悪化から、低賃金で働く在留外国人のなかには賃金不払いの問題に直面する事例も報告されている。

しかも中央政府による統治能力の弱さは、これらの状況を招く要因ともなっている。問題解決には程遠い状況のなかで、リビアで暮らす移民労働者や難民は、民兵による攻撃、強盗、殺害といった様々なリスクに直面しており、厳しい環境のなかでの生活を余儀なくされている。こうした状況がさらに続くならば、止むに止まれぬ事情でリビアを選んだ外国人労働者やこれからリビアを目指す移民労働者にとって、同国の魅力は大きく失われることになるだろう。

（上山　一）

V

砂漠との戦い

27

ローマの穀倉

★オリーブとオレンジの実る地★

リビアの地中海沿岸地域は、古代から豊かな農耕地域であり、ローマ帝国の支配下にあった時代には、帝国の都ローマの市民に食料を供給する穀倉地域であった。国内に流れる川が一本もないリビアでは、冬季の降雨による天水農業しか望めなかったが、それでも乾燥に強いオリーブや柑橘類、ブドウ、小麦などが収穫された。砂漠地帯では遊牧民がヤギ、羊、ラクダなどの放牧を営んでおり、ここからは食肉用の家畜が手に入った。

現在でも、トリポリ空港へ向かう飛行機の窓から、よく整備されたオリーブ畑やオレンジやレモンの果樹園が地平線のかなたまで広がっている光景を目にすることができる。世界遺産に指定されている古代ローマ都市のサブラータやレプティス・マグナへ向かう道路の両脇にも、意外なほど豊かな樹木や果樹園の緑が目に入ってくる。オリーブ・オイルやレモン、オレンジなどの柑橘類は現在でも非常に品質がよい。特にネーブル・オレンジは大きく種がなく柔らかく非常に甘く、ヨーロッパ人の間で絶品として賞賛されているという。

紀元前一〇世紀からこの地を開発してきたフェニキア人が建設した三都市、トリポリタニアをローマ帝国が接収したのには、

アフリカ奥地の金、象牙、猛獣、奴隷などを地中海を越えてローマへ運ぶ輸送基地としてだけではなく、豊かな農産物を確保するという目的もあったのである。そういう意味では、有史以来、リビアは外国人による搾取を受け続けてきたということもできる。

現在のリビアでは、農産物の供給が急激な人口増加に追いつけていかず、食料の大部分を外国からの輸入に頼るようになってしまった。特に野菜や乳製品などの生鮮食品は隣国のエジプトからの輸入が多く、地中海岸を走る幹線道路では、東からアレキサンドリアのナンバープレートをつけたまま走ってくる大型トラックに出合うことがある。

推定であるが、リビアの食糧の輸入率は七〇パーセントにもの

道路沿いの八百屋。夏なので、スイカ、イチジク、サボテンの実などがならぶ。

下／絶品の味と評されるリビアのネーブル・オレンジ。

上／地中海の豊富な海の幸。小さな魚が多いが新鮮で美味しい。

下／リビア砂漠の早春の名物、ティルファースと呼ばれるトリュフ。シュークリームのような形をしている。

ぼると聞くと、まるで日本の食糧供給事情と同じように思える。今日ではリビアと聞いて、昔日の穀倉地域であったことを想像することさえ困難な印象がある。しかし、大人工河川計画（第28章を参照）による水資源の確保と、品種改良や農業技術の向上によって、生産性が高まれば、近い将来、「ローマの穀倉」は新しく蘇ることができるように思われる。

リビアの産物で特筆すべきものが二つあるが、ひとつは目の前の地中海からあがる新鮮な海の幸で、もうひとつは冬から春先にかけて降る雨の後で出てくる砂漠のトリュフである。

地中海に面しているリビアで海の幸が豊富なことは言うまでもないことであるが、スルト（シルテ）湾沖で日本の漁業会社がマグロ漁をしていることを知っている人は少ないであろう。地中海のマグロは非常に高品質でおいしいと聞いたことがあるが、トリポリの魚市場にはなかなか入ってこない。リビア人はハタのような白身の魚を好むので、大型のマグロは需要が少ないのであろう。しかし、一年に数回であるが、小型のマグロが入荷したときには、マグロの赤身の握りが食べられる。マグロでなくても、地中海の魚は味に癖がなく脂も乗っていて、とてもおいしい。トリポリに住んでいると、まさに江戸前ならぬ「トリポリ前」の握り寿司が楽しめるのである。

砂漠のトリュフはティルファースと呼ばれるが、一一月から翌年の四月にかけて、冬季の雨を吸い込んだ西部砂漠の砂の下に自生する松露のことである。イタリア料理やフランス料理に使うような硬く香りの強いトリュフも採れるそうであるが、一般に街角で売られているのはシュークリームに似た形の、白くやわらかいトリュフである。歯ごたえはあまりないが、それでもかなりよい香りがする。オリーブ・オイルで炒めても、スパゲティに入れても、フライにしても、和風の天ぷらにしても、なかなかおいしい。お客様にも大変に珍しがられ喜ばれるので、春先の楽しみのひとつである。

ティルファースは八百屋ではなく、街角で小さい木箱に入れて売られている。一キロが日本円で二〇〇〇円から、高いときは五〇〇〇円にもなるので、リビアでは高価な食材である。砂漠で子どもたちが小遣い稼ぎに集めてきたものを、買い取った大人たちがトリポリなどの都市に売りに来るのだと聞いた。春先の午前中、トリポリからガダーミスへ向かう幹線道路を走っていると、砂漠のなかでポリ袋を手にして、しきりに足元を見ながら歩く人々の姿があるのに気がつく。運転手がティルファースを探している人々だと教えてくれたが、車を止めてもらって、私も探してみればよかったのに、と今になって後悔している。

（塩尻和子）

28

大人工河川計画

★砂漠との戦い★

リビアの国土の九三パーセントを占める広大な砂漠の地下には、石油や天然ガスなどの化石燃料のほかに、今から三万八〇〇〇年前から一万四〇〇〇年前の間に貯められた地下水、いわば「化石水」がたまっている。リビアでは、一九八五年以降、この地下水をくみ上げ、巨大なパイプラインによって地中海沿岸の都市まで運ぶという「大人工河川計画」が進行していたが、二〇一一年二月に発生した反政府運動とその後の激しい内紛によって、現在のところ、この夢のプロジェクトは中断を余儀なくされている。さらに二〇一一年七月にはＮＡＴＯの空爆によってブレイガの巨大パイプ製造工場が被害を受けており、新たに工事を再開するのは、多大な困難が予想される。

「大人工河川計画」は一九八四年に農業促進と食糧供給の問題を解決するために発表され、翌年から二〇〇九年までの二五年という長期計画が始まった。工事の区画は四期に分けられており、現在までに第二期までが完成している。第一期ではベンガジ方面へ、第二期ではトリポリ方面へ給水されている。第三期はトブルク方面へ向かう給水ラインで、エジプト国境近くに建設予定とされているが、地下水の量と質に問題があること

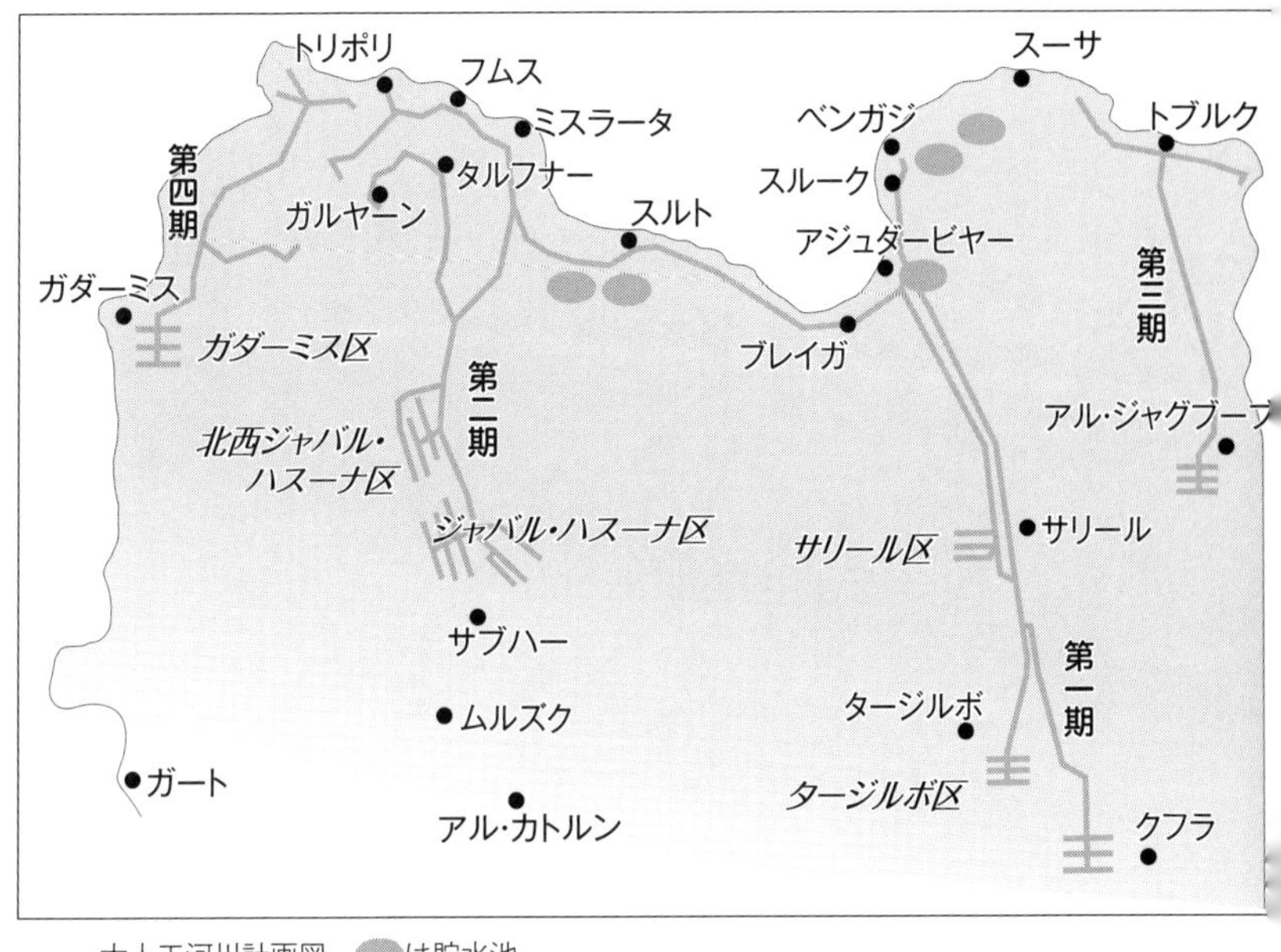

大人工河川計画図。　は貯水池。

が判明しており、いまだに着工されていない。第四期はチュニジア国境近くで建設される予定となっている。地下水を運ぶパイプラインは直径四メートル、地下七メートルに埋設されており、総延長は四〇〇〇キロメートルをこえ、完成時には日産六〇〇万立方メートルの水を供給できるといわれている。まさに世界最大の給水ラインとなる予定であった。

この巨大なパイプラインの模型は、二〇〇五年四月から九月まで愛知県で開催された「愛・地球博」のリビア館に展示され、「水への情熱耕す人脈」（朝日新聞、二〇〇五年七月一五日）、「「砂漠緑に」アラブの知恵」（二〇〇五年九月一一日、日本経済新聞）として、リビア館の館長を勤めたアメッド・ナイリ（現駐日リビア国大使館臨時代理大使）のインタビューとともに新聞各紙に取り上げられた。

この事業には韓国、カナダ、トルコなど多

くの外国企業が参加しており、砂漠の過酷な労働条件のなかで難工事に挑んでいる。すでに最初の送水が一九九三年にはベンガジに、一九九六年にはトリポリに到着し、大歓迎されたそうである。現在は灌漑用水としても、かなり広大な農地を潤していると言われている。

この「大人工河川計画」によって地下水を人工的に大量に汲み上げた結果、数万年も保存されてきた古代の化石水が、わずか五〇年足らずで枯渇するのではないか、という危惧や、オアシス農業への影響などが心配されていることも事実である。もともと「大人工河川計画」は灌漑用水を運んで農地の拡大と小麦の大増産を目指していたが、現実には技術不足による工事費の上昇と工期の遅れ、パイプの腐食などの山積する問題によって、内戦以前から、すでに当初の予定が大幅に遅れていた。

しかし、二〇〇五年五月に日本を訪れたカッザーフィーの次男、サイフ・アル・イスラームによれば、この計画によって現在農耕可能な地域は急速に広がっており、砂漠は七〇パーセント台にまで後退したという。

リビア砂漠の地下に大量の化石水が存在するということは、一九六〇年代の石油資源の探査によって判明していたが、これをどのように利用するかということは、まさに夢物語にすぎなかった。しかし、これまで人類が誰も試みようとしなかったほどの、途方もない給水計画を立てたのは、いうまでもなくカッザーフィーである。リビア国民は、偉大な指導者カッザーフィー大佐が計画し指揮する建設事業であるとして、夢の「大人工河川計画」の完成を楽しみにしていた。

トリポリ市内の水道水には少し塩気がある。石鹸が泡立ちにくいほどではないので、日本で流行っている入浴剤のバスソルトを入れたくらいかもしれない。それでも日本茶や紅茶はおいしく入れられ

ないので、飲料には使えない。水道水はほとんどが地下水をくみ上げて供給されているので、地下水のなかに最初から塩分が含まれているリビアでは海水の淡水化事業も実施されているが、稼動能力は十分ではない。しかし、大人工河川工事が多くの難問を抱えており当初の計画から大幅に後退している現状では、海水淡水化事業が見直されてくることが予想される。海水淡水化の技術は進んでいるし、おりしも国際的に石油価格が高騰を続けている今日では、豊かな石油や天然ガスの収益を国内の水資源確保の事業へ十分に振りむけるなら、アラビア湾岸の産油国のように、石油より高い水を文字どおり「湯水」のごとく、飲料にも農耕にも産業用にも使うことができる日がくるかもしれない。

（塩尻和子）

上／大人工河川計画は、旧政権時代の20ディナール紙幣に描かれるほど、重要なプロジェクトとされていた。

下／大人工河川のミネラルウォーター。ラベルにThe Great Man-made Riverとある。

29

リビアの宗教事情

★タブーの表裏★

リビア国民の九五パーセント以上はスンナ派のイスラーム教徒であるが、イスラーム法ではマーリキー派に属している。イバード派（ハワーリジュ派ともいう）も少数ながらみられる。キリスト教徒はローマ・カトリック、エジプト正教会（コプト教会）、英国教会があり、信徒数は五万人から一〇万人程度とみられている。コプト教会つまりエジプト正教会はトリポリ、ミスラータ、ベンガジに、それぞれに神父を派遣して四教区を置いている。

リビアにはエジプトからの出稼ぎ人口が一〇〇万人をこえるといわれているが、エジプト人口の約一〇パーセントがコプト教徒であるとすれば、単純に計算しても一〇万人のエジプト人キリスト教徒がリビアに暮らしていることになるので、キリスト教徒全体で五〜一〇万人という説では数字が合わないことになるが、正確な統計がないのでやむをえない。

イスラームの少数派、イバード派（ハワーリジュ派）とは、西暦六六一年に第四代正統カリフのアリーを暗殺したことで知られる強硬派で、歴史上最初の、いわゆる「原理主義者」だということができるかもしれない。簡単に言えば「なん人といえども、たとえムスリムであっても、彼の行為が信者として正しく

トリポリ郊外にあるコプト教会。リビアにはコプト教会（エジプト正教会）の教区が4ヶ所ある。

ないなら、彼は背教者として弾劾されなければならない」という厳格な倫理主義と「信者の絶対的な平等」などを掲げており、彼らはウマイヤ朝を開いたシリア総督のムアーウィアとの和平協定に応じたアリーを裏切り者と非難し「敵の仲間は敵である」として、クーファ（イラク南部の都市）のモスクで礼拝中のアリーを襲って暗殺した。この事件が、いわばシーア派が起こる最初の契機となったことは、イスラーム史ではよく知られた事実である。

ハワーリジュ派はその後数百年間も為政者に刃向かう過激な集団であったが、やがてしだいに穏健な宗派となり、イバード派として、現在でもオマーン、チュニジア、アルジェリア、リビア、タンザニアなどに存在している。現在のイバード派が過激な戦闘行為をする集団ではないことは、言うまでもないが、「信徒間の絶対的平等」という信条は今でも遵守されている。そのために、リビアでは、特に原住民であったアマジグ（ベルベル）の間で信仰されている。彼らはもともと砂漠のオアシスを中心にして半遊牧の生活を送っており、小規模な共同体を維持して行くためには部族内の結束がなによりも重要視されたからである。

リビアで勢力を持っているマーリキー派はイスラーム法学派の

トリポリ旧市街、カラマンリー・モスクの内部、なかなか内部は見られない。

なかでも保守派であり、飲酒のみならず喫煙も禁止しているが、トリポリ市内のスーパーマーケットなどでもタバコは堂々と市販されているし、タバコ専門店では通常のタバコのほかにも伝統的な水タバコの道具も売られているので、愛煙家は多いようである。イスラーム社会では、喫煙自体はときおり議論になることがあるが、全面的に「禁止」（ハラーム）ということにはなっていないので、リビアでも喫煙は大目にみられているのであろう。

ムスリムには義務となっている一日五回の礼拝の時刻は、その日の太陽の位置によって異なるので、毎日、新聞に掲載されている。最近になって新聞の時刻表で礼拝の回数が六回になっていることに気がついた。リビアでは、正午（ズフル）、午後（アスル）、日没（マグリブ）、夕べ（イシャー）、夜明け（ファジュル）の順に記載されているが、この後に「日の出」（シュルーク）が入っている。しかし、日の出は義務の礼拝時刻ではないので、モスクからアザーンとい

トリポリ旧市街のゴルジー・モスク（19世紀）。小さいけれど、とても美しい。

う礼拝への呼びかけが唱えられることはない。それなのに「礼拝の時刻」の表のなかに記入されているということは、夜明けの礼拝に参加できないことが多い近代人に、もう一度、任意の礼拝であれ、礼拝の機会を与えるためであろうか。「日の出」の礼拝が加わったのはリビアだけでなく、エジプト、アラブ首長国連邦などでもみられる現象なので、イスラーム圏にかなり行き渡っているようである。

二〇一三年六月一三日のリビアの新聞、フィブラーイル紙三面には、目を凝らしてみないと見つけられないほど小さく、その日の礼拝時間が表示してあるが、やはり「シュルーク」（日の出）の礼拝時刻も掲載してあり、礼拝時刻は一日六回となっている。

カッザーフィー時代のリビアは、表向きは社会主義国であるが、前述のようにイスラーム法のなかでも原典と伝統を重要視するマーリキー派が九〇パーセントを占めていると聞いている。そのためにイスラーム法の遵守についても非常に厳格で、特にアルコール類と豚肉製品の国内持込は厳禁である。

国際便が発着する空港では、空港へ出入りする見送り人にもスキャナーによる手荷物検査を行い、到着客の手荷物も、預けたスーツケース類も、ガラス瓶を検知するスキャナーを通さなければならない。酒類でなくても、日本人は醤油やソース類を持ってくることが多いが、瓶が入っていれば荷物の上に白いチョークで×印がつけられる。通関の前に、預けた荷物がターンベルトの上に出てくるのを待っているとき、×印のついたスーツケースを見かけることがあるが、リビア事情になれた人は、事前にウェットティッシュを持ってきて、その×印を消している。荷物に×印があると税関での検査が厳しくなり、なかなか空港から出られないからである。

しかし、禁酒の規定はサウジアラビアほど厳密ではなく、リビアに駐在する各国大使館では、ナショナルデーのレセプションなどの際に堂々と酒類が振舞われている。過去の統合事業のいきさつからか、トリポリ郊外に一区画を占めるほどの広大な敷地を有するエジプト大使館でも、七月二六日の革命記念日を祝うレセプションでは、大盤振る舞いのご馳走と一緒にワインやウィスキーなどのアルコール類が供されている。それも建物のなかでこっそりと、というのではなく、門を入ったばかりの庭先でボーイさんがお盆にいっぱいグラスを並べて運んでくる。アルコールの匂いは堂々と門の外へ流れていた。同じイスラームの国なのに、と思うと、なんだかとてもおかしくなる話である。リビアの人々のなかにも、大

17 لاتقبل القسمة إلا على نفسها

مؤسسات المجتمع المدني تطالب بتطهير القضاء

أوجه التعاون مع أمريكا في مجال الدعم الانتخابي

フィブラーイル紙、礼拝時間は左上のモスクのイラストに小さく掲載されていた。2013年6月13日、第3面

使館のパーティーで酒にありつけるのが楽しみという人もいるのであろう。酒類を提供するレセプションはどこでも盛況である。

もともとリビア一帯は、古来、地中海沿岸の良質のブドウが採れる地域であり、革命後もしばらくの間は高級ワインが醸造されていたり、ビールもトリポリの古名「オエア」という銘柄で造られていたりしたと聞いた。また、リビアでは、地中海沿岸でも内陸のオアシスでもナツメヤシがたわわに実る。ナツメヤシの実、つまりデーツからもアルコール分の強い酒が造られるが、リビア人のなかには、ナツメヤシの幹から採取される甘い樹液を自然発酵させてラーグミーという強い酒を造り、密かに楽しんでいる人もいるらしい。

トリポリ中心街のナツメヤシの並木道。右は殉教者広場。

カッザーフィーの死を受けて、二〇一一年一〇月二三日にリビア全土の解放を宣言した国民評議会は、今後のリビアではイスラーム法を法制度の基本とすると発表した。イスラームを国教とする国であれば、イスラーム法を第一の基本として国家の法律を制定することは、特別なことではないが、新聞に掲載される礼拝の時刻表や、礼拝を行う前の準備について基本的な注意事項が、あまりにも小さい扱いになっている点をみると、今なお政治的にも社会的にも混乱の続く現在のリビアでは、宗教規範の順守は強く主張されていないように見える。庶民の密かな楽しみである密造酒の製造も、場所や地域によっては、行われていると考えられる。

（塩尻和子）

30

リビア料理は多国籍料理

★ご馳走はクスクス★

リビアではリビア独自の料理はほとんど見当たらない。レストランでも、家庭でも、トリポリで食べることができるおもな料理といえば、レバノン、シリア、マグレブ（リビアからモロッコまでの地中海沿岸の北アフリカの国々の総称）、イタリア、トルコなど周辺諸地域の影響を受けたものが多い。なかでもマグレブ料理は一般的である。トリポリ市内のマルクス・アウレリウスの門の遺跡のそばにある「遺跡レストラン」で出される料理も、チュニジアやモロッコで食べられるクスクス料理（きわめて細かい粒状のパスタに、煮込んだ野菜や肉を乗せる料理）やタジンという煮込み料理である。リビアンサラダという前菜があるが、これは一般的なグリーンサラダとあまり変わりはない。

ある年のクリスマスに現地の人から大皿に盛りつけた料理を届けてもらったことがあるが、大きな羊肉とジャガイモ、ズッキーニ、ニンジンなどがトマト味で煮込まれて、蒸したクスクスの上にかけてある、典型的なマグレブ料理であった。トマトの酸味が利いていて、あまりスパイスがくどくなく、とてもおいしかったことを覚えている。リビアのクスクスは、チュニジアやアルジェリアより、少し大粒で味がしみやすいように思え

リビアの伝統料理。手前からマサーリーン・マフシーヤ（羊のひき肉の腸詰）、ムバッタン・バターティス（ジャガイモでひき肉をはさんだもの）、奥はクスクス。ナイリー家で。

る。

クスクス料理はある意味でお祝い料理であり、お客を迎える時、婚約や結婚披露宴の時、誕生日や卒業などのお祝いの時などに作られるという。リビア人の家庭に招かれると、必ず、食卓の中央に大皿に盛られて存在感を誇示しているのが、クスクスである。ちょうど、日本の散らし寿司のような、誰でもが好きな、ちょっとあらたまった家庭料理である。

トリポリの街角では、あちこちにシャーワルマーというレバノン風の焼肉を売るレストランがある。シャーワルマーとは、羊肉、トリ肉、牛肉などを薄く延ばして、太い串に上から刺していき大きな糸巻き状にしたものを、縦にして立ててくるくると回し、一方からオーブンの火が当たるようにして焼く一種の焼肉である。焼けた外側からナイフでそぎ落とし、カブ、キュウリなどの酸味の強いピクルスと一緒に平たいアラブパンに挟んで食べるもので、いわばアラブのサンドイッチである。焼きたてはとても香ば

豊富な品揃えのトリポリ市内のパン屋。奥で焼いて焼き立てを並べている。

しくて、日本人にも好まれるテイクアウトの代表である。日本でも、中東地域から来た人々がシャーワルマーの、トルコ系ではケバブであるが、屋台や店を開いているのを目にすることが多くなった。

最近ではトリポリ市内にも、ハンバーガーショップやピザショップなど、ファーストフードの店が増えてきた。赤を基調とした派手なインテリアに、明るく窓の大きい店内は、清潔な感じがする。時には窓際の席に女性同士で座って、談笑している風景も見られるようになったが、味のほうはどうなのか、私には食べてみる機会がなかった。リビアの友人たちによれば、この種の店や屋台は現在でも営業を続けているというが、実際はどの程度繁盛しているのか、内戦が終わらない状況下では、商売にも紆余曲折があるものと思われる。

以前は、トリポリ市内のパン専門店では平たいピタパンに似たアラブパンよりも、長いコッペパンやクロワッサン風のパンが多く売られていた。パンには政府の援助があるので、誰でも非常に安く買うことができる。クロワッサン一個が日本円にして五円くらいにしかならない。そのために、大量に買って、ほとんど残す人が多いので、住宅の門の前には大きなポリ袋に古いパンが一杯に詰め込まれて、ゴミ箱の横に置かれているのを、よく目にする。パンの残りは直接、ゴミ箱に入れないで、別に置くことによって、家畜のえさになると聞いたことがある。

伝統的なアラブ菓子では、シリア風の菓子店がにぎわっているが、シリアから来た人に聞くと、ダマスクスの菓子には敵わないということである。

（塩尻和子）

上／トリポリ市内の肉屋で。迫力ある肉塊がドカンとぶら下がっている。

下／香辛料を量り売りする専門店。ヘンナなどの伝統的な化粧品も売られている。

コラム9

塩尻和子

手厚い食糧補助金制度

外国から食糧の大半を輸入していても、旧政権時代のリビア政府は植物油、米、小麦粉、砂糖、パン、緑茶、さらにサバなどの魚の缶詰、トマトの缶詰などの国民の基本的な食糧に補助金を支給して価格をきわめて安く抑え、配給制にしていた。たとえば二〇〇六年一月現在、リビア国籍の人は、サラダオイルは一リットル入りの缶二四個で一八ディナール（約一五〇〇円）、二五キログラムの米が四ディナール（約三四〇円）、砂糖に至っては五〇キログラム入りの袋がなんと五ディナール（約四二五円）と格安になっていた。ちなみにサラダオイルはチュニジア産だったり、米はエジプトからの輸入品だったりする。家族ごとに購入できる期間と数量が決まっている配給制であるが、それでも一家族が食べきれないほど潤沢にあった。

緑茶（シャーイ・ザフラ）は北アフリカ一帯で好まれるグリーン・ティーで、日本茶を苦くしたような味がするが、砂糖やミントを入れて飲む。これも一キログラムが一ディナール（二〇〇六年当時約八五円）である。

この格安の食糧を大量に仕入れて、隣のチュニジアやアルジェリアに売りに行く業者がいるそうである。ときおり、小麦の袋を大量に積んだトラックが海岸線を西に向かって走っていくのに出合うことがあったが、これから隣国のチュニジアに運んでいくところだと聞いたことがある。それだけリビアの補助金制度が手厚かったということであろう。

この補助金制度は食糧だけでなく、医薬品や乳幼児用の粉ミルクにもおよんでいる。アジア人はとかく実年齢より若くみえるので、ある中国の婦人が薬局へ行って「私のベビーのためにミルクを」と頼むと、市価の三分の一くらいの

リビアの名家ムスタンシル家の食卓、料理した夫人は表には出てこない。2006 年 3 月。

安値で売ってくれたと語ったことがある。彼女の子どもたちはとっくに成人しているので、赤ちゃん用の粉ミルクは大人の朝のコーヒー用のミルクになったのである。

コラム10

花嫁衣装は伝統衣装
――部族によって異なる色と形

塩尻和子

日本でも伝統的な衣装、着物は成人式や大学などの卒業式、結婚式など、人生の重要な節目にしか着ることはなくなった。この点はリビアでも同様である。オスマン帝国時代に男性の正装であったブレード飾りのついたジャケットなどを、結婚式などの特別な祝いの席で男性が着ていることがあるが、日常的な服装ではなくなっている。しかし、トルコ帽と呼ばれる筒型の帽子だけは、今でも年配の人を中心にかぶっている人が多く、カッザーフィーもかぶっていた。

伝統的な衣服の生地や材料などは、男性用も女性用も旧市街のスーク（市場）で売っている。特に女性が着るシルクの織物や鮮やかで豪華な細かい刺繍の生地は、スークの奥の迷路のように入り組んだ一画に何百軒という数の小さな店が軒を並べて、売っている。まるで千夜一夜の世界にタイムスリップしたような気分になる閉鎖的な商店街である。どの店にもシルク生地で太めのストライプを織り込んだ、華やかだが

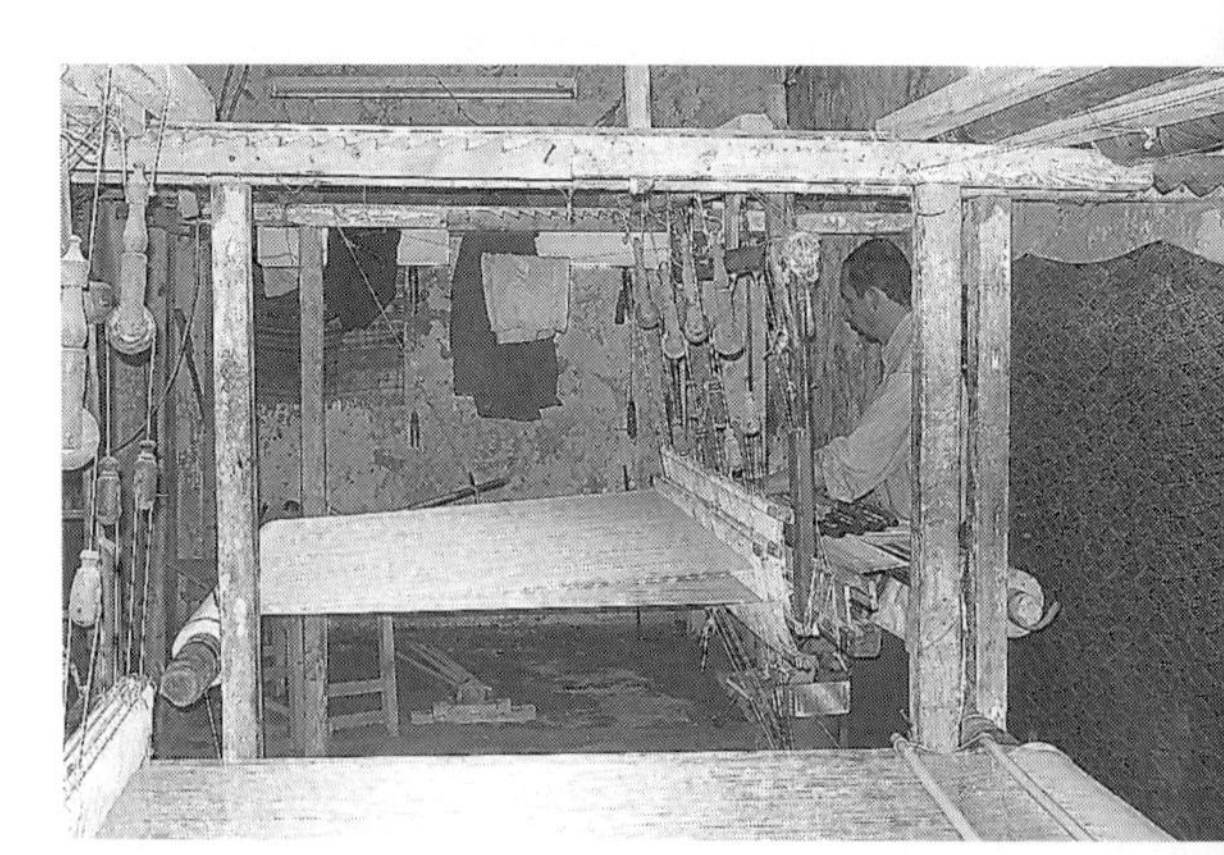
民族衣装に使われるシルクを織る職人。純白にストライプの入ったシルク生地は、花嫁衣装に欠かせない。

コラム10

花嫁衣装は伝統衣装

ちょっと厚手のゴワゴワした生地がロール状に巻かれて、何本も並んでいる。花嫁さんの衣装に使うと聞いたが、これでドレスを縫うのではなく、このまま体に巻きつけて使うと言われて、いったい、どのように着るのか、長い間、不思議に思っていた。

二〇〇六年の新年のある日、日本に長く留学していたアメッドの実家に夕食に招かれた時に、思いがけず、そのチャンスがやって来た（アメッド・ナイリについては【コラム16】を参照）。彼の母と姉が丹精こめて作ってくれた手料理を楽しんだ後、私たちは、アメッドの兄弟姉妹の結婚写真を次々と見せてもらっていた。彼が日本に一二年間も留学している間に二人の姉妹も下の弟も結婚したのである。

たぶん、私があまりにも熱心に花嫁の写真を見つめ、あれこれと質問をするので、「それでは」という気にさせてしまったのかもしれないし、長女のライラの結婚式が近く予定されていたという雰囲気も手伝ったのかもしれない。

「それでは、こちらにいらっしゃい」とライラに手を引かれて、お客用の寝室に導かれた。あれよあれよという間にライラと母親とで、てきぱきと衣装が取り出されて広げられ、大きなビロード張りの箱からは豪華な金の装飾品がジャラジャラと出てきた。

あっという間に、ジャケットを着たまま、その上から白地に金糸で刺繍のある上着を着せられ、スカートを脱いでハーレム・パンツ型のズボンをはかされた。これにも刺繍がいっぱいついている。さらに上着の上にはチョッキを重ねたが、チョッキにも重いほどの刺繍がある。

そこでいよいよ、あのロール状にして売られていたストライプの生地が出てきて、キュッキュッと音を立ててしごきながらタックを取って胸から下を覆っていく。背中の部分にかなり余裕を持たせて、綺麗なドレープを前に引いて、そこでぎゅっと締めつける。四～五メートルも

花嫁衣装の長く幅広の絹の生地を着せ付ける様子。

の長くて平たい厚手の布を、丁寧にタックとドレープを寄せながら体に巻きつけていく過程は、まるで着物を着る要領である。こんなに本格的に着つけてもらうのなら、ジャケットを脱ぐべきだったと思ったが、あとの祭りである。もともと体形が見えないような衣装であるが、分厚いジャケットの上から着たので、私はまるで「だるま」のようになってしまった。

　ライラはてきぱきと、スカーフで私の髪の毛を覆ってから、その上にティアラ型の、宝石がいっぱいついた金の髪飾りをつけた。さらに後ろからストライプの生地を持ってきてかぶせた。両手首には一キロもあるという金のブレスレットを、首からはこれまた一キロもある長いアクセサリーがつけられた。衣装代だけでも数十万円はするというので、これだけなら日本の着物も引けを取らないが、装飾品のほうはこれだけでも二キロ以上の二一金製で、なんと一〇〇〇万円にもなると聞いて、卒倒しそうになった。

　ある時、どこかの国のレセプションで、リビアの民族衣装だといって五キロもの金のアクセサリーを身につけた女性に出会ったことがあるが、足首から太ももにも、さらに腕の肘あたりまでも重そうな金が覆っていたのを思い出した。

　ライラの結婚式の準備は「もうすんでいるの？」と聞いたら、これから花婿の家族が買いに行くのだそうである。私に着つけてくれた衣装や装飾品よりも、さらに高価なものが届くのであろうか。リビアでも花婿は大変である。

　ライラと彼女の母との話によると、花嫁衣装

は各部族や地方によって、色や形に細かい違いがあるが、トリポリタニアでは純白を使うという。彼女の弟の結婚写真では、花嫁は赤い上着に黒地に細い白の縞模様が入った布を巻きつけていたが、このような濃い色は地方の部族出身を意味するという。それはそれで高貴な感じがして、素晴らしい衣装であった。

この民族衣装は結婚披露宴、初夜の翌朝、花婿の家を訪問する時など、それぞれの時と場所にあわせて着方が異なるのだという。また結婚式を終えた後も、パーティーなどで着ることができるが、完全装備ではなく、少しずつ飾りを外して簡略にすればよいという。着物と同じように、いくつかの約束事があるらしい。そのためか最近では、複雑で高価な伝統的衣装を避けて、西洋式のウェディングドレスですませる人も増えているようである。

ほとんどの場合、結婚の儀式はリビアでも男女別で、花嫁は盛大な披露宴を女性客だけを集めて催すことが多い。外交官として世界を歩いたナイリ家でも、リビアで行う結婚式では、男女は別になる。トリポリ市内では結婚式はホテルではなく、サーラと呼ばれる結婚式場で挙行されることが多い。サーラでは赤ちゃんの誕生後一ヶ月の祝いごとなども催されるので、日本の結婚式場に似ているかもしれない。

部族によって異なる花嫁衣装、ナイリ家で。

コラム11

独自のイスラーム暦と標準時

塩尻和子

一般にイスラームを国教としている国では、公式の暦として月の満ち欠けを基準としたイスラーム暦（太陰暦）が用いられるが、面白いことに、リビアでは一風変わった暦を用いている。イスラーム暦は西暦六二二年九月一七日に預言者ムハンマドが生まれ故郷のマッカ（メッカ）からマディーナ（メディナ）へ移住したことにちなんで、当時の暦でその年の一月一日に当たる七月一六日を元年として出発している。預言者ムハンマドの「ヒジュラ」（移住）を記念した暦なので、「ヒジュラ暦」とも呼ばれる。このヒジュラ暦は完全な太陰暦で、一般に私たちが使っている太陽暦（グレゴリオ暦）よりも一年でほぼ一一日、日数が少なくなっている。閏日も閏年も設けられていないので、季節の移り変わりと暦とが一致しないことになり、約三三年で四季を一巡する。

しかし、リビアでは一九六九年のカッザーフィーの革命後に、預言者が亡くなった年、西暦六三二年を起点とする独自の暦を公式の暦として採用した。二〇二〇年はリビア暦で一三八八年である。これは年数と月の呼び方が異なるだけで、世界的に通用しているグレゴリオ暦と同じ太陽暦になっている。七月は「ナーセル月」、八月は「ハンニバール月」、九月は、一九六九年九月一日革命の「一日」にちなんで「アル・ファーティフ月」（朔日月）などとなっているのがリビアらしい。

リビアはイスラームを国教としているので、宗教的行事にはヒジュラ暦が用いられていることは言うまでもない。そのために、リビアでは、ヒジュラ暦、リビア暦、グレゴリオ暦、と三種類の暦が使われていることになる。カッザーフィーの死後、新生リビア時代に入って、この

コラム11

独自のイスラーム暦と標準時

1月	アインナール	(ayn al-nār)	2月	アンナワール	(anwār)
3月	アッラビーウ	(al-rabī‘)	4月	アッタイル	(al-tayr)
5月	アルマーア	(al-mā’)	6月	アッサイフ	(al-ṣayf)
7月	ナーセル	(nāṣir)	8月	ハンニバール	(hānnībāl)
9月	アルファーティフ	(al-fātiḥ)	10月	アットゥムール	(al-tumūr)
11月	アルハルス	(al-ḥarth)	12月	アルカヌーン	(al-kānūn)

独自の暦はすでに実用されなくなっているが、社会の伝統のひとつとして残されている。

上の表にリビア暦の名称を記すが、カタカナ表記は現地の発音に近いものを採用した。アラビア語は括弧内にローマ字表記で示す。

リビアは一九六九年の革命以降、幾度となく近隣のアラブ諸国との統合や連邦を試みたが、いずれも失敗している。特にエジプトとはカッザーフィーが中学生のころからナーセル（一九一八～七〇）を尊敬し心酔していたためか、一九六九年、一九七一年、一九七二年と三度も統合しては直後の分裂を喫している。しかし、サーダート政権になってからは、エジプトはカッザーフィーを「狂人」とののしり、カッザーフィーの更迭を要求するという内政干渉まで繰り返した。そのお返しに、カッザーフィーもエジプト国民に向けてサーダートの打倒を訴えるなど、非難の応酬が繰り返されてきた。一九八一年一〇月にサーダートがエジプトの反政府勢力によって暗殺された時、リビア国民は熱狂的な大喜びをしたというエピソードもある。

しかし、エジプトへの憧憬はいまだ健在で、リビアの標準時はエジプトの冬の標準時と同じく、日本からの時差は七時間である。また、トリポリ市内を走るタクシーはカイロ市内のタクシーと同じく、黒と白に塗り分けられている。郊外を走るタクシーも黄色と白で、これもエジプトによく似ている。

また、一〇〇万人以上ものエジプト人がリビア社会で働いているという事実も、往時の「統合」の名残りであろう。医師、教師といった専門職に就いてリビアの若者を教育している人たちも多い。現在でもリビア・エジプト間ではビザなし渡航が維持されている。またエジプトからは新鮮な野菜・果物、コメ・小麦粉、洗剤などの食料品や日用品が大量に輸入されており、海岸線に沿った基幹道路には物資を満載にした大型トラックが東から西へと走っている。

しかし、エジプトに合わせたリビアの標準時にはさまざまな不都合が生じてくる。リビアは地中海に面する国のなかでは一七七〇キロメートルというもっとも長い沿岸線を持っているが、そのことはリビアの国土が東西にも大きく広がっていることを示している。西よりに位置する首都トリポリでは、夏の日没は午後八時半を過ぎることもあるし、冬の夜明けは午前八時をまわる。太陽の運行よりも確実に一時間、時刻のほうが早いので、トリポリにいると、年中、夏時間になっているような気持ちになる。

イスラームの礼拝時刻は日没と日の出の時間によって決まるので、季節によって刻々と変わる。初めてトリポリに来たころ、夏の盛りであったが、町の一角で午後八時半を過ぎて礼拝の準備をする人々の姿を見て、私は「夕べの祈り」だと勘違いしたことがある。トリポリでは夏季の「日没の礼拝」は午後八時半ころになるからである。冬は朝七時に起床しても、外はまだ薄暗い。午前八時過ぎてようやく朝日が昇ってくるので、一二月から一月には「夜明けの礼拝」は午前六時半前後になる。

31

教育制度

★制服は迷彩服★

リビアでは六歳で就学する六・三・三・四制の学制がしかれており、義務教育は中学校までである。小学校は基礎教育、中高一貫六年の教育は中等教育と呼ばれる。中等教育の前半、つまり中学校に相当する部分は中等義務教育を、後半の高等学校に相当する部分では大学進学にむけて、志望分野を選択する指導が行われている。

教育制度はカッザーフィー政権時代では、政府の方針によって、制度や学年数が突然に変えられてしまうこともあった。二〇〇六年の時点では、大学一年生に相当する学生たちは、まだ高校四年生であるが、この高等学校の四年制度は数年間だけ、試験的に採用されたものだという。基礎教育機関である小学校の六年制はカッザーフィー革命以降、あまり変化はなかったが、中等教育機関は、その時々の政府の方針や地域によって、中学校と高等学校に分かれたり、中高一貫教育になったり、高等学校だけが四年制になったりすることがあった。二〇〇五年三月には小学校三年生から英語を学ぶことが決められた。

小学校と大学は男女共学であるが、カッザーフィーの長女、アーイシャがファーティフ大学の法学部に入ったときには、一時的に男女別々の「女子大学部」が誕生したといわれている。二〇一一年の内戦以前では、中学校以上で軍事教練が義務化されており、実際に鉄砲を担いで軍事行進を行っていると聞いている。そのせいか、公立学校の制服は迷彩服であった。

リビアの公立学校では小学校から大学まで、すべての教育費は国家が支払う。つまり公的教育は「無料」で受けることができる。しかも大学では学生にわずかではあるが給与まで支払われている。王政時代から教育には力が入れられていたが、一九六九年の革命後はいっそう、教育の強化が促進された。一九六九〜七〇年の統計では小学校（基礎教育）の生徒数は三四万七一〇〇人、中等教育では一万五三〇〇人、大学またはそれ相当の学生は四一〇〇人であった。二〇〇二〜二〇〇三年にはそれぞれ一〇八万〇八三四人、二五万七〇〇六人、二八万六六九八人に増加している。特に中等教育の生徒数、大学教育の生徒数の増加には目を瞠るものがある。中等学校からの大学進学率は一九九九〜二〇〇〇年には実に七四パーセントにものぼる。この数値は新体制になった現在でも、それほど変化していないと思われる。リビアは、高等学校レベルの卒業生の四人に三人が大学へ進学するという、世界にも類を見ない高学歴国となっている。

大学はおもなものだけで一〇校あり、現在、この国で最大の大学はトリポリ郊外にあるトリポリ大学（旧ファーティフ大学）である。トリポリ大学の学生数は二〇〇三年で人文系二万二四四六人、実学（理系）系三万六八四五人であり、人文系では女子学生数が男子学生をやや上回っているが、実学系ではほぼ同数である。

大学レベルの教育機関は一九六九〜七〇年には九ヶ所しかないが、二〇一一年五月の統計によれば、

上／サブラータのアザーウィーヤ大学工学部。2013年6月。

下／サブハー大学。2013年6月。

公立大学、私立大学、単科大学をあわせて四〇校が設置されている。近年では日本でいう専門学校の規模で、私立大学も次々と開設されている。商店街の通りでときおり、塀で囲まれた学校らしい建物に「・・・大学」という表示がでていたりする。

一〇歳以上の全国民を対象とした二〇〇三年の教育統計では、非識字率が一二・六パーセント、基礎教育を受けていない者は一一・八パーセントで、高等

トリポリ大学学長（当時）のダヒール氏を訪れた上山一。2013年6月12日。

学校かそれと同等の教育を受けているものが男女共に二八・一八パーセントでもっとも多かった。しかし、今日のリビアの識字率は、二〇一二年の国連児童基金（UNICEF）の統計で、一五歳から二四歳までの男女ともに九九・九％であり、二〇一四年の国連開発計画（UNDP）の統計でも一五歳以上の男女で八九・九％となっている。革命や内戦の経験から、教育の必要性が認識されたからであろうか。（塩尻和子）

32

女性の活躍

★カッザーフィー夫人にならって★

　一九六九年の共和国革命から三ヶ月後に、政府は法の下では、女性にも男性と同等の権利と義務を与えると決定したが、もっとも大きな改革は、男女の結婚年齢を男子は一八歳から、女子は一六歳から、と規定したこと、女性の後見人が彼女の意思に反した結婚の契約を結ぶことを禁止したこと、女性の離婚の権利を強化したこと、女性の財産権を擁護したことなどであるが、イスラーム法で許可されている多妻婚はそのまま残した。しかし、非人間的な幼児婚を禁止したことと、二人目の妻を娶る場合、最初の妻の同意を得ることを義務づけたことは、画期的なことであった。これに倣ったのか、二〇一一年一〇月の新政権樹立の際にも、リビア全土の解放を宣言した国民評議会は、イスラーム法シャリーアに従って四人までの妻帯を許可したことで注目を集めた。

　カッザーフィーが全身緑色の制服を着た女性ボディガードの一団を従えていたことはよく知られており、ヨーロッパのメディアは古代ギリシアの伝説的女性軍団になぞらえて「アマゾネス軍団」と揶揄している。これも「同一の仕事には同一の賃金を」という革命思想の表れであろうか。トリポリ市内にあ

女子警察士官学校のエリートたちはリビア女性の憧れの的。（須藤繁氏提供）。

る女子警察士官学校は若い女性にとっては憧れの最難関校でもあり、カッザーフィーのボディガードでなくても、カーキ色の制服を着た女性警官は、エリートとして若い女性の憧れの的でもあった。

カッザーフィーは『緑の書』で、女性の役割を「産む性」として、家庭のなかに限定すると主張しているが、現実にはこのように女性の就労も進んでいた。カッザーフィーの二番目の夫人、サフィーヤ・ファルカーシュも革命記念日などの公式行事に出席していたし、長女のアーイシャもワッタシモ慈善基金総裁を務めていたくらいである。弁護士であるアーイシャは二〇〇四年七月に、イラクの前大統領サッダーム・フサインの弁護団に参加すると表明して注目を集めたことがある。実際にはフサインの弁護はしなかったようであるが、彼女は二〇〇五年四月にはアラブ連盟より、人道支援活動に貢献したとして表彰を受けている。

前政権時代から、リビアでは女性は車を運転することも許可されているし、高学歴の女性は結婚後も働く道を選ぶ。この点は、サッダーム・フサインが支配していたころのイラクと似ているかもしれない。二〇〇〇年代に入れば、宗教復興運動の高まりに

第32章
女性の活躍

よって、ベールをかぶる女性も増え、黒いベールを目深にかぶって車のハンドルを握っている女性をよく見かけたが、町を一人で歩いて買い物をする女性の姿も日常的に見られていた。

前政権時代のことであるが、二〇〇三年九月一二日に国連安全保障理事会による対リビア経済制裁が正式に解除された後には、トリポリの町並みは、あっという間に目を瞠るほど「近代的」になり、輸入品を売るしゃれた店が次々と開店していた。これまで男性専用のようにみえていたコーヒーショップも、なかにはいち早く模様替えをして、女性が気軽に入れる喫茶店のように変わっているものもあった。ハンバーガーショップもあちこちにできており、夜遅くても女性たちが窓際の椅子に座っておしゃべりに夢中になっている姿が見られるようになってきた。

しかし、女性が一人で外国へ出かけるという話になると、そう簡単にはいかないようである。当時、ある若い独身の女性外交官がリビア政府から東京の「リビア人民局」（リビア大使館）へ赴任の辞令をもらったが、両親と兄が彼女に同伴して日本に行きたいと言い出し、ちょっとした問題になったことがある。通常、外交官および「同伴家族」には任期中滞在できる外交ビザが発給される。ただし、「同伴家族」として認められるのは配偶者と二三歳以下の子弟で、両親や兄はこの規定からはずれてしまう。それでも家族は彼女一人では行かせられないので、赴任の際にはとりあえず彼女の兄が一般ビザで同行することになったという。

自立した女性であるはずの外交官でさえこの騒ぎとなるので、留学生となると事態はもっと複雑になる。あるリビアの女子学生が日本の国費留学生に内定したが、一人では日本へ行けないので同伴者を探す間、渡航を延期したいと言い出した。しかし、適当な同伴者が見つからず、日本への留学を諦めざるをえない事態となったと聞いている。日本政府国費留学生の枠はリビアでは毎年二人しかない。優秀なリビア女性が、このような理由で日本留学の貴重なチャンスを逃してしまうことになるのは、本当にもったいない話である。

たしかに何年か前には、リビアにも、女性は既婚、未婚を問わず単身で海外へ出てはいけないという法律があったようである。しかし、最近の事例は、法律のせいではなく家族の意向によるものである。やはり、まだリビアでは、たとえ外交官としてであっても、女性が一人で外国に行くことは、家族にとっては心配で夜も眠れないことなのであろう。

リビアで慈善活動の仕事をしているインティサールさん。

リビアでは、ベールをかぶっていなくても、半袖のTシャツ姿であっても、サウジアラビアのように宗教警察に追われるということは、一度も聞いたことがない。車で乗りつけられる場所であれば、どんな服装でもかまわないので、ホテルなどではイブニングドレスのような肩や胸が開いたドレス姿の女性を見かけることもある。しかし、町を歩くときには、ここがイスラーム教国であることを考えて、イスラーム教徒でなくても外国人であっても、ノースリーブやミニスカートのような露出の多い服装は避け、あまり肌を見せない服装で町を歩くことは必要なことであろう。リビアの人々は、全体的におとなしい感じがあるが、どこへ行ってもTPOをわきまえることが大切ということである。

（塩尻和子）

コラム12

リビア女性の活動再開を祝う

二〇一七年三月二九日

インティサール・ラジャバーニー／塩尻和子訳

二〇一一年に発生したリビアの反体制革命と、それに続く紛争以降、損傷・窃盗・意味のない妨害行為などがリビアの生産基盤を停滞させ、停電が発生し、安定した生活が基盤から破壊されました。

電気は安定した生活のために必要不可欠のものです。私たちは、過去3年にわたって、増え続ける不定期の停電のために、習慣として受け入れ可能な解決法、つまり停電は一度に二時間から二四時間以内に収めるという方法を定着させました。二〇一七年一月には、二〇時間の停電が一部の家で常態となってしまい、防寒のための対策が、まるでばかばかしいような訓練となってしまったのです。それが悲劇ではなかったとしても、自宅のなかで北極にいるかのような厚着をする羽目になっていました。それでも、（冷蔵庫が使えないので）私たちは食料や医薬品を冷たい場所に保管することはできなかったのです。リビアでは、水の供給は電気ポンプに頼っているので、それも日常生活への挑戦となっていました。水は数千キロメーターも離れた南部の大人工河川のパイプラインを旅してやって来ます。もし電気がなければ、水は私たちの家のタンクに届く方法がありません。

これらの困難に加えて現金が不足しているのに、一般市民が銀行にある自分の講座から預金を引き出すことができなくなっているのです。さらに急騰する海外の為替市場と二九％をこえる物価上昇率は、電気や水、燃料を入手するための他の手段をも、ほぼ不可能にしてしまいます。

私の家では、幸いなことに井戸があり、一九八〇年代から九〇年代の苦しい時期（国連安保理による対リビア制裁前後の時期）に造った地下の貯水池もあります。トイレを流したり、昔の方法で体を洗ったりするためにガスストーブで湯を沸かすためには、バケツに一体何杯の水が必要か、私にはわかりました。平均的なリビア女性には、このような生活はいっそう辛いものです。産油国でもある私たちの国では、太陽光パネルや発電機のかわりに、安価な電気を使っているように、普通の世帯では（水は政府が供給するので）、自分たちの家で自力で水を手に入れることはできません。

多数のリビア女性と同様に、私も数えきれないほどの苦しい時期を見てきました。三年前に母が亡くなったにもかかわらず、特に私はリビア革命の最前線にいたために、この冬はもっとも厳しい時期のひとつとなりました。毎日続く内戦と地理的政治的に変化する状況にもかかわらず、「リビア女性経済的自立促進計画」(the Libya Women Economic Empowerment Project) はリビア女性に、文字通り、経済的な自立を与えるために必要な技術的な支援活動をしたのです。

抑圧的な社会と内戦の危機に対処しなければならないだけでなく、彼女たちに投げつけられるもっとも奇妙な不平等に打ち勝たなければならず、それらを乗り越えてさらに強く生きて生き抜こうと努力する強いリビアの女性に、私は大きな尊敬の念を捧げます。リビアの女性たちが、自分たちの家庭を崩壊から守るために、また、できれば地域社会を助けるために、懸命に働くのを見て、心が動かされています。私は、人生が不便になるからと言って、彼女らを落ち着かせたり、可哀そうになって保護したりするようなことはしません。

このことは、リビアでの困難な時期に、なぜ、女性たちが自分を奮い立たせ、社会的にも経済的にも創造的で積極的になったのか、ということを示しています。一日の終わりに、だれかの

生活をよくするというこのひとつの成果があれば、女性たちは祝福され、栄誉を与えられるべきです。（中略）

何十年ものリビアでの暮らしのなかで、女性の日を祝うという思い出のなかで、私がもっとも好きな祝いは、三月二一日の母と子どもの日です。この日は、子どもたちは彼らが好きなリビアの伝統衣装でおめかししたり、ヒーローの恰好をしたり、学校ではお菓子やいろいろな楽しい活動をする機会を与えられます。母親は子どもや夫から、必ずカードや花を受けとりますが、最近ではフェイスブックでお祝いの言葉を受け取ります。今年（二〇一七年）は、トリポリ市当局は「第一回創造的女性展」のテーマで展示会を開き、そこで女性実業家たちが自分たちの作品やビジネスを披露したり、また物品の販売もしたりしました。

「リビア女性経済的自立促進計画」は私にリビア女性の活動再開を立証する機会を与えてくれました。彼女たちは、四〇年間の独裁政権とそれに続く七年間の紛争期間の逆境という外面の現実を変化させたのです。たとえ小さな一歩であっても、気づくことさえ難しいささやかなことと見られても、私たちにとっては、実に勇敢なことなのです。

※インティサール・ラジャバーニー（Intiṣār K. Rajabāny）は、ＭＥＤＡ（Mennonite Economic Development Association）のリビア国担当プロジェクトマネージャーであり、「リビア女性経済的自立促進計画」のチーフとして活躍している。この文章は二〇一七年国際女性デーを記念してＭＥＤＡのホームページに掲載されたものである。（https://www.usaid.gov/libya/program-updates/mar-2017-celebrating-resilience-libyan-women/　二〇一九年九月一〇日確認）。

33

都市のイメージ

★外観より内側という考え方★

トリポリでは、旧政権時代には道路にところどころ穴が開いていたり、アスファルトがはがれていたりして、歩くのもままならないことがあった。これは道路だけではなく、どの町でも住居や店舗、事務所などの建物の外観も、手入れが行き届いてなく、とても汚いのが気になる。建物は二階建てが多いが、屋上に何本かの鉄筋がむき出しになっていたり、塀や門の壁がはがれたり、門灯が壊れていたり、土地が広いのにやたらと道が狭く、まったく手入れがなされてなかったりする。しかし、リビアの住居は、内部に入ると清潔で綺麗に整えられていて、しゃれたカーテンが揺らいでいるし、最新の電気製品も整備されている。外から見えないところは、じつに快適な住空間になっているのである。

道路の整備不良は行政の怠慢であるが、住居の外観に手をいれないのは、ある種の税金対策だと聞いたことがある。あるいは「贅沢は敵だ」といわんばかりの革命政権の指導によるものなのか、リビアはけっして貧しい国ではないのに、どこへ行っても、なんとなく貧しくさびしい印象をあたえる。二〇〇三年の七月に初めてリビアを訪れた時、空港から市街地へ入って、最初に感じたことが、この「寂しい」という印象であった。

ところが、私がリビアとかかわりを持つようになってからの二年半の間に、この傾向にしだいに変化が現れてきた。国連安全保障理事会による対リビア経済制裁が正式に解除された効果が表れて

上／トリポリ市内の様子、一見して以前と変わりない。ハーテム氏撮影、2018 年 10 月。

下／ 1980 年代に日本の黒川紀章氏が設計したユニークな建物が 5 棟あるが、内戦後も健在である。

おしゃれな家具店。誰が買うのかと思うほど高級なものがそろっている。

きて、二階建て、三階建ての瀟洒な建物が次々と建設され、大きなショウウィンドウのなかには商品が綺麗に展示されるようになり、外観も美しく整えられるようになってきた。まだ、大通りの奥の住宅街に入ると、外側は貧相なままであるが、一歩、家のなかに入ると、日本の狭苦しい住宅事情と比べて私たちのほうが恥ずかしくなるほど、広々とした住宅に高価な家具がセンスよく配置してある。トリポリ市内の家具店でやたらと目につく高級家具店が、それなりに流行っているのが理解できる現象である。

さて、リビアでは都市圏の「近代化」現象は、ベール姿の女性が増えるのと正比例しているようにみえるのが、興味深い。どうやらベールの下には薄い生地でできたおしゃれなドレスを着ているようで、町にはおしゃれな洋装店が増えてきて、ウィンドウのむこうにはイブニングドレスのような、肩むきだしのふわふわしたドレスを着たマネキンがずらっと並んでいる。

もともと地中海の真向かいのイタリアやトルコから

上／厳格なイスラーム教国リビアで、いったい誰が、いつ着るのか心配になるほど、胸も肩も大きく開いたドレスが売られている。

下／子ども用のバッグにイスラーム風の装いをしたリカちゃん人形（？）のような女の子が描かれている。

は多くの物資が入ってきていたので、高級品ならイタリア製、普及品ならトルコ製の靴や衣服を売る店が目についていたが、最近はそれ以外のヨーロッパからの輸入品を売る洋装店が増えてきた。フランス製というTシャツ一枚が日本円にして三五〇〇円くらいなので、日本人にはそれほど高くはないかもしれない。しかし、リビア人労働者の平均月収は二〇〇〇年の統計によれば三〇〇～四〇〇リビア・ディナール（ＬＤ）であり、換算すれば三万円程度でしかない。一般のリビア人にとって三五〇〇円のＴシャツは高嶺の花である。まして、胸の開いたひらひらしたドレスなど、いったい誰が買うのかと不思議に思えてならなかった。

ちなみに、二〇二〇年二月の為替レートは一ＬＤは七七・七四円となっている。しかし闇レートではＬＤはかなり安いはずである。

（塩尻和子）

上／花嫁たちを飾る伝統的な金のアクセサリー。高いものは数百万円もするという。トリポリ旧市街のスーク（市場）で。

下／輸入品を集めた、品揃え豊富な文房具店も増えてきた。日本製品も多い。

VI

天然資源と日本との関係

34

注目の石油・天然ガス調査

★世界最高級の石油★

リビアは国際的にみても高品質の、硫黄分が〇・五パーセント以下と低く軽い原油を産出する数少ない産油国である。しかも、広大な国土全体が石油の海の上に浮かんでいるといっても言い過ぎではないくらい、国内の至るところで石油や天然ガスが潜んでいる可能性がある。高品質の原油は精製する際に設備にかける経費も時間も短縮できる。そのために原油価格が上昇すればするほど、国際社会でのリビア石油の需要が増すことになる。

リビアの石油埋蔵量は、現在確認されているところでは四七一億バレルで、これは世界第一〇位の埋蔵量である。しかし、リビアでは国土の七〇パーセント以上は未開発地域であり、埋蔵量が増える可能性があるとして、リビア国営石油会社（NCO）は一〇〇〇億バレルという数字をあげている。

リビアで石油が発見されたのは一九五九年のことであるが、世界でもっとも貧しく、なんらの資源も産業もないとみられていた国が、石油発見から二〇年後の一九七九年には国民総所得がなんと当時のわが日本と並び、世界でも有数の金持ち国になっていたのである。

起伏に富む砂漠地域、ガルヤーンの高地からトリポリ方面を見る。

一九六九年の革命によって政権を掌握した若きカッザーフィーは、その若さゆえに恐れを知らぬ指導者であった。彼は敢然とメジャーに食いつき、一九七一年四月には原油価格の四〇パーセント近くもの値上げを要求してこれを認めさせてしまい、さらに七三年には持分五一パーセントの国有化を宣言してしまった。しかし国際社会によるリビアへの経済制裁が相次いだために生産量が規制され、一九八一年にエッソ社が撤退、一九八二年にはモービル社も撤退し、一九八六年にはアメリカのレーガン大統領がアメリカ企業に対してリビアからの撤退命令を出したために、アメリカの石油企業はすべて撤退を余儀なくされ、かわってスペイン、イタリア、カナダ、ドイツなどのヨーロッパの石油会社が石油生産を担ってきた。そのために一九七〇年代には日産三

ドイツのエネルギー産業大手 Wintershall 社（BASF グループ）の天然ガス処理プラント。2004 年 10 月、dpa/時事通信フォト提供。

三〇万バレルであった産出量が、二〇〇六年には一七〇万バレルと、最盛期の半分まで落ち込んでいる。

リビアは設備の刷新と外国企業の参入によって二〇〇八年までに日産二〇〇万バレル、二〇二〇年までには日産三〇〇万バレルまで生産量を増加させる計画を立てていたが、これが実現するためには、さらに経済開放政策が進展する必要であることは言うまでもない。内戦が続く現在では外国企業が参入するための条件は整っていないが、リビアの政情が安定すれば、石油と天然ガスの新たな探査・開発には欧米や日本の企業から注目が集まってくるであろう。

二〇一一年の民衆蜂起が勃発した当時、日産一六〇万バレルあった原油生産量は、内戦によって二五万バレル程度まで落ち込んだ。二〇一六年には、ＩＳによる石油貯蔵タンクへの攻撃もあったが、東西に分裂していたリビア国営石油会社が統一したことによって、年末には五〇万バレルの生産量が確保された。二〇一七年七月には二〇一三年以降初めて一〇〇万バレルの生産量が記録された。しかし、この内戦中には、石油施設やパイプラインは度々民兵集団に攻撃されるという事態が生じ、安定的な増産は達成されていない。

天然ガスもリビアの豊富な天然資源である。リビアで確認されている天然ガスの埋蔵量は五二・六兆立方フィート（約一五〇億立方メートル）とされているが、これは世界中の埋蔵量の〇・八パーセントである。天然ガスの埋蔵量は、専門家のなかには七〇～一〇〇兆立方フィート（約二〇〇～二八〇億立方メートル）に達すると推定する人もいる。リビアの天然ガスは一九七一年にアルジェリアについで世界第二位の輸出国になったことがある。現在、「西部リビア・ガス事業」がリビア西部に位置するワーファのガス田から地中海を通りシチリア島を経由してイタリアまで続く長いパイプラインを建設して、天然ガスを輸出する計画を持っている。

二〇〇四年一〇月にイタリアのベルルスコーニ首相はリビアのメリタとイタリアのシチリアを結ぶ天然ガスパイプラインの開通式に出席したが、これはこの全長三七〇マイル（約六〇〇キロメートル）におよぶパイプラインの一部である。このパイプラインが完成すれば、フランスにも天然ガスが運ばれる予定になっている。さらに、二〇〇五年六月にはロイヤル・ダッチ・シェル・グループがリビア国営石油会社と長期契約を結び、天然ガスの採掘と開発を担うことになっていた。

日本の企業、日揮ホールディングスも二〇〇一年からワーファ地区で天然ガスプラントの建設事業を受注し、二〇〇四年に工事が完了した後、リビア国営石油会社とイタリア国営石油会社に引き渡している。

（塩尻和子）

Ⅵ
天然資源と日本との関係

35

日本とリビアの関係史

★資源を求めて★

二〇〇六年年頭のリビアには、日本大使館に在留届けの出ている邦人数は約五〇名（子どもを含まない）と少ないが、リビアにも一九八〇年代には、革命初期の野心的な開発計画に基づく発電、製鉄などの大型プロジェクトの建設に日本企業が進出していた時期があり、六〇〇名を越える在留邦人がリビアに滞在し、北アフリカのビジネス拠点とも言える状況を呈していた。その後、リビアと欧米諸国との対立が先鋭化し、一九九二年には国連制裁が決定されてリビアの国際的孤立が深まったのに伴って、日本との経済関係も低調となり、今日に至っている。

現在の日本・リビア間の貿易総額は日本の統計資料では確認するのが困難なほどの少額にとどまっている。財務省貿易統計によれば、二〇一七年の対日輸入は一六・〇五億円、対日輸出は一二・九〇億円であり、対日輸入はおもに魚介類、対日輸出は自動車関連ゴム製品となっている。

地理的に近く、歴史的・文化的な関わり合いも深い欧米諸国に比べれば、日本とリビアの関係がこれまでそれほど緊密でなかったことは、ある意味ではやむをえないかも知れない。また、リビアの国際社会への復帰が成功しているかに見えた二〇一一

2019年8月27日、TICAD7、来日した国民和解政府（GNA）のシアラ外務大臣を出迎える日本・リビア友好協会の人々。

年以降の反政権闘争から、その後の部族闘争による内戦が激化するなかで、日本とリビアの両国間の交流が中断したことは、やむを得ない事態でもあった。

日本は、世界中の発展途上国に対して積極的に政府開発援助（ＯＤＡ）を展開しており、その規模はつねにアメリカと首位を争うほどである。中東ではサウジアラビアやオマーンやバハレーン（バーレーン）などの豊な国に対してＯＤＡによる技術援助が行われている。ＯＤＡ対象国か否かは、経済協力開発機構（ＯＥＣＤ）の開発援助委員会（ＤＡＣ）で決定されるとのことであるが、どういうわけか、リビアは、どの統計をみても一人当たりの国民所得はそれらの国々よりも低いにもかかわらず、二〇〇〇年一月からＤＡＣのリストからはずされてしまい、ＯＤＡの対象国から除かれた。

そのため、アフリカ大陸で唯一ODAの非対象国となったリビアには、国際協力機構（JICA）による技術協力もできないままになっていた。

しかし、二〇〇五年一二月七日のDAC会合でようやくODA対象国に復帰することが合意された。それによって、二〇〇八年から電子技術と放射線医療関係の研修員受入れを開始した。二〇一二年には内戦で負傷した人々のための技術支援などを実施ししてきた。

これらの技術協力はまだまだ不十分なものであるが、曲がりなりにも新政権が樹立された今後は、日本の民間と政府がより広い視野に立って創意と工夫をもって協力し合い、リビアの再建を支援するために教育や医療部門の技術協力や留学生の受け入れ、文化的な交流と対話の構築などを、推進することが必要である。そのためには、いまだに数は少ないが、日本へ留学した経験のある若者や、日本となんらかのつながりのある人々に、日本とリビアとの友好の架け橋の役割を果たしてもらいたいと願うものである。


（塩尻和子）

36

油田開発の公開入札

★日本の大きな賭け★

リビアでは、天然資源の開発や石油・ガス基地の建設、パイプラインの設置などには外国企業の参入と外国人労働者の参加が不可欠である。アメリカによる経済制裁とアメリカ人の渡航禁止の措置が取られていた期間でも、アメリカの石油会社の技術者が常時一〇〇〇人規模で駐留して、石油採掘現場で指揮をとっていたという噂もある。実際にアメリカは二〇〇五年一月に行われた油田開発の公開入札では、一五鉱区中、一一鉱区を落札して、アメリカ企業のリビアへの復帰を印象づけている。

この時の入札では日本の企業もかなり奮闘したが、入札に成功しなかった。しかし、同年一〇月に行われた第二回の公開入札では、日本の石油開発企業五社が六鉱区を落札して、日本の企業の大健闘ぶりが新聞紙上で話題になった。じつに十数年間も凍結されていた日本とリビアとの関係が再び動き出したようであった。

油田開発の鉱区入札には、開発会社の提示した原油配分率が低いほうから採用されることになっている。配分率が八パーセントであれば、採掘した原油の八パーセントを開発会社が受け取り、残りの九二パーセントはリビア側が受け取るという取り

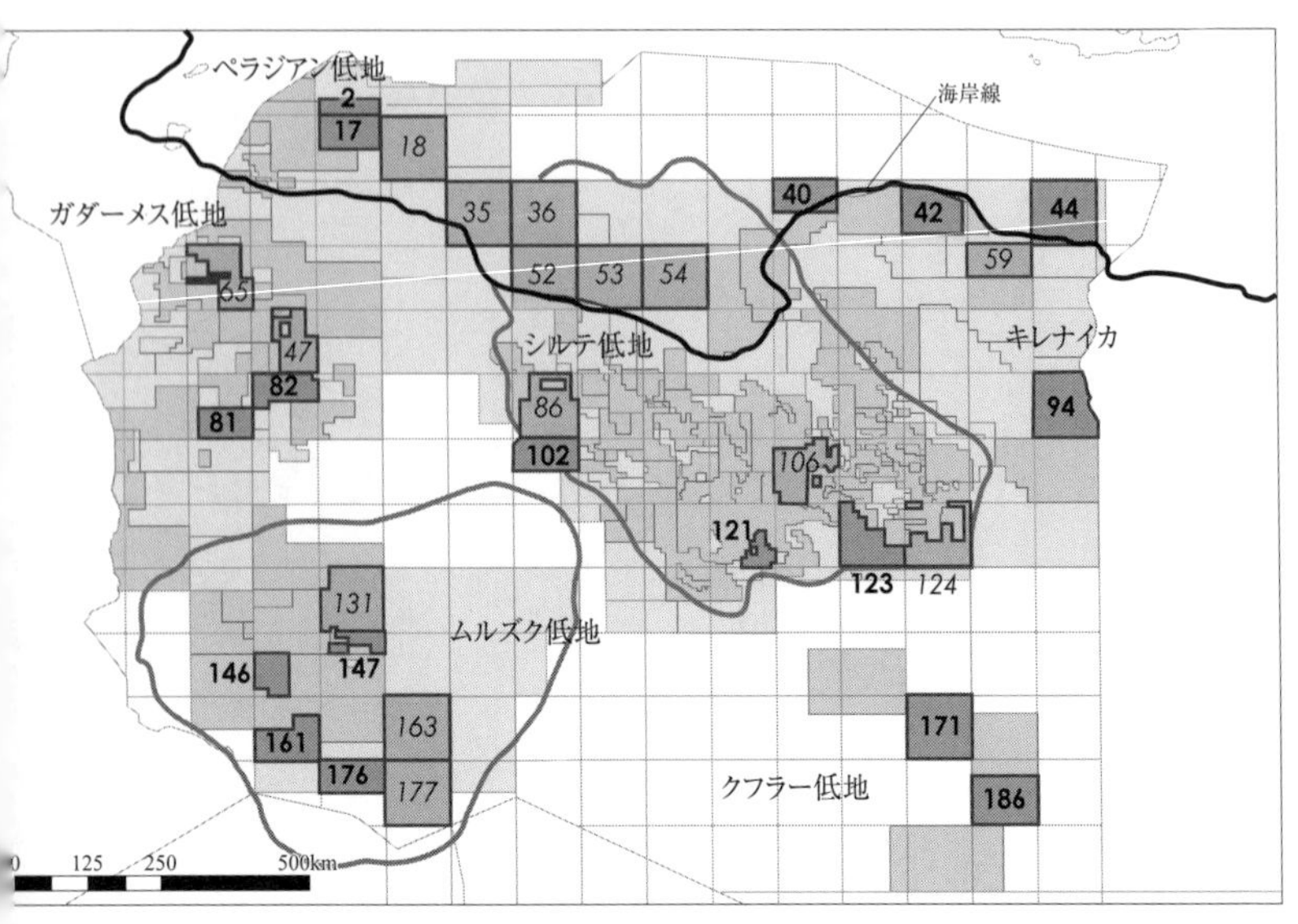

リビアの石油鉱区。(資料提供：新日本石油開発)

決めである。開発会社の取り分の割合が少ないほど、入札に成功する可能性が高いが、経済的には採算がとりにくいということになる。取り分が二七パーセントや二八パーセントであっても、フランス、アメリカ、中国の企業も鉱区を落札しているが、ここでは、うまく油田の開発が成功すれば、開発会社の取り分は巨大な利益を生むことになる。しかし、石油鉱区を落札した場合、探査に要する費用は四〇～六〇億円にものぼるうえに、五年あるいは三年と一定の探鉱期間内に発見しなければならないという契約がある。何十億円も投資しても、なにも見つからないという危険性も、もちろん、ある。

二〇〇五年一〇月に日本の石油開発企業が落札した鉱区は、他の鉱区と比較しても際立って配分率が低い。それだけに慎重な探査が要求されるが、まさに、地下深く眠る原油を求めて、イチかバチかの大勝負である。結局、日本企業が落札した鉱区からは、経済的に採算が取れる油田は発見されなかったと聞いている。

長期間にわたったアメリカ主導の経済制裁や国連による制裁などによって、リビアの石油と天然ガスの生産量は急激に落ち込み、現在でも制裁前の採掘量まで回復していないが、原油価格が急高騰している現在、世界的に高品質をほこるリビアの石油と豊富な天然ガスは、国際資本から大きな関心を集めている。天然ガスの生産量については、二〇一一年の内戦勃発後の数値については、いまだ発表されていない。

（塩尻和子）

37

日本からの経済投資

★技術開発に期待★

カッザーフィーによる二〇〇三年一二月の「大量破壊兵器放棄宣言」以降、各国の首脳が次々とリビアを訪問してカッザーフィーと会談していた。二〇〇四年二月にはイタリアのベルルスコーニー首相、三月にはイギリスのブレア首相、一〇月にドイツのシュレーダー首相、一一月にフランスのシラク大統領、一二月にカナダのマーティン首相と続いた。ベルルスコーニー首相は二〇〇四年に三回もリビアを訪問しており、一〇月にはリビアのメリタとイタリアのシチリアを結ぶ天然ガスパイプラインの開通式に出席した。また、イギリスの首相がリビアを訪問したのは、一九四三年にチャーチル首相が訪問して以来、六一年ぶりのことで、まさに歴史的事件だといわれていた。

日本からは二〇〇四年六月八日～一〇日に当時の逢沢一郎外務副大臣が政府特使としてリビアを訪問し、カッザーフィー大佐をサッダーダ（トリポリ東南二〇〇キロの砂漠）に訪ねて公式に面会したが、彼は閣僚級としてはカッザーフィー大佐と会談をした最初の日本政府高官となった。各国の高官といえども、半ば神格化されているカッザーフィー指導者と首尾よく会談をすることは、じつは非常に難しいことである。国際儀礼上では

サッダーダで逢沢一郎総理特使を迎えるカッザーフィー。2004年6月9日。

考えられないことであるが、外務大臣でも国家元首でも、時と場合によってはカッザーフィーと面会できないまま、リビア側の無礼と自身の不運を嘆きながらリビアを後にすることは、よく起こる事態であった。外国の高官がカッザーフィーとの会談を事前に確約してからリビアを公式に訪れたとしても、なおカッザーフィーとの会談が実現されるという保証はない。そういう意味では、当時の逢沢外務副大臣がカッザーフィーと砂漠のキャンプで二時間も会談をすることができたことは、リビア側の日本への期待感の大きさが理解される出来事である。

これで当時のG8のなかでリビアを訪問していない首相・大統領は二〇〇六年五月の時点で、アメリカとロシア、日本だけになってしまった。二〇〇五年八月にカッザーフィーはアメリカのブッシュ大統領を公式に招待したいと発言したが、実現はしなかった。もしもこれが実現すれば、残るのはロシアと日本だけになったであろう。

しかし、カッザーフィーが当初期待したほどには、国際社会からの大量破壊兵器廃棄宣言にたいする見返りが多くないことに「アメリカ、ヨーロッパ、日本には失望した」と不満を表明していると伝えられた。アメリカと並んで日本が名指しされているのは、核の平和利用についての協力を求めているからであろう。非核三原則を堅持する日本が、

新生リビアの国旗はリビア王国時代のものを復活した。

リビアの核の平和利用について、どのような協力ができるのか、難しい問題でもあった。

もともとカッザーフィーの革命思想は欧米列強に対する根強い不信感に基づいているので、この絶好の機会に国際社会がリビアの要求にすばやく対応できなければ、彼は再び孤立策をとることも予想されていた。リビアと多少とも縁のできた私としては、リビア側から「日本はアメリカと戦い、人類最初の原子爆弾を落とされたが驚異的な復興を遂げた模範的な国」と身に余るほどの賞賛と憧憬を受けているうちに、リビアに対する経済投資や技術開発などの分野での協力を再開してほしいと望んでいる。この気持ちはカッザーフィー政権が崩壊し、新しいリビアが誕生した現在でも、変わらない。

（塩尻和子）

38

石油生産は国家再建の鍵

★リビア経済と石油部門★

リビアは、世界有数の石油・ガス産出国である。その歴史を少し振り返ると、リビアで初めて商業規模での原油が生産されたのは、リビア連合王国時代の一九五九年であった。リビアの良質な原油とヨーロッパという消費地への近さといった利点もあり、国際石油資本（メジャー）は同国での油田開発を積極的に進めた。一九七〇年四月には、リビアの石油生産は最高値となる日量三七〇万バレルという歴史的水準に達した。しかし、一九六九年のリビア革命で権力を握ったカッザーフィーが行った石油事業の国有化や一九八〇年代以降のアメリカ主導の対リビア経済制裁を受けて、欧米の石油企業が撤退したことから、石油生産量は日量一四〇万バレルとなり、一九七〇年代の水準を大きく下回った。既に触れたように、二〇〇三年にリビアは突如、経済発展の足かせとなっていた経済制裁解除に向けて対外懸案事項の解決に舵を切り、同年九月には対国連制裁が解除された。国際社会への復帰を果たしたリビアには、石油・ガス部門を中心に海外からの投資が流入したことで、国内経済は活況を呈した。リビア経済は、二〇〇四年から二〇一〇年までの期間で年平均約四・六パーセントの成長を記録し、制裁解除前の二〇〇二年のマイナス一パーセントを大きく上回った。

これまで、リビア経済の成長を牽引してきたのが石油・ガス部門であった。しかし、二〇一一年の内戦以降の混乱により、同部門は大きな打撃をこうむった。二〇一一年から約九年が経過した今も国内の治安情勢は不安定であることから、同部門は度々、供給停止の問題に直面している。他方で、カッザーフィー政権が進めた社会主義的経済運営の失敗が明らかとなった一九七〇年代以降、リビア経済は石油への依存度を高めて行った。このことは、今後も石油生産の動向がリビア経済再建のカギを握っていることを示している。

二〇一一年の民衆蜂起以降、リビアの石油・ガス部門の動向は大きく三つの段階に分けられる。最初の段階は、二〇一一年一〇月の内戦終結から二〇一三年中盤までであり、石油生産量が急速に回復した時期であった。この時期、治安情勢は比較的安定していたことから、内戦中に操業停止に追い込まれた石油施設が再び稼働を開始した。これにより、内戦中にほぼゼロにまで落ち込んだ石油生産量は民衆蜂起直前の水準まで回復した。

しかし、二〇一三年九月からの約三年間は、石油生産が低迷した時期であった。これまで安定していた国内情勢は再び混乱状態に陥った。たとえば、二〇一三年夏以降、シドラ湾沿岸にある石油施設への武装勢力の攻撃や施設作業員によるストライキが相次いで起きたことで国内にある石油輸出ターミナルの多くが操業停止に追い込まれた。そして、二〇一四年夏以降、東西二つの政府の対立による治安情勢の悪化から、石油生産量は大きく落ち込んだ。その結果、二〇一六年九月の石油生産量は日量三一万バレルと、民衆蜂起直前に比べて四分の一以下に減少した。さらには、二〇一四年半ば以降

第38章

石油生産は国家再建の鍵

の世界的な原油価格の低迷により、リビアにもたらされる石油収入は大きく落ち込んだ。リビアは、世界有数の産油国であり、湾岸諸国に比べて見劣りはするものの、豊富な石油・天然ガス資源からの恩恵を受けてきた。だが、二〇一一年の民衆蜂起以降、リビア経済は激変し、自国通貨が大きく下落したことで、物価高騰が進んだことから、一般の人々は厳しい生活を余儀なくされている。

他方、二〇一六年末以降、「イスラーム国」との戦いに加えて、武装勢力による石油関連施設への攻撃が頻発するなど国内情勢は大きく混乱したものの、石油生産は緩やかな回復を示していた。これには、二〇一四年以降、東西の国家分裂状態が続くなかで、トリポリとベンガジにそれぞれ分かれていた国営石油会社（NOC）が二〇一六年七月に再統合することで合意したことが要因のひとつとして考えられる。つまり、東西各地の石油積出港の管理権がトリポリの国営石油会社に移管されたことで、国営石油会社は操業停止に追い込まれていた石油施設の再稼働やパイプラインの修復に注力することができたからである。さらには、ヨーロッパの石油企業との油井開発事業の再開も期待されており、国内情勢が安定した場合には、石油・ガス生産のさらなる拡大も可能であるという見通しもなされている。

一方で、現在、大きな問題として浮上しているのが、二〇一七年三月以来、東部の石油施設を支配下に置くハフタル将軍の存在であった。二〇一八年六月には、ラス・ラーヌーフとシドラにある石油施設が武装組織「石油施設防衛隊」によって制圧され、操業停止に追い込まれた。これに対し、ハフタル将軍率いるリビア国民軍（LNA）は激しい戦闘の末、これら石油施設を奪還した。六月末には、ハフタル将軍は支配下に置く東部の石油関連施設の管理権をベンガジにあるトブルク政府が影響力を持つ公営石油会社に引き渡すことを表明した。こうした動きは、LNAが安定した資金源を確保することを狙ったものと受け止められ、トリポリの国民和解政府（GNA）のみならず、アメリカを中心とする欧米諸国からも批判を招いた。結局、ハフタル将軍は、東部の石油施設の管理権をトリポリにある国営石油会社に移管することを認めざるを得なかった。ただし、ハフタル将軍は東部の石油関連施設への軍事的な影響力を保持しており、対立する武装勢力による同地域への攻撃によって、石油輸出が滞ることへの懸念はいまだ払拭されてない。

リビアは、経済全体に占める石油・ガス部門への依存度が高く、その国家収入の多くを石油・ガス収入（レント収入）が占めている。このことから、リビアは「レンティア国家」のひとつとして批判されることも多い。その一方で、こうした経済構造を直ちに変えることは難しい状況にある。今、なによりもリビアにとって重要なことは、国内経済を安定させることであろう。そして、石油・ガス部門を回復させることが必要であり、リビアの構造改革は経済再建後に取り組むべき課題といえるだろう。国内情勢を安定させるためには、経済的安定を確保することが必要である。まず国民の生活を安定させ、それによって社会不安を払拭することができ、政治や社会の構造改革が成功することにつながるからである。特異な独裁者カッザーフィーでさえも、手厚い食糧補助金制度や教育・医療の無料化を整備して、人心の掌握を最優先にしていたのである。

（上山　一）

39

経済活動と民兵組織

★首都トリポリの真の支配者？★

リビアの都市では、二〇一七、八年ころから、人々が預金を引き出すために銀行の前に列をなして並ぶ様子が頻繁に見られるようになった。こうした人々は、時には数時間も待たなければならない。海外からの輸入品に多くを依存するリビアでは、近年、為替レートの大幅な下落により、輸入品価格が上昇し、インフレが進んでいることが、こうした現象の背景にあるようだ。つまり、人々は、インフレが進んでいることから、商品の購入や給与の支払いのために多くのリビア・ディナールを必要としているからである。また、二〇一四年以降の政情不安による経済的な混乱から、銀行システムへの信頼が揺らいだことで、多くの人々が外貨を得ようと自らが持つ銀行預金を出来るだけ引き出そうとしたことも大きく影響している。これに対して、信用不安が広がるのを恐れた政府は、預金者が銀行から引き出せる金額に制限を設けた。こうした措置は、かえって銀行システムに対する人々の懸念を高め、さらなる預金の引き出しを招いた。

そもそも、リビアで為替レートが大幅に下落したのは、武装集団による石油施設への攻撃によって、石油や天然ガスの輸出が停止し、リビアの主要な外貨獲得源である石油・ガス収入が大きく落ち込んだことによるものであった。一方、多くの人々は、こうした状況をもたらした原因が各地で勢力を維持する民兵組織にあり、またその活動を止めることができない中央政府の統治能力の弱さにあることも知っている。そして、何よりも治安回復の大きな妨げとなっている民兵組織自らが不正な手段で大きな利益を得ていることも知っている。

たとえば、首都トリポリを拠点にする国民和解政府（GNA）は、事実上、首都の治安維持をトリポリ市内に居座る有力民兵組織に委ねており、こうした民兵組織の構成員はGNA指揮の下で警察機能を担うことの対価として、GNAから給与を得ている。しかし、これらの民兵組織は、実体のない輸入品取引の支払いのための信用状を支配地域の商業銀行に強制的に発行させ、そこから得られたドル資金をブラックマーケットでディナールに交換することで莫大な利益を得ていることが指摘されている。こうした不正行為に加え、トリポリの民兵組織は、GNAからの給与を主な資金源としているが、それでは飽き足らず、リビアでは燃料補助金が安く抑えられていることに目をつけ、割安な燃料をチュニジアといった比較的に燃料価格の高い隣国に密輸することで大きな利益を得ていることも広く知られている。

こうした民兵組織による不正行為に対して、GNAも手をこまねいているわけではない。同政府は、民兵組織が不正行為を行う余地をなくすため、その大きな要因となっているブラックマーケットへの対応を開始した。具体的には、中央銀行と協力し、新たに外貨取引税を導入することで、実質的に公定レートを引き下げようとした。さらには、年間のアメリカ・ドル交換可能額を引き上げることで、ブラックマーケットの取引レートとの差を埋めようとした。

今後、ＧＮＡは、民兵組織による密輸取引の温床となっている燃料補助金の削減を目指している。ただし、これについては、トリポリを支配し、事実上、ＧＮＡから治安権限を委ねられている有力民兵組織からの大きな反発が予想される。実際、ＧＮＡがトリポリ入りする前にも燃料補助金の削減計画があったが、燃料密輸からの利益が大きな収入源である民兵組織からの激しい抵抗に遭い、改革案が頓挫した前例がある。ＧＮＡは、現在、トリポリを支配する民兵組織から大きな支持を得て活動している。同政府は、民兵組織からの支持と国民からの信頼との狭間で、難しい状況に立たされている。

トリポリの大部分を支配する民兵組織にとっても、彼らが不正に関与していると指摘されることは気に障るようだ。現在のトリポリは、トリポリ革命旅団と特別防衛隊によって分割統治されている。こうした有力民兵組織は時には対立する場合もあるが、多くの場合は連帯関係にあり、ＧＮＡの指揮下に入ることで、近年、首都の治安機関に対しても大きな影響力を持つようになった。トリポリを拠点にするその他の民兵組織の一部は、同政府内務省指揮下の治安部隊に編入されたが、実際には、治安部隊の制服を身にまとった民兵組織に他ならなかった。むしろ、民兵組織による治安機関への影響力が高まったことで、事実上、ＧＮＡが民兵組織の不正行動に手出しができない状況を作り出してしまった。

彼らによる不正行為が指摘される一方で、それとは違った見方をする市民もいるようだ。たとえば、先ほど名前を挙げたトリポリ革命旅団のリーダーであるハーティム・タジューリーは、数々の民兵間の衝突に関与した悪名高い人物として知られている。その彼が、突如、自らが率いる民兵組織の支配地域で営業を行う銀行に対して、預金の引き出しのために列をなして並ぶ人々のために、夜遅くまで営業を行うよう命じた。さらには、預金者に課されていた引き出し制限の大幅な緩和も命じた。市民の間に高まる不満を上手く利用した彼の行動については、称賛する声も市民のなかで上がっている。彼の行動が一部の人々から共感を得ていることは、法の支配が失われたリビアにおいて、民兵組織の力が中央政府や警察の力をも上回ることを示しており、むしろ、政治家たちの一向に進展のない議論や先行きの見えない経済状況に対する人々の不満の裏返しと思われてならない。

（上山　一）

コラム13

内陸都市サブハーの風景

上山　一

私は二〇一二年一二月、内戦終結後一年を経過したリビアに久しぶりに降り立った。そして、四日間の日程で首都トリポリから約六六〇キロメートル南に位置する内陸都市サブハーを訪れた。この地を訪れた目的は、私が当時、勤務していた大学と学術協定を持つサブハー大学を訪問し、リビアでの今後の学術調査への協力を依頼することであった。ここでは、トリポリからサブハーへの移動やサブハー市内の様子について見て行きたいと思う。

出発当日の朝、トリポリから空路でサブハーへと移動し、午前中の早い時間に現地に到着する予定であった。リビアの主要航空会社には、国営のリビア航空とアフリキーヤ航空、そしてリビア初の民間航空会社であるブラーク航空がある。当時、トリポリ―サブハー間には、これら全ての航空会社が就航していた。この時、私はリビア航空を選んだが、出発時間の午前八時を過ぎてもサブハー行きのチェックインは始まる気配がない。結局、出発時間から約二時間遅れでチェックインが始まり、出発ゲートに通された。しかし、私が乗ろうとしていた便のみいっこうに搭乗開始のアナウンスがない。時間は午後になり、私を含めた乗客たちは搭乗ゲート前で暇を持て余し、ひたすら搭乗開始のアナウンスを待つしかなかった。そのうち、乗客と航空会社の職員との間で口論になったが、何とか騒ぎは収まった。午後五時半ころ、六時台発のサブハー行、ブラーク航空便の搭乗案内が始まった。さすがにこのときは、乗客の不満も頂点に達したが、その時、リビア航空の職員から搭乗開始のアナウンスがあった。午後七時ころにやっとサブハーに向けて飛び立つことができた。リビア航空、フライトの遅延には定評が

サブハーのフェッザーン・ツーリスト・ホテルの正面。2013年6月

あるようだが、これほど遅れることはめったにないようだ。一時間程で、サブハーに到着した。空港では、サブハー大学の先生が私を出迎えてくれた。

リビアは地理的には、北西部のトリポリタニア、南西部のフェッザーン、北東部と南東部のキレナイカに大きく分かれ、サブハーはフェッザーン地方最大の都市であり、サハラ地域への玄関口でもあった。政変以降、国境管理の甘さもあり、ここサブハーにはアフリカ諸国から多くの難民や移民労働者が押し寄せた。

さて、サブハーはカッザーフィーが中学時代を過ごした街であり、こうした背景もあり、カッザーフィー政権を支持する人々も多かったことで知られている。実際に、二〇一一年二月に始まった民衆蜂起以降、サブハーが反政権派部隊によって制圧されたのは同年九月のことであった。内戦終結後も部族間の小競合いが散発的に起きたと聞いていたが、私がサブハーを訪

サブハーのフェッザーン・ツーリスト・ホテルからの市街地の眺め。2013年6月。

れた時には比較的安定した状況であった。

この時、サブハーを初めて訪れたが、内戦中に破壊された建物の割合はトリポリに比べて少ないように感じた。ただ、民衆蜂起が始まる以前に営業していた市内のホテルのほとんどが、サブハーが制圧された後で破壊・略奪に遭ったために、宿泊することが可能なホテルは市内中心部で一軒のみであった。また、サブハーに滞在中、毎晩ではなかったものの、銃声が聞こえた。さすがに夜中に外出することは控えたが、大学の関係者からは、週末には結婚式が行われ、その際に祝砲を撃つのだ、と説明を受けた。夜にたびたび聞いた銃声は、リビアではいまだ武器類の回収が進んでいないことを物語っており、恐ろしくも感じた。

さて、サブハーは隊商交易路として栄えた都市であり、交通の要衝でもあることから、人通りは多い。また、首都トリポリとは異なり、街なかでは、シャーシと呼ばれる布で頭と顔を覆ったトアレグの人々をしばしば見かけた。この他、近隣のサハラ・サヘル地域から国境を越えてやってきた移民労働者の姿も見かけることができた。移民労働者の多くは、商店、建設現場、工場や農場で働いている。その一方で、こうした人々のなかには違法に入国した者やこれといって手に職がない者もおり、彼らは日雇いで生計を立てざるを得ないのが現実であった。

サブハー市内でも、ロータリーに立ち工具を手にするアフリカ諸国出身者らしき多くの労働者を見かけた。

このように、サブハーはサハラ以南からの移民労働者や難民が目指す一大拠点となっており、現状でもそうした状況に変わりはないようだ。サハラ以南の地域からリビアに入った人々はサブハーに向かうケースが多いと言われている。その背景には、サブハーでは比較的に仕事が見つけやすいことに加えて、トリポリへの移動やヨーロッパへの密航を手助けする業者が多いという事情もある。しかし、近年、リビアでは、アフリカからやって来た移民労働者や難民を奴隷的に扱い、強制労働を行っているとの報告がある。実際に、リビア人がアフリカ諸国出身者を奴隷として売買し、それには治安組織が深く関わっているとの報告もなされている。現在のサブハーは、アフリカ諸国出身者を売買する「奴隷市場」と化しているとの指摘もあり、非人道的な現状に対しては国際的な批判が高まっている。

私がサブハーを離れて以降、地元の有力部族同士の争いやアフリカ系の部族との戦闘により、この地域を取り巻く状況は不安定さを増している。最近、サブハー大学の先生と電話で話をしたとき、多くの外国人教員が治安上の懸念からサブハーを離れたと聞いたが、市内は比較的に穏やかだとも言っていた。現在の状況がどのようになっているのか、大いに気になるところだ。

Ⅶ

カッザーフィー政権の崩壊

40

民衆蜂起と独裁体制の動揺

★混乱の始まり★

カッザーフィー政権が崩壊した二〇一一年は、アラブ政治史において重要な年として記憶されるだろう。チュニジアから始まった民主化運動、いわゆる「アラブの春」の余波はアラブ全域に影響を与え、エジプトでは長く大統領の座にあったムバーラクを失脚させた。イエメンでは、同じく長期政権を敷いてきたサーレハ大統領に対する反体制運動が続き、湾岸協力会議による仲介案を受け入れる形で、サーレハ大統領は退陣に追い込まれた。これに対して、現在、その動向がもっとも注目されているのがシリアであろう。欧米諸国がシリアへの介入に二の足を踏むなか、民衆蜂起はその後、泥沼の内戦へと突入した。シリアでの混乱は二〇二〇年二月現在まで止むことなく続いている。シリアは、近年において例がないほどの人道危機に直面している。

リビアでは、チュニジアのベン・アリー政権が崩壊した二〇一一年一月一五日前後、主にリビア東部のベンガジで抗議運動が発生し、たちまちキレナイカ一帯に拡大した。抗議運動の直接のきっかけは、政府による公営住宅の提供が遅れていることと住宅費高騰への市民の反発であった。この抗議運動は当初、

旧政権派の住宅、見せしめのために破壊されたままに残してある。2013年3月。

東部のダルナやバイダー（ベイダ）だけでなく、北西部のバニーワリードでも行われた。詳細は不明だが、その後、抗議運動の参加者が公営住宅を占拠したことから、治安部隊との衝突に発展した。リビアでは、こうした抗議運動が起きることは珍しく、ベン・アリー政権崩壊直後でもあったことから、チュニジアでの政変が少なからず影響を与えていたかもしれない。

カッザーフィーは、ベン・アリーがチュニジアを逃れ、サウジアラビアに亡命した翌日、国営テレビに姿を現した。そして、チュニジアでの政変について、ベン・アリーが二〇一四年に引退すると約束していたことを取り上げて、なぜチュニジア国民はその日まで辛抱強く待つことができなかったのかと語り、長期政権を誇ったベン・アリーを評価し、チュニジアでの民衆蜂起を批判した。カッザーフィーの発言の真意は定かではないが、チュニジアでの民衆蜂起がリビアに波及することを懸念していたのかもしれない。こうした発言からひと月後に、リビアにも民主化運動のうねりが波及することになる。

アラブ諸国で民主化運動が盛り上がるなか、在外リビア人による反政権派組織「リビア反体制国民会議（NCLO）」は、二月一七日に「怒りの日」と呼ばれる反政府抗議運動への参加をFacebookなどのSNSを通じて呼びかけた。抗議運動の日付を二月一七日と定めた理由には、二〇〇六年にヨーロッパ諸国の新聞に掲載された預言者ムハンマドの諷刺画をめぐるリビアでの抗議運動が深くかかわっている。当時、リビアでは、諷刺画事件をめぐるイタリア政府閣僚の発言に怒ったベンガジ市民がイタリア総領事館前で大規模な抗議デモを行い、その一部が暴徒化した。これに対し治安部隊が発砲し、一四人が死亡した。まさに、この事件が起きた日が二月一七日であった。こうした動きは、明らかにチュニジアやエジプトでの民主化運動から触発されたものであった。これに対し、カッザーフィーは、リビアに社会不安をもたらす者たちは厳しい代償を払うことになると警告した。

（上山　一）

41

民衆蜂起のきっかけ

★それはベンガジから始まった★

リビアでの民衆蜂起の直接的なきっかけは、二〇一一年二月一五日にベンガジの治安機関本部前で行われた抗議デモであった。よく知られていることであるが、この抗議デモは、同じ日に治安機関によって拘束された人権派弁護士ファトヒー・ティルビルの解放を求めるものであった。また、この日のデモ参加者たちは、一九九六年六月にトリポリのアブー・サリーム刑務所で起きた暴動で虐殺されたとされる政治犯の遺族の一部であった。拘束されたティルビルは、刑務所で虐殺された受刑者の遺族の支援活動を長く行ってきた人物であった。当初、デモ参加者は虐殺の遺族を含め数十人ほどであったが、その後、多くの支援者が抗議デモに加わったことで五〇〇人規模にまで膨らんだ。こうした事態を受けて、翌日、ティルビルは無事に釈放されたが、抗議運動は終わらず、ベンガジ中心部では治安部隊との衝突で数十人が負傷する事態になった。しかし、この段階では治安部隊によるデモ隊への対応は抑制的であった。

ベンガジで起きた抗議デモはこの日で終息せず、翌日も行われ、一部のデモ参加者はカッザーフィー政権の終焉を叫んだことで、抗議運動を鎮静化させようとする治安部隊との衝突は激しさを増した。この日の抗議デモは、ベンガジにとどまらず、一月に政府への抗議デモが発生した東部バイダーやダルナ、そして南西部ジンターンでも数百人規模の反体制デモが行われ、ここでも治安部隊と激しく衝突した。とりわけ、バイダーでは、政権打倒を訴えるデモ隊に対し治安部隊が実弾を発射したことで少なくとも二人が死亡した。治安部隊によるデモ参加者への弾圧はこれを機に歯止めが利かなくなり、抗議デモの拡大とともに犠牲者の数も増加することになる。

二月一七日には、さらに決定的な出来事が起きる。第41章で触れたように、この日には、二〇〇六年二月にベンガジで起きた抗議運動で犠牲になった人々を記念するための大規模な反体制デモが事前に呼びかけられていた。このため、東部ベンガジに加えて、アジュダービヤー、ダルナ、バイダー、そして西部ジンターンでも大規模な抗議デモが行われ、一部のデモ隊は治安機関本部、人民委員会の建物といった政府関係施設を襲撃、占拠した。こうした事態に対して、政権側は警察、軍、そしてアフリカ系の傭兵までも投入して、徹底的に抑え込もうとした。このため、一九日までにベンガジでは二〇〇人以上が死亡し、バイダーでは、少なくとも二〇人以上が死亡したといわれている。携帯電話で抗議運動の様子を撮影した映像が時々刻々とインターネット上で伝えられたこともあり、リビア東部を中心に激しさを見せた抗議デモの波は、ミスラータ、トリポリ、ジンターンといったリビア西部にも広がった。さらには、政権側がアフリカ系の傭兵を投入したことや治安部隊がデモ隊に実弾を使用したことは、デモ参加者の怒りを増幅し、これまで抗議デモの鎮圧に当たってきた治安部隊の側からも離反者が現れた。大規模なデモが始まってから三日後の二〇日までに東部の状況は変化し、抗議活動はより暴力的になっていった。一方、治安部隊はその勢いを抑えることができず、ベンガジ、バ

一見すると変化がないトリポリ市内。2018年10月、ハーテム氏撮影。

イダー、アジュダービヤーといった東部の各都市では、軍や警察は市内からの撤退を余儀なくされた。また、治安部隊から離反し、デモ隊に加わった者が治安機関本部や軍用基地を制圧し、武器を得たことで、武装化したデモ隊と治安部隊との衝突は一層激しさを増した。このことは、その後、深刻化する武器の市民社会への拡散と武装闘争の拡大を招くことになる。

東部での混乱が拡大するなか、カッザーフィーの次男であり、後継者と目されてきたサイフ・アル・イスラームが二〇日夜に国営テレビに登場した。彼は、一連の暴力を非難し、東部での出来事は国外の反政権派の代理人による破壊行為によるものであり、こうした社会不安によってリビアは内戦の瀬戸際にあるとして、隣国チュニジアやエジプトとは状況が異なっているといい、強く警告した。

そして、反体制デモに対しては、それを根絶するまで徹底的に戦う姿勢を示したが、その一方で、憲法を制定することを約束するなどの懐柔策も示した。サイフ・アル・イスラームが東部での抗議運動の拡大に対してどのような命令を下したかは不明であるが、デモ参加者の徹底弾圧により犠牲者が増加したことは事実であり、抗議運動のさらなる拡大と治安部隊の離反を許したことは東部での民衆蜂起を過小評価していたといわざるを得ない。こうしたなか、ムスタファ・アブド・アル・ジャリール法務大臣とアブドゥル・ファッターフ・ユーニス内務大臣が政権から離脱し、抗議運動に加わると表明した。こうして、東部での抗議デモの開始から一週間も経たないうちに、東部の一部地域での支配権を失ったことや治安部隊や政権内部から離反者を出したことにより、盤石だった政権基盤は大きく揺るぎ始めることになる。

（上山　一）

42

反体制組織の誕生と多国籍軍の軍事介入

★内戦状態に突入★

リビアでの民衆蜂起の起点となったベンガジは、治安部隊が市内から撤退したことで、これ以降、反政権派の拠点となった。このことを印象づけたのは、市内中心部にある裁判所の屋上から赤・黒・緑の横三色の中央に白い三日月と星の入った旗が掲げられたことであった。この三色旗は、カッザーフィーによる一九六九年革命以前のリビア王国時代に使用されていた国旗であった。こうして、王国時代の国旗が掲げられたことは、カッザーフィー政権の正統性を否定することを狙ったものといえよう。

リビア東部で始まった抗議運動は既に西部や南部を含むリビア全土に拡大する様相を呈していた。また、カッザーフィー政権によるデモ隊への弾圧に抗議して、国連代表部や各国大使館で働くリビア人外交官の辞任が相次ぐなど、リビアを取り巻く状況は混迷の度を深めていた。

カッザーフィーは二月二二日、自らが居所にするトリポリのバーブ・アル・アズィーズィーヤの兵舎から国営テレビを通じて演説を行った。彼は、東部での反体制運動を徹底的に批判した上で、「私はこの地を離れるつもりはない」、「祖先の地で殉教者として死ぬ」、「最後の血の一滴まで戦う」、「私は永遠に革命の指導者であり、辞任する正式な立場にはない」などと発言し、改めて退陣を拒否した。しかし、これ以後、彼を取り巻く状況は厳しさを増すことになる。トリポリでは、民衆蜂起後初となる数千人規模の抗議デモが起き、治安部隊は実弾を使ってこれを弾圧した。

一方、国連安全保障理事会は、カッザーフィー政権による一般市民への武力弾圧を非難する決議案を二月二二日に全会一致で採択した。これに続いて、国連安全保障理事会は二月二六日に対リビア制裁決議を行い、これにより、カッザーフィー政権幹部を対象に経済制裁が発動されたが、反政権派が求めるようなリビア上空への飛行禁止区域の設定までには至らなかった。それでも、国連での動きに足並みを揃えるかのように、ＥＵもリビア政府関連の資産凍結、武器禁輸、政府高官のビザ発給禁止といった制裁措置を発動した。

こうして国際社会によるカッザーフィー政権への締めつけが強まるなか、ベンガジでは反政権派がカッザーフィー後の受け皿となる暫定政府の立ち上げ作業に入った。この組織は、カッザーフィー政権からの離脱者に加えて、国内各地の代表者から構成され、議長職にはカッザーフィー政権から離反した元法務大臣のアブド・アル・ジャリールが就任した。国民評議会は、三月五日に、リビア人の唯一正統な政府として正式に発足した。国民評議会発足後、いち早く同組織をリビアの代表として承認したのはフランスであった。これに続いて、ＥＵやアラブ連盟も国民評議会を交渉相手として承認した。

東部を拠点にする反政権派は、三月に入り、シドラ湾に面するリビア中部に戦線を拡大した。こ

攻撃の跡が残るビル。サブラータ市内、2018年9月29日、ハーテム氏撮影。

れによって、カッザーフィー政権軍との衝突も激しくなる。特に、リビア東部から中部にかけては「石油の三日月地帯」と呼ばれるほど石油施設が集まる重要な地域であったことから、この地域をめぐって、反政権派部隊とカッザーフィー政権軍との大規模な戦闘が繰り広げられることになる。

政権軍は、陸と空から反政権派部隊に対して激しい攻撃を加えた。反政権派部隊は政権から離反した治安部隊から得た武器を手に、政権軍と戦ったが、空軍力を持ち合わせておらず劣勢な状況にあった。反政権派部隊の劣勢に危機感を持った国民評議会幹部は、国際社会に対して政権軍の空軍力を無力化するために、リビア上空に飛行禁止区域を設定することを改めて要求した。

国連安全保障理事会は、三月一七日に再び協議を行い、カッザーフィー政権による市民への暴力を防ぐことを目的に、リビア上空の飛行禁止区域設定を柱とする制裁強化を決議した。当初、飛行禁止区域の設定に消極的であったアメリカも同決議案に賛成し、中国とロシアが棄権に回ったことで、決議案は賛成多数で採択された。決議案の採択により、国連加盟国は地上軍の派遣を除いて、必要な場合には軍事行動を行うことが可能になった。これを受けて、カッザーフィー政権は即時停戦を表明したが、政権軍の攻撃能力の無力化を狙っていた仏英を主軸とするヨーロッパ諸国は空爆による軍事行動に傾くことになる。

三月一九日の早朝、フランス軍がベンガジ郊外に進軍するカッザーフィー政権軍に対して空爆を行ったのを皮切りに、米英仏を始めとする多国籍軍による対リビア軍事作戦が開始された。これに対して、カッザーフィーは国営テレビで「西欧軍による植民支配を目的とした十字軍戦士の侵略行為からこの国を守るため、市民を武装させる」、「リビアの独立性、統一性、名誉を守るために武器庫を開放する」、「地中海は戦場となった」などと発言し、欧米諸国への反撃を宣言した。その一方、カッザーフィーの居所であるバーブ・アル・アズィーズィーヤの兵舎が空爆されたことは、多国籍軍の軍事作戦がカッザーフィーを攻撃対象にしたことを示しており、政権側にとって脅威がより一層高まったといえよう。

多国籍軍による空爆は、劣勢状態にあった反政権派部隊によるリビア中部への進軍を後押ししたかに見えた。しかし、政権軍との圧倒的な戦力の差から、中部沿岸都市のミスラータでは、反政権派は政権軍による激しい攻撃に耐えながらも、三月末にはシドラ湾に面する東部の石油都市ブレガまで押し返され、それ以降、戦闘は膠着状態が続くことになる。

（上山　一）

43

トリポリ陥落

★カッザーフィー政権の崩壊★

二〇一一年四月以降、カッザーフィー政権に対する国際社会の圧力はさらに強まることになる。四月に入り、リビアでの混乱収拾を目的に設立された「リビア連絡調整グループ」の初会合がカタールで開催され、リビア側からは国民評議会執行委員会委員長（国民評議会首相）に選出されたマフムード・ジブリールが出席した。ジブリール国民評議会首相は、元々は政治学者であり、カッザーフィー政権下で過去に国家経済開発委員会の議長を務めた人物であった。しかし、彼は、二月に始まった東部での民衆蜂起に対する政権側の弾圧に抗議して反政権派への支持を表明していた。カタールでの会合では、カッザーフィー政権による一般市民への暴力を非難し、即時停戦を呼びかけた。そして、カッザーフィー後も見据えて、国民評議会を正式な政治交渉相手であるとの認識が会合参加国のなかで共有された。これを機に、国民評議会に対する国際的な支援の輪が広がったことは、カッザーフィー政権の孤立を際立たせる形となった。

三月一九日に開始された多国籍軍によるリビアへの軍事作戦は当初、アメリカを主軸に展開されたが、三月末には北大西洋条約機構（ＮＡＴＯ）に指揮権が移譲された。これ以降、対リビア軍事作戦はより一層強化されることになる。ただ、三月末以降、ＮＡＴＯ軍による空爆にもかかわらず、東部の戦況は膠着状態となった。このため、当初は反政権派の側にもその実効性を疑問視する声が上がっていた。その後、ＮＡＴＯ軍は飛行禁止空域の強化と一般市民の保護を名目に、軍事施設の攻撃を強化し、反政権派部隊の戦闘を側面から支援した。このことは、政権軍との圧倒的な戦力の差から、劣勢であった反政権派部隊に梃入れしたいという欧米諸国の姿勢を示していた。

リビア東部での戦況は膠着状態となっていたが、西部では五月以降、政権軍の激しい攻撃にもかかわらず、中部ミスラータや西部の山間部において反政権派部隊が根強い抵抗を示していた。ミスラータでは、政権軍が街全体を包囲していたが、反政権派部隊は激しい戦闘の末、政権軍の攻撃を撃退し、この地域から政権軍を撤退させることに成功した。これ以降、ミスラータは中部沿岸地域における反政権派の牙城として機能し、カッザーフィー政権崩壊後も有力な政治勢力として影響力を持つことになる。

六月に入り、スペイン、アメリカ、オーストラリア、アラブ首長国連邦、カナダなどが国民評議会を正統な政治交渉相手として承認したことから、国民評議会は国際的にも着実に支持を広げていった。こうしたなか、オランダ・ハーグの国際刑事裁判所（ＩＣＣ）は、最高指導者カッザーフィー、次男のサイフ・アル・イスラーム、そして政権の諜報機関部長であるアブドゥッラー・アル・サヌースィーに対して、人道に対する罪で逮捕状を発行した。ＩＣＣが国家元首に逮捕状を発行したのは、スーダーンのバシール元大統領に次いで二例目であった。カッザーフィー政権側は、ＩＣＣの決定を拒否する声明を出し、そして、今回の決定そのものが欧米諸国の意向に沿ったものであると強く反発し、カッザーフィーは訴追対象とされる公的な立場には就いていないとの見解を表明した。

この間、ミスラータの反政権派部隊は、七月以降、トリポリから一六〇キロメートル東のズリテン近くまで西進し、首都トリポリを目指した。こうしたなか、反政権派部隊の最高指揮官であるユーニス少将がベンガジへの移動中に武装集団によって暗殺される事件が起きた。国民評議会は、実行犯は逮捕されたと発表したが、事件の背後関係については、ユーニス少将の忠誠心に少なからず疑問を持つ国民評議会幹部がいたことがこの暗殺事件につながったとの見方がある。実行犯はイスラーム主義武装集団であったとし、カッザーフィー政権下でのユーニスの行動に何らかの恨みを持つ者が事件に関与していたなどの情報もあるが真相は明らかになっていない。

この事件を受けて、アブド・アル・ジャリール国民評議会議長は武装民兵集団が事件に関わっていたことを認め、武装民兵の存在に危機感を示した。一方、八月以降、政権軍との戦闘はNATO軍の支援により膠着状態を脱し、反政権派部隊は東西の主要都市をめぐって攻勢を強めた。トリポリには、西はジンターンとザーウィヤから、東はミスラータから反政権派部隊がそれぞれ進軍し、八月二五日までにカッザーフィーの居所であるバーブ・アル・アズィーズィーヤなどの市内の大部分が制圧された。こうしたなか、サイフ・アル・イスラームは、突如、バーブ・アル・アズィーズィーヤにいた報道陣の前に姿を現した。彼は、欧米諸国によるリビアへの介入を改めて批判し、トリポリは政権の支配下にあると強弁したものの、その後、再び姿を現すことはなかった。

八月二七日には、反政権派部隊は政権部隊が最後まで抵抗していたトリポリ郊外の軍事基地を支配下に置いたことで、トリポリ全体を制圧した。後で知られることとなるが、サイフ・アル・イスラームは、この日までに政権支持派の多い北西部のバニーワリードへと逃れ、その後は南部のニジェールとの国境に近い地域で潜伏生活を送ることになる。一方、最高指導者・カッザーフィーは、伝えられるところでは、側近や親衛隊とともに二八日までにトリポリを脱出し、生まれ故郷に近いスルト（シルテ）へ逃れたといわれている。

東部での戦況については、この日までに反体制部隊はシドラ湾に面するビン・ジャワードを再制圧し、東部沿岸の石油輸出拠点をほぼ手中に収めた。これにより、四二年間続いたカッザーフィー体制は事実上崩壊した。これを受けて、アブド・アル・ジャリール国民評議会議長はトリポリを逃れたカッザーフィーや非制圧地域にいる彼の支持部隊に向けて、九月三日を期限に降伏することを求める最後通告を出した。こうして、リビアで二〇一一年二月に始まった内戦は最終局面を迎えることになった。

（上山　一）

44

独裁体制の終焉

★カッザーフィーの死★

トリポリの陥落以降、国民評議会とその指揮下にある国民解放軍が力を注いだのは、リビア全土の解放であった。そのためには、カッザーフィー政権部隊の支配地域を完全に制圧し、武装解除を進めるとともに、カッザーフィーとその家族を拘束することが必要であった。ただ、八月末にはカッザーフィーの妻・サフィーヤ、娘のアーイシャ、長男のムハンマド、そして五男のハーンニバールはリビアを逃れてアルジェリアに渡ったことが確認された。一方、カッザーフィー、次男のサイフ・アル・イスラーム、三男のサーアディー、そして四男のムウタスィムの行方は依然として不明であった。国民評議会は、彼らが旧政権支持者の多いスルト、バニーワリード、サブハーの何れかに潜伏していると見て、これら都市の制圧に向けて攻勢を強めた。カッザーフィーの出身地に近いスルトはもちろんのこと、特に旧政権に対して忠誠心が強いバニーワリードでは、国民解放軍はカッザーフィー政権部隊からの激しい抵抗を受けた。結果的に、バニーワリードの制圧には予想を超えるほどの戦闘員の犠牲が伴った。

他方、カッザーフィー政権の事実上の崩壊を受けて、九月一六日に国連は、国民評議会がリビア人を代表する統治機関であり、カッザーフィー政権に代わる国連代表であることを正式に承認した。これを受けて、国連安全保障理事会はリビアの石油会社に対する銀行口座の凍結解除、武器禁輸措置の一部解除、リビア当局による飛行再開などを含む決議案を採択し、経済制裁の緩和がなされた。さらには、リビアの再建を目的とする国連リビア支援ミッション（UNSMIL）の派遣も承認された。アブド・アル・ジャリール国民評議会議長はリビアの代表として国連で演説し、国民評議会への支援に対する謝意を表明した。また九月二四日には、マフムード・ジブリール暫定首相も国連総会で演説し、リビア再建への意欲を示した。こうして、国民評議会は国際社会からの支持を受けて、新生リビアの再建を託されることとなった。

一方、リビアでの統治基盤を失ったカッザーフィーとその支持部隊は、NATO軍による空爆と国民解放軍の攻勢によって支配地域の多くを失った。九月末には国民解放軍は南部のサブハーを制圧し、一〇月初旬までに、バニーワリードとスルトの包囲を完了した。こうした状況から、国民評議会のなかからは、リビア全土の解放は近いとの見通しが示された。しかし、この時点で、カッザーフィーたちが何処にいるのかは依然として不明であった。

一〇月一七日には、ついに約六週間にわたり包囲を続けてきたバニーワリードが陥落した。これにより、旧政権側に残された拠点はカッザーフィーの生まれ故郷に近いスルトのみとなった。そのスルトでは、国民解放軍が市内の大部分を制圧し、旧政権部隊は市内中心部にある第二地区と呼ばれる一角に追い詰められていた。しかし、カッザーフィー部隊による抵抗は凄まじく、このことから、当時、国民解放軍の戦闘員たちも未制圧の地区にカッザーフィーが隠れていると確信したといわれている。

カッザーフィーの居所だったバーブ・アル・アズィーズィーヤの廃墟、2013年3月

事実、カッザーフィーは、側近のアブー・バクル・ユーニス・ジャービル国防大臣や四男のムウタスィムが指揮する戦闘員とともにスルト市内に留まっていたが、自らを取り巻く状況には悲観的になっていたようだ。

NATO軍の空爆と国民解放軍の攻撃がカッザーフィー自身にも迫るなか、一〇月二〇日の朝、彼は側近や親衛隊とともにスルト郊外に脱出することを決断する。しかし、カッザーフィーや彼を守る戦闘員らが乗った車列がスルト西郊でNATO軍の空爆を受けてしまう。その後、カッザーフィーらによるスルトからの脱出を察知した国民解放軍との激しい戦闘になった。そこで、カッザーフィーとアブー・バクル・ユーニスは戦闘を避けて、道路下の排水溝に護衛とともに身を隠したとみられている。しかし、その場所も安全ではなく、すぐに国民解放軍の戦闘員に発見され、カッザーフィーはそこから引きずり出された。カッザーフィーは戦闘員によって排水溝から引きずり出される直前、彼の護衛が投げた手榴弾が誤って彼の近くで爆発したために、左側頭部に傷を負っていた。なお、カッザーフィーが負傷した手榴弾の爆発では、側近のアブー・バクル・ユーニスが死亡している。

その後、カッザーフィーは、多くの戦闘員に取り囲まれて、罵声を浴び、髪を引っ張られ、また銃口で体を突かれるなど手荒く扱われている場面が、戦闘員が撮影した携帯電話の映像によって同時進行的に世界中に拡散された。またその映像には、頭から出血したカッザーフィーが戦闘員によってトラックのボンネットの上に乗せられ、暴行される場面も映っていた。その後の状況は判然としないが、国民評議会の発表では、カッザーフィーは連行された時に負った傷が原因で死亡したとされている。

（上山　一）

カッザーフィーは誰に殺されたのか

コラム14

塩尻和子

リビアの国民評議会はカッザーフィーの死について、カッザーフィーと四男のムウタスィムは一緒に拘束された後、反カッザーフィー派部隊との戦闘で負った傷がもとで死亡したと説明した。しかし、拘束現場にいた戦闘員らの目撃証言や国際人権団体の独自調査によれば、カッザーフィーたちは、拘束された直後に戦闘員たちから激しい虐待を受け、それによって死亡したという証言が多かった。殺害方法については、いくつかの情報があるが、国民評議会側にあるどの情報や証言も世界中に拡散された殺害時の映像とは一致していない。

私はちょうどその時、たまたま衛星放送アル・ジャズィーラの同時中継映像を見ながら、戦闘の成り行きを追っていた。「ニュース速報」というテロップが激しく点滅するなかで、緊迫した場面は、ひどく負傷して出血しているカッザーフィーが、戦闘員たちに手荒く扱われながら、トラックとみられる車のボンネットに乗せられるのを映し出していた。カッザーフィーはまだ生きていて、「撃たないでくれ」あるいは「殺さないでくれ」という意味の言葉を口走っていた。そのとき、画面の右側から民兵らしい若者がカッザーフィーに銃を突きつけた姿が映った。その瞬間に銃で撃たれたらしく、カッザーフィーは倒れた。周囲が異様に騒がしくなり、あまりにも残酷な光景に、私は言葉も出なかったことを思い出す。

アル・ジャズィーラやアル・アラビーヤの映像から、未成年の一九歳の兵士がカッザーフィーを狙撃したとの報道もなされたが、これは私が実際に見た映像にもっとも近いものである。カッザーフィーは拘束されたときには、負傷していたもののまだ生きていて、はっきりと

「殺さないでくれ」と懇願していたのである。

この殺害方法は国際社会で問題となったが、ニュース映像からも現場でも、同時進行形で多くの人々が見ていたにもかかわらず、国民評議会は今日に至るも全く異なる説明を繰り返している。

カッザーフィーの殺害が映像のとおりだとすれば、捕虜に対する拷問や処刑を禁じたジュネーヴ条約に違反する行為となる。国連の人権高等弁務官事務所やアムネスティ・インターナショナルも詳細な調査が必要だとしているが、実際には何も調査が進んでいないように思える。独裁者が生きて拘束されたのであれば、その後の判断は国際刑事裁判所（ICC）などの国際機関の判断に委ねるべきであり、それによってカッザーフィーの政治の真相について新たに判明することが沢山あったのにと残念に思った。アメリカの海兵隊による二〇一一年のウサーマ・イブン・ラーディン（ビン・ラーディン）の暗殺についても、同様に国際法が無視されたことは、きわめて残念なことである。

少し穿った見方をすれば、世界の大国にとっては、カッザーフィーやイブン・ラーディンが法廷の場でテロ活動や闇資金の行方などについて真相を明らかにすることは、どうしても避けたいという思いがあったことも事実であろう。

カッザーフィーと四男のムウタスィムの遺体は、ミスラータにある野菜市場内の冷蔵庫へ移され、極秘の場所に埋葬されるまでの間、一般市民に見せしめのために公開された。こうして、四二年間にわたって、そのカリスマ性によって長期政権を築いたカッザーフィーは、生まれ故郷に近いスルトでの壮絶な最期を遂げた。

しかし、なぜ最後まで彼は戦うことを選んだのか。チュニジアの元大統領ベン・アリーのように、民衆蜂起が始まった段階で自国を去り友好国に亡命することも可能ではなかったのか。カッザーフィーがかつて「私は祖先の地で殉教

コラム14

カッザーフィーは誰に殺されたのか

者として死ぬ」と覚悟ともとれる発言をしたのは、伝え聞くところによると、国際刑事裁判所（ICC）による逮捕状発行を受けてのものといわれている。

あくまでもリビアでの死にこだわり、最期まで反政権派部隊の攻勢に抵抗したのは、カッザーフィーが推し進めた独特な政治思想に沿って長期政権を維持できたことから、国民は自らが作り上げた体制を支持していると過信していたのかもしれない。だからこそ、カッザーフィーは、民衆蜂起が始まった直後に、欧米諸国によるリビアへの対応を、新たな植民地支配を目的とするものと見なして強く反発したのであろう。カッザーフィーが反政権派の民兵に拘束されたときでさえも、自身が民兵によって殺害されるとは思ってはいなったのかもしれない。

いっぽうで忘れてはならないことは、反政権闘争は約八ヶ月も続いたものの、カッザーフィー政権側の敗退とカッザーフィーの殺害には、NATO軍の空爆などによる外部からの軍事介入が大きな効果を上げていたという事実である。カッザーフィーの死後、ヨーロッパの政治指導者たちが莫大な資金を持つカッザーフィーから選挙資金や経済支援などの賄賂を受け取っていたことが暴露されたが、詳細な解明には至っていない。そのなかで、フランスの元大統領サルコジだけが二〇〇七年の大統領選でカッザーフィー側から五〇〇〇万ユーロに及ぶ違法な資金援助を受けとったとして、退任後に汚職容疑で訴追された。世界の政治的経済的リーダーのなかには、カッザーフィーを生きたまま逮捕して、闇資金の流れなどを暴露されては困る面々が少なくなかったことも、一時期大きな噂になっていた。

独裁体制打倒のスローガンの下で二〇一一年二月に始まった反政権闘争は一〇月二〇日になって、墜ちた独裁者が死亡したことによって一旦は終結した。しかし、これ以降、旧政権部隊と戦った武装民兵の存在は新生リビアに求められている法の支配を弱めることにもつながり、政権交代後から八年あまりも経過した現在でもなお国家再建の大きな障害となっている。

カッザーフィーというカリスマ的指導者の壮絶な最期から考えると、リビア人の多くが彼の特異な政治思想を最後まで理解することができなかったのではないだろうかと、私にはそう思えてならない。もしかしたら、カッザーフィー自身も「直接民主主義」や「ジャマーヒーリーヤ」が何であるのか、わかっていなかったのかもしれない。

VIII

新生リビアの生みの苦しみ

45

暫定政府の成立と混乱

★カッザーフィー政権崩壊直後の政治課題★

カッザーフィーの死を受けて、一〇月二三日にベンガジで祝賀式典が行われた。この式典で、アブド・アル・ジャリール国民評議会議長は、リビア全土の解放を宣言した。そして、アブドゥル・ハフィーズ・ゴーガ副議長は、「リビアの解放を宣言する。顔を高く上げて下さい。あなたたちは自由なリビア国民なのだ」と発言し、新生リビアの門出を祝った。

既に見てきたように、リビアでは欧米諸国の軍事介入によって体制転換がなされた。こうした状況は、激しい内戦を経てもなお、アサド政権が温存されたシリアとは対照的であった。ベンガジでの民衆蜂起をきっかけに内戦に突入したリビアでは、二〇一一年一〇月二〇日、約四二年間にわたって長期政権を維持してきたカッザーフィーが出身地に近いスルトで反政権派によって殺害されて初めて、曲がりなりにも民衆蜂起が成功した。リビアに君臨してきたカッザーフィーの死によって、名実ともにリビアは新時代を迎えた。しかし、この出来事は新たな混乱の幕開けを告げるものとなった。

果たして、政権交代後のリビアはどのような政治的問題に直面したのか。そして、リビアの政治状況はどのような変化を遂

高層部が破壊されたビル。トリポリ、2012年12月。

げたのか。まず、政権交代直後にリビアが直面した課題とは、民兵たちの手元に残った重火器の存在と「暫定政府」の統治能力の弱さであった。さらに内戦中に武器弾薬が一般市民の間にも大量に出回ったことは、治安状況の悪化と武装解除を拒否する部族の軍閥化をもたらした。そして、暫定政府の統治能力の弱さは、各部族の自立性を促した一方で、部族間の対立も助長した。民衆蜂起から九年以上を経た現在においても国内の政局が混乱していることは、これら課題が一朝一夕に克服されないことを示している。

内戦終結後の政治情勢を見ると、二〇一一年一〇月二三日に、国民評議会は、旧政権の最後の拠点であったスルトが国民評議会支持派の部隊によって制圧されたことを受けて、リビア全土の解放を宣言した。スルト陥落後に政府を去ると明言していたジブリール国民評議会首相は、当初の約束通り、辞任を表明し、一ヶ月以内に暫定政府が作られることを明らかにした。一方、NATOは、一〇月三一日をもって飛行禁止区域を解除し、武力行使の容認措置を終了する国連安全保障理事会の決議に従い、リビアでの軍事作戦を終了すると発表した。

国民評議会は、アブドゥルラヒーム・キーブを暫定政府の首相に選出し、一一月下旬にはキーブ暫定内閣が正式に発足した。新たな閣僚の顔ぶれについては、対立を回避するために地域間のバランスを考慮したとの見方もあり、各勢力の意向を一定程度考慮しながら、部族間の対立解消を目指そうとした苦心の跡がうかがえる。それでも、キーブ内閣の発足直後は、閣僚人事をめぐって、自分たちの出身部族から閣僚が選出されなかったことへの不満から小規模な抗議デモが発生した。（上山　一）

46

民兵集団の台頭

★新たな危機の始まり★

二〇一一年一一月に発足したキーブ内閣にとっての最大の政治課題は、民主主義国家の礎となる国民議会選挙の実施であり、そのために国内環境を整備することであった。しかし、その大きな障害となったのが、前述のように内戦中に武器が市民の間に拡散したことによって顕在化した部族間の対立であった。現在、こうした国内の対立がより深刻化しているが、当時からその兆候が見え隠れしていた。

キーブ内閣の発足により、リビアは安定の道を歩み始めたかに見えたが、国内では、カッザーフィー政権打倒に貢献した部族や民兵集団との間で小競り合いが頻発するようになった。このような対立が顕在化し始めた背景には、暫定政府が様々な反体制勢力の寄せ集めであったことから、旧政権打倒に協力した民兵集団への対応について明確な方針を示せなかったという事情があったと思われる。このため、二〇一一年一二月一〇日には、解放宣言後初となる国民和解会議がトリポリで開催された。同会議には、キーブ首相、アブド・アル・ジャリール国民評議会議長の他、国内の主要部族の代表者、そしてカタールとチュニジアからの代表団も加わり、国内における諸問題の解決に向

赤壁城前の殉教者広場、独立記念日の集会が催されていた。2013 年 12 月 24 日。

けた融和的な話し合いが行われた。そして、この会議で、国民評議会議長は内戦中に旧政権側に与し反政権派と戦った戦闘員の恩赦の可能性に言及した。

恩赦の問題が提案された途端に国民評議会議長の発言への反発が起こり、ベンガジでは、国民評議会に対する大規模な抗議デモが行われた。このデモには、旧政権によって殺害された犠牲者の関係者や暫定政府に不満を持つ一万人以上の人々が参加した。デモ参加者は、「革命（民衆蜂起）はベンガジから始まった」と叫び、国民評議会議長を含む指導層の辞任と旧政権関係者の公職追放を要求した。これに対し、国民評議会議長は、リビアの人々は四〇年間も耐えてきたのだから、もうしばらく耐えてほしいと発言し、国内における諸問題の解決には時間が必要であると訴えた。

長く続いた内戦によって、国内には解決が難しい「憎悪」の連鎖も起こっている。国民評議会に対する不満の高まりは、暫定政府の求心力を低下させることにつながった。国民和解会議が開催されて一ヶ月も経たない二〇一二年一月初めのころ、首都トリポリに居座る民兵集団とミスラータからの民兵集団が衝突し、その後も北西部ガルヤーンでは対立する民兵組織の衝突が発生した。さらには、旧政権支持派の多いバニーワリードでは、国民評議会を支持する民兵と地元の部族との小競り合いから大規模な戦闘に発展した。こうした一連の出来事は、四二年間にもわたる強権的政治の後遺症によって、国民和解が一筋縄では進まないことを物語っていた。

（上山　一）

コラム15

「真実を知りたい」

上山　一

私は、二〇一二年一二月一六日から一二月二八日までの一三日間の日程でリビアを訪問した。私自身は、二〇〇九年一〇月以来、約三年ぶり、八度目のリビア訪問となった。今回、リビアを訪問した目的は、内戦終結後の経済状況について調査することと、内陸都市サブハーにある大学を訪問し、リビアでの今後の学術調査への協力を依頼することであった。ここでは、政変後のトリポリ市内の様子と治安情勢について見て行きたいと思う。

私は、二〇一二年一二月一六日の昼ころ、トリポリ国際空港に到着した。機内から眺めた空港の風景は政変以前と変わらないものであった。トリポリ国際空港のターミナルは、相変わらず古びていた。他方で、ターミナルの東側では新ターミナルの建設が進んでいるのを見たが、政変の影響もあって作業は遅れているようだ。その後、入国審査に進んだのだが、そこでふと気づいたことがあった。以前は、入国審査場に入って左側の天井に掲げられていた「賃金労働者ではなく仲間たち（Partners, not Wage Workers)」と書かれたサインボードが撤去されていたことであった。トリポリ国際空港を利用するたびに気になっていた言葉であった。実は、このスローガン、カッザーフィーが著書『緑の書』で唱えた社会主義理論に基づいたものであり、主にアフリカから流入してくる出稼ぎ労働者を歓迎するためのスローガンであるが、人種差別を嫌った彼が好んで用いた言葉であった。このサインボードが撤去されていたことは、個人的には、カッザーフィー体制の終焉を改めて印象づけた瞬間であった。

空港からタクシーでトリポリ市内に移動し、まず訪れたのが、旧市街近くにある「殉教者

トリポリ市内、爆撃されたまま放置された住宅、2012年12月。

広場」(カッザーフィー体制崩壊以前は「緑の広場」と呼ばれた)であった。平日とあって、人どおりも少なく、また以前の様子とほぼ変わりはなかった。ただ、トリポリ市内滞在中、時間が空いたときに市内を散策したが、内戦中にNATO軍の空爆を受けたカッザーフィーの住居であったバーブ・アル・アズィーズィーヤは完全に破壊されており、その他の地区でもNATO軍や反体制派による攻撃で破壊された政府関係機関を見ることができた。また、以前は、市内各所に見られたカッザーフィーの肖像画や「緑の書」のモニュメントも撤去されていた。こうした光景を目の当たりにして、カッザーフィー体制が崩壊したことを改めて感じることとなった。

その後、内陸都市サブハーへの訪問を終えて、空路再びトリポリに戻った。そして、今回のリビア滞在の後半にあたる一二月二四日には、リビアは六一回目の独立記念日を迎えた。この六一回目というのはイタリアから独立した一九四九年を起点にしている。トリポリでも、独立記念を祝う式典や軍事パレードが行われ、その様子は現地テレビ局の放送で映し出されていた。

そこで私は記念式典が行われていた殉教者広場を訪れてみることにした。殉教者広場周辺は、大勢の人々で賑わっていた。治安部隊に加えて、重装備の軍人が警備しており、広場周辺にあるビルの屋上には銃を持った軍人たちが多く配置されていた。この日、殉教者広場で行われていた記念式典には、ザイダーン首相、マガリーフ国民議会議長、陸軍・海軍・空軍のトップが出席していた。殉教者広場の周辺で行われた軍事パレードには、内戦中に使用された対戦車砲や機関銃を積んだピックアップ・トラックが登場し、軍用機・戦闘機が上空を何度となく旋回していた。

そこではカッザーフィー体制からの解放が実現し、人々は改めて自由な社会の到来を喜んでいる、という印象を持った。その一方で、国軍が前面に出た式典であったとの印象も受けた。新政府は、各民兵組織の国軍への統合を進めているが、各地域の部族を背景にする民兵組織同士の対立や軍内部の権力闘争もあり、民兵組織の国軍への統合は十分には進んでおらず、各地の民兵組織の処遇に苦慮している、という話も耳にした。

リビア国内の治安情勢については、当時の印象では、首都トリポリやリビア北西部のザーウィヤ周辺については、治安状況は回復に向かっているように感じられた。その一方で、リビア全体を見ると、地中海沿岸地域ではミスラータ以東、南部の砂漠地域では国境地帯、局地的にはバニーワリードやベンガジといった地域では、治安情勢が安定しておらず、部族間の衝突、旧政権関係者による攻撃、旧政権支持派への復讐といった、敵味方が混在した事件も発生していた。ただし、当時は、外国人への攻撃・誘拐といった事件は比較的珍しく、むしろ治安機関への攻撃や治安機関幹部を狙った暗殺事件が多く発生していた。

日本への帰国が近づいたある日、トリポリ市内を歩いていたとき、ある看板を目にした。この看板には、「私たちは真実が知りたい（We want to know the truth）」と書かれており、軍人らしき数人の人物の写真があった。看板の前面に出ていた人物はカッザーフィー政権で内務大臣を務め、リビアでの政変直後にカザフィー政権を離反したアブドゥル・ファッターフ・ユーニス少将であった。その後、反政権派部隊で最高指揮官を務めたユーニス少将は、内戦中の二〇一一年七月に何者かに殺害され、遺体は従者と共にベンガジの郊外で発見された。事件直後、旧政権関係者や旧国民評議会関係者による暗殺といった見方が広がった。ユーニス少将の出身部族の要請もあり、捜査は進展するかに見えたが、犯行グループが特定されないままになってしまった。故ユーニス少将が前面に出ていた看板は、彼の死の真実究明を求める出身部族のオベイダート族による意見広告と考えられる。当時、リビア国内では部族間の衝突、新政府内の対立、復讐の応酬が頻発しており、ユーニス暗殺事件とその後の展開は、部族間の和解が容易に進まないことを物語っている。

47

国民議会選挙法の施行

★リビア初の自由国政選挙★

内政の混乱が続くなか、二〇一二年一月末には、国民評議会は六月に開催予定の国民議会選挙に関する法案を承認した。当初の法案では、選挙区選挙と比例代表選挙という並立選挙制度が採用され、全国一三地域に配分される総議席二〇〇のうち、一三六議席が政党名簿に基づく比例代表候補、六四議席が独立候補から選出されるものであった。しかし、これに対し、ムスリム同胞団の影響力拡大に懸念を持つ国民評議会の一部グループに加えて、政党政治の考え方がいまだ浸透していない地域の有力指導者たちは、議席が地域的に均等に配分されるように選挙区選出枠の拡大を求めた。その後、国民評議会が各地域の部族との粘り強い交渉を続けた結果、最終的には、トリポリタニアが一〇九議席、キレナイカが六〇議席、フェッザーンが三一議席という配分案で決着がついた。このような紆余曲折を経て、ようやく暫定政府は国民議会選挙の実施に向けて動き始めた。

しかし、国内では依然として部族間や民兵間の対立が続いていた。首都トリポリやベンガジでは小規模な衝突や政府機関への襲撃が発生し、この他の地方都市でも部族間の大規模な衝突が立て続けに起きた。国民評議会への不満に加えて、民兵や部族を制御できない暫定政府の統治能力の弱さがこうした事件の背景にあった。国民評議会内部では、旧政権打倒に貢献した革命戦士の国軍への編入や民兵の武装解除の遅れに加えて、内戦中に負傷した戦闘員の治療費負担といった問題への対応をめぐり、キーブ首相の指導力に対する不満が高まっていた。四月末には、こうした不満の高まりがキーブ内閣の信任を問う事態にまで発展した。しかし、国民議会選挙の実施まで二ヶ月を切っていたこともあり、結局、首相の交代には至らなかった。

五月に入り、国民議会選挙の有権者登録と立候補者の届出が開始された。しかし、投票へのボイコット運動が、トリポリの政治団体や、東部での自治を求めるキレナイカ評議会によって展開された。一方、最高選挙管理員会は有権者登録期限を一週間延長した。この結果、有権者登録数は二八六万六千人に上り、この数字は三五〇万人とされる投票権有資格者数の約八割を占めたことから、リビア初の自由国政選挙への関心の高さをうかがわせるものとなった。そして、選挙区立候補者は二五〇一人、比例代表立候補者は一二六六人（届出政党数は一四二）となった。こうしたなか、最高選挙管理委員会は、有権者登録の期限延長などを理由に、当初予定されていた国民議会選挙の投票日を半月ほど延期すると発表した。選挙運動期間中、ベンガジやアジュダービヤーでは、暴徒化したデモ隊や武装集団が選挙管理委員会の入る建物に押し入り、投票箱の破壊や投票用紙を焼くなどの妨害行為が発生したことから、投開票プロセスが順調に進むか危ぶむ声も聞かれた。

国内情勢が不安定ななか、七月七日には国内六六〇〇余りの投票所で投票が行われた。投票日当日は、東部のアジュダービヤーやベンガジ、南部のクフラ、北西部のバニーワリードでは、投票所の襲撃や治安情勢の悪化から投票手続きに遅れが生じた。最高選挙管理委員会の発表では、この日、約一

国民議会の建物、トリポリ、2013年3月。

七六万人の有権者が投票を行い、投票率は約六二パーセントに上った。こうして、リビアでの歴史上初の自由国政選挙は概ね平穏裡に実施されたといえる。解放宣言後一年も経たないうちに、これほど多くの人々が自ら投票所に足を運び、一票を投じたことは新憲法の制定を担う国民議会に対する期待の表れといえよう。

（上山　一）

コラム16

国民議会選挙に立候補

アメッド・ナイリ／塩尻宏 訳

◇はじめに

※以下の内容は私（アメッド・ナイリ）の個人的な所見を述べたもので、如何なる場合にもリビアの政府又は外務・国際協力省の見解を示すものではありません。

私と日本との縁は一九八九年当時に在京リビア大使館の代理大使を務めていた父ムフターフ・ナイリ（Muftāḥ Naiil）と東京で暮らし始めたのが最初です。その後、一九九八年に大学院の研究を極めたいとの夢を実現するために留学生として再度訪日し、良き友人や先生方に恵まれて金沢大学で修士号、明治大学で博士号を取得しました。日本社会での経験を有する数少ないリビア人として、リビアと日本との友好関係の増進に寄与したいとの思いを抱いていましたので、二〇〇五年の愛知万博ではリビア館の館長を努めたり、二〇〇六年には筑波大学に招かれ非常勤講師を務めると共に講演したりしたことは、私にとって喜ばしくまた誇らしくもある経験でした。二〇〇七年にはリビア外務省（当時は対外連絡・国際協力担当全国人民委員会）の求めにより在京リビア大使館（当時は人民事務所）の二等書記官に採用され、その後、参事官に昇格しました。

二〇〇三年からのリビアと国際社会との関係正常化を背景に、日本との関係も進展しつつあった時期でしたので、時には臨時代理大使として大使館の日常業務に終われる日々が続いていました。二〇一一年一月にチュニジアから始まった民衆蜂起は瞬く間にエジプトからリビアに飛び火しました。リビア国内が内戦状態となったことで在京リビア大使館も窮地に立たされ、外交的にも困難な立場に置かれましたが、その間、日本に在留するリビア人の保護や二〇一一年三月一一日に起きた東日本大震災の被災者への見舞い活動に加えて、チュニジアに逃れたリビア人同胞の支援活動など、大使館の本来業務に奔走しました。

リビア外務省（現在は外務・国際協力省）では在外勤務は原則四年としています。そのころ、私の帰国時期も迫っていましたが、国内が異常事態下にあったため一年延長して二〇一二年

愛知万博でリビア館の館長として民俗衣裳を着て皇太子殿下（当時）を案内するアメッド・ナイリ。

四月まで日本に留まることになりました。リビアに帰国すると本来の所属部署であるアジア・オーストラリア局に配属されるのが通常ですが、私は、リビアの歴史上きわめて重要なこの時期には国際機関を担当するのが適当と考えて国際機関局を希望し、現在に至っています。以下の報告は、リビアに帰国した二〇一二年四月から二〇一三年までの私と私の周りで起きた主な出来事を取りまとめたものです。

◇国民議会選挙への立候補を決意

私が帰国したころのリビアでは、丁度、憲法などの起草作業を行うこととなる国民議会の二〇〇名の議員を選ぶ初めての民主的選挙の実施に向けた準備が行われていました。リビア全土は一三の選挙区に分けられて、二〇〇名（個人代表一二〇、政党代表八〇）の議員を得票順に選出することになっていました。個人的にもリビアの歴史的な変革に参画する貴重な機会と考え

国民議会選挙に立候補

た私は、トリポリから一二〇キロほど西方の地中海岸から約二〇キロ南にある故郷の町ラグダリーンで個人代表候補として立候補申請を出すことに決めました。私の町の人口はおおよそ三五〇〇〇人で、一人の個人代表議員が選出される規模ですが、近隣の地域を併せると約四五万人となり、もう一人選出されることになりました。私の町では一万六千人以上の選挙人登録があり、全国レベルでは第二位の登録率でした。

◇立候補プロセス

全国の立候補者は全ての必要書類を提出して審査プロセスを経なければなりませんでした。数段階のこのプロセスは、第一に書類の確認、第二に所要の役所的な書類手続き、第三に全国潔白審査委員会（National Integrity Commission）の審査でした。第三のプロセスがもっとも厳格で、他の二つは単に原則的なものでした。潔白審査委員会の権限は強大かつ広範なもので、旧政権の仲間や陰ながらの関係性や腐敗、二月一七日革命に反対して流血に手を染めたり、暴力を煽ったりしたとの疑いを持たれた者は自動的に失格となって司法プロセスに回されます。完璧で疑う余地のない潔白さを持った申請書を作成することがこの第三プロセスの唯一の対処法でした。審査結果が出るまでには予想以上の日数がかかりましたが、最終的には全国で三七〇〇人余りが二〇〇議席の国民議会に立候補申請を行いました。

解放闘争中に国民評議会が発表した憲法宣言（二〇一一年八月三日）によれば、解放宣言（二〇一一年一〇月二三日）後二四〇日以内に国民議会選挙を実施するとされていました。その期限は六月一九日でしたが、直前の六月一〇日になって選挙管理委員会は七月七日を投票日とすると発表しました。私の町では私を含めて一四人が立候補し、潔白審査委員会によって一名が失格とされました。私を含む残った一三名は、各自の選挙区内で配布する選挙綱領を印刷する前に選挙管理委員会の承認を得るために待機することになりました。ご想像のとおりかもしれませんが、リビアでの待ち時間は長く、選挙管理委員会は予告なく期限を延期しました。

◇配布資料の手配

私たちが選挙管理委員会の承認を待っていると唐突に、選挙用印刷物についての事前審査は不要であると発表されました。公式に求められた形で支援者を獲得して戦略を立てるまでは選挙運動を始めてはならないとの厳しい指針があるために、私の見るところ、各立候補者には十分な準備時間がありませんでした。当然の如く、全ては非公式な形で極秘裏に行わなければならなかったようで、失格の可能性がありました。私の場合は選挙資料を投票日直前の五日前に仕上げて配布し始めましたが、立候補者の多くは選挙運動を始める前に数日間違法に前倒しして選挙資料の印刷を仕上げていました。

選挙資料の配布作業は膨大なものでした。規則によってパンフレット類を官公庁や病院、学校などに置くことはできず、公共施設を選挙運動に使用することはできませんでした。小さな町でその様なやり方をすれば、選挙資料の配布基盤がなくなり、残りはヤシの木かオリーブの木の上か、またはラクダの背にでも置くしかないことになります。私は小さな店の主人に頼んで気が向けば彼らのお客に配ってもらったり、町中のコーヒー・ショップを訪ねて配ったりもしました。その期間中はリビア全土で頻繁に停電があり、また、昼間は40℃近くにもなる酷暑のために午後の早い時間に外出する人は稀でした。しかし、40年余りの私の人生で初めて、カッザーフィー以外の人物の顔写真のポスターを見ることが出来ました。

国民議会選挙に立候補

◇選挙運動の実態

透明性のあるスポンサーは認められてはいましたが、言うまでもなく選挙運動の経費は全て立候補者の負担となっていました。政府が立候補者を財政的に援助しないにもかかわらず、登録のための書類手続きに中堅の給与生活者の月収に相当する手数料を徴収するのは、私は誤りであったと思います。選挙管理委員会は今回の選挙のために政府から十分に手厚い予算が与えられていましたが、立候補者にとっては、申請手続きの手数料に加えて選挙運動の経費などの財政的負担は、国家公務員のほぼ年収額にも達しました。

興味深かったことは、私の町では幾人かの親戚も立候補したので、一人の選挙スタッフを彼らと共有しようとしたことでした。それと言うのも、選挙プロセスが簡単なものではなかったので、私は従弟に選挙戦の責任者になってもらうよう説得しました。彼は不承不承ながら承知してくれましたが、彼の義兄が私の対立候補となったので全くの板挟みになりました。当然ながら私の訴え方の方が有力で、町では私の名前の方が優勢でした。実際に、多くの人々が最近亡くなった私の父のことを知っていましたし、祖父も町では著名人であったことは有利でしたが、私自身が長い間リビア国外に居たことは不利な点でした。

しかし、選挙運動期間の最後の五日間で全てのことをするのは無理でした。スポンサーになってくれるように期待して誰かに近づくと、相手からは「あなたの選挙戦の綱領はどのようなもので何処にあるのか？」と尋ねられました。彼らには印刷物だけでは不十分だったということなのでしょうか。もちろん、今回の経験により選挙がどのように行われるかをつぶさに知ることができ、また、世の中は何事も金次第であることが実感できたことは、負担を上回るほどの有益な経験でした。

選挙当日、町では八つの投票所が開かれ、それぞれには男性用と女性用の二つのブースが設けられていました。結果は相当に興味深いもので、私は町の中心部で何とか総合四位（男性票では二位、女性票では三位）を確保し、他の地区でも善戦しました。また、高学歴のクラスは私の強力な支持者であったようです。選挙人登録者数に比べて投票率はそれほど高くはありませんでした。上位三名の立候補者が獲得したのは合わせて四八％ほどで、私自身の得票はちょうど五％近くでした。得票数で言えば、当選した立候補者は約一〇七六票を獲得し、私は二五九票余りでした。

この選挙結果は、長期のリビア非居住者であった私にとっても、また、私の町にとっても悪いものではありませんでした。私に投票してくれた殆どの人は、私の選挙綱領と経歴に基づいて判断したと思われます。選挙が近づくにつれて、私に好意を寄せてくれている人から多くの電話をもらいました。時には愉快な電話もありましたし、この困難な時期になぜ外国で暮らすのを止めるのかと尋ねる人も居ました。

最終的に勝利した立候補者は実際には遠い親戚で、私と同じ部族の出身です。彼は私たちの町では成功している実業家で、部族の間に強固な地盤を持っており、もちろん、より重要なことは常に町に住んでいることでした。

幾つかの地域で幾人かの立候補者が脅迫を受け、二人が殺され、さらには幾つかの投票所が襲われたりしましたが、全体として今回の選挙は、私の知る限り公正で自由なものでしたし、全ての人々も公正な選挙であったと信じています。今やリビアの全ての家が武装していることを考えれば、今回の選挙がこのように行われたことはひとつの奇跡です。

◇リビア全体の選挙結果と国民議会の開催

七月一七日に発表された最終結果では、国民評議会（NTC）の元執行委員長マフムード・ジブリール氏が率いる国民勢力連合（NAK）が八〇の党派別比例代表議席のうち三九議席を獲得しました。有権者の四八．八％がジブリール氏の政党に投票したということです。注目されていたムスリム同胞団の公正建設党は一七議席に留まり、第二党となりました。このことから、ジブリール氏の穏健な見方や考え方は、リビアの再建を早急に望んでいる全てのリビア人の心を掴んでいると言えます。

※アメッド・ナイリ（Dr. Ahmed Naili）二〇二〇年二月現在、在日リビア国大使館臨時代理大使、原文英語。この出馬記【コラム16】と次の【コラム17】は二〇一二年一〇月二三日ウェブサイト『Ａｓａｈｉ中東マガジン、中東レポート』に掲載された「リビア国民議会選挙とその後」を著者の許可を得て要約したものである。

コラム17

アメリカ総領事館襲撃事件

アメッド・ナイリ／塩尻宏 訳

二〇一二年九月一一日にベンガジで起きたアメリカ総領事館襲撃事件でスティーブンス・アメリカ大使と三人の大使館員が死亡した悲劇について耳にされたと思います。アンサール・シャリーアと名乗る過激派のグループが戦車砲などの重火器を使って実行した計画的犯行だと伝えられています。このようなテロ行為は全てのリビア人から非難されています。

九月二一日には、多数のベンガジ市民が今回のテロ行為を非難するデモを行い、その一部がアンサール・シャリーアの本部や訓練キャンプを襲い、市民の間にも犠牲者が出る事件となりました。「アンサール・シャリーア」は厳格なイスラーム法（シャリーア）に基づく新生リビアの建設を望み、国民議会選挙をも反イスラーム的であるとボイコットしましたが、武器を使って自分たちの思想を押し付けようとする病んだ精神の彼らをリビア社会は基本的に拒絶しています。

ベンガジでの外国人外交官に対する攻撃は六ヶ月ほど前から始まっていましたが、それまでは幸いにも犠牲者は出ていませんでした。四月六日にはアメリカ総領事館に手製爆弾が投げ込まれ、五月二二日には国際赤十字委員会の事務所にロケット弾二発が撃ち込まれ、六月六日にはアメリカ総領事館の一部施設が大型の爆発物により破壊されるなどの事件がありました。六月下旬に再び国際赤十字委員会の事務所ビルが攻撃を受けて閉鎖されて以降、アメリカ総領事館がベンガジで活動している唯一の外交使節となっていました。その後も、八月六日にアメリカ人外交官が運転する外交ナンバーの車が武装集団により強奪される事件があったばかりでした。トリポリでも、五月一日には英国大使館が暴徒に襲われて放火され、同時にNATO諸国の大使館も襲われました。さらに、六月一〇日には英国大使が乗っていた自動車が襲われて警護職員二人が負傷するなど、過去数ヶ月の間に小規模ながら外国人外交官や外交使節に対する攻撃事件が発生しています。

また、リビア人を狙った暗殺事件が起きています。カッザーフィー政権時代にトリポリの軍事責任者のひとりで今回の民衆革命に際して三八〇〇人の部下を武装解除して市内の門戸を開放したアシュカル将軍が、五月二日に「緑の抵抗」と名乗るカッザーフィー支持派のグループにより暗殺され、七月二八日にはベンガジで、早い段階に民衆側に加わったカッザーフィー政権時代の軍諜報部門幹部がモスクに向かう途中に通りがかった車からの銃撃を受けて死亡しています。標的とされたのは、何かを知り過ぎているか、次の政府での誰かの政治的将来を破滅させるような決定的な情報を握っている人たちだとも言われていますが、真実がどうであれ、殺人は決して容認されません。私自身ひとりの外交官として、外交官のみならず全ての人々に対するあらゆる形の暴力は決して認められることではないと思います。

他方、一般のリビア人にとっての生活はそれほど悪くはありません。深刻な治安問題を除いては、殆どのリビア人にとって重要な問題のひとつは公共サービスです。官僚組織の指揮命令系統が殆どの部門でまともに機能しなくなっています。上司の支持や命令がきつければ拒否し、その上司らをカッザーフィー支持者であったと弾劾するのが、一般公務員の風潮になっています。しかし、分別のある上司はそのような状況に対処する方法を心得ており、全体的には事態は日毎に改善されつつあります。

今年の四月に私がリビアに戻った時には、毎夜の如く機関銃の射撃音が聞こえました。事実、落ちてきた薬莢が私たちの家の屋根や庭で見つかるのも珍しくはありませんでした。もし、それらが誰かの上に落ちていたら大変なことになっていました。しかし、今は変わりつつあります。機関銃の射撃音が時おり聞こえるにしてもきわめて稀ですし、主に婚礼などの祝砲です。検問所の存在も人々が武器を持ち歩くのを止めさせるのに役立っています。もちろん、重装備の武装をした町もいまだ存在しますし、国民和解プロセスが始まるまでは、依然としてある種の緊張状態にあります。

　前途に多くの問題や課題はありますが、殆どのリビア人たちはこの民主化プロセスが挫折することがないよう願っています。民主的に選ばれた人たちが新生リビアの主導権を握れば、制度への信頼感は強まりますし、リビアの分別ある人々によってより良き未来への基礎が作られることを信じています。

※アメッド・ナイリ（Dr. Ahmed Naili）二〇二〇年二月現在、在日リビア国大使館臨時代理大使、原文英語。【コラム16】と【コラム17】は二〇一二年一〇月二三日ウェブサイト『Ａｓａｈｉ中東マガジン、中東レポート』に掲載された「リビア国民議会選挙とその後」の後半部分「リビアの治安情勢」を、著者の許可を得て要約したものである。

48

移行政府の始動と課題

★旧政権関係者の公職追放をめぐって★

第47章で記したように、リビア初の自由国政選挙は大きな混乱もなく実施された。二〇一二年七月一七日には、最高選挙管理員会から国民議会選挙（GNC）の暫定結果が公表された。元国民評議会首相のジブリールが党首を務めるリベラル派政党「国民勢力連合」（NFA）が比例代表枠で三九議席、選挙区枠で二五議席の計六四議席を獲得し、第一党となった。

この選挙で注目されたイスラーム主義政党については、ムスリム同胞団系の「公正建設党」が三四議席を獲得し、第二党となった。さらには、元トリポリ軍事評議会司令官のアブデル・ハキム・ビルハージが率いた「国民党」などのより厳格なイスラーム主義政党の獲得議席は比例代表枠では僅かであったものの、選挙区枠を含めると二七議席を獲得し、党派色の薄い多数の独立系当選者の存在を除けば、第二党の公正建設党（JCP）と合わせると第一党となったリビア国民勢力連合（NFA）と比肩する政治勢力とみなすことができよう。イスラーム主義政党による得票が振るわなかったという見方もあるが、小政党を含めれば、世俗派政党に対抗できる勢力と考えることができる。こうした選挙結果は、その後に起きる世俗派政党とイスラーム主義政党との対立によって、政局の混迷をもたらすことになる。

八月八日には、国民評議会から国民議会への権限移譲式が行われた。この日をもって、国民評議会はその役割を終えることとなった。翌日に招集された国民議会では、リベラル派政党「国民戦線党」の代表であるムハンマド・マカーリーフが議長に選出された。国民議会にとっての優先課題は首相の選出と憲法起草委員会の設置であったが、議会での審議は難航が予想された。

九月に入り、国民議会はキーブ暫定内閣で副首相を務めたムスタファー・アブー・シャーグールを首相に指名したものの、二度にわたり提出された閣僚名簿案は議会で承認を得ることができなかった。さらには肝心のアブー・シャーグール自身に対する議会承認も得られず、一〇月七日に彼は首相を解任された。こうした混乱の背景には、閣僚名簿にシャーグールに近い人物名があったことや、リベラル派が含まれていなかったという事情もあった。このため、選出地域の利益にとらわれた議員に加えて、リベラル派議員からも強い反発を招くこととなった。

一〇月半ばには、国民議会議員であったアリー・ザイダーンが賛成多数で次期首相に指名された。その後、議会に提出された閣僚名簿案に対しては一部に反対意見が出されたものの、結局、賛成多数で承認された。シャーグールの組閣案と異なり、ザイダーンの組閣案は国民議会第一党であるリベラル派政党や第二党であるイスラーム主義政党に関わる人物、そして無党派の人物が混在する布陣であり、地域的・政治的なバランスを考慮した結果ともいえる。一一月四日には、ザイダーンを首相とする移行内閣が発足し、新たな政府への期待も高まった。しかし、その後も、国内では部族集団や民兵組織間の衝突、抗議運動の暴徒化、政府機関や国際機関への攻撃、石油施設への攻撃等、不安定な情勢が続いたことから、治安の安定が移行政府にとって大きな課題となった。

新たに発足した移行政府にとっては、相次ぎ発生している民兵や部族同士の衝突、国境管理の強化、民兵の国軍への編入、内戦で負傷した民兵に対する補償、旧政権関係者の公職追放等の法制化、憲法草案委員会の設置といった多岐にわたる課題に取り組む必要があった。

こうしたなか、旧政権関係者の公職追放に関する法案の早期成立を求める声がカッザーフィー政権打倒に貢献した民兵集団やイスラーム主義政党を中心に高まった。こうした動きに押される形で、国民議会は二〇一三年五月に旧政権での要職経験者を対象に今後一〇年間の公職追放を科す「政治的罷免法（政治的隔離法）」を賛成多数で可決した。同法案の内容は、旧国民評議会によって設立された「潔白・愛国心実施高等委員会」の機能を継承するものであり、公職追放の対象となる範囲がより広がる結果となった。

同法案の成立を受けて、カッザーフィー政権下で要職を務めたマカーリーフ国民議会議長はこの法律の規定に該当し、失職する可能性が高まったことから、議長職を辞任した。この法律の適用範囲については、法執行者の思惑で恣意的に運用されることや、政治的な駆け引きの道具として利用される可能性が指摘されていた。政治的罷免法の成立は、国民和解を促すよりもむしろ、旧政権関係者の追い落としを狙った、ともすれば国民の分断を助長しかねない動きとも危惧されていた。（上山　一）

コラム18

新生リビア見聞記（二〇一三年三月）

塩尻　宏

◇記念式典への招待

それは二〇一三年三月七日の夜にトリポリにいるリビア人の友人から唐突に受けた「リビア訪問が可能と思われる要人を非公式に推薦願いたい」という国際電話から始まりました。彼は「リビア国民議会の最大政党であるリビア国民勢力連合（NFA）の創立一周年記念式典が三月一六日に予定されている。そのNFAのジブリール総裁は、日本から然るべき要人の出席を得たい意向である」と説明しました。「急な話ではあるが、適当な人物を推薦いただければ、リビア側から直接ご本人の意向を確認の上、直ちにジブリール総裁からの正式招待状を送付することとしたい」と続けました。

突然の急ぎの話の上に、人選に苦慮していたところ、紆余曲折を経て、とうとう私本人が出席する羽目になってしまいました。リビア国民議会（Libyan National Congress）における最大政党であるリビア国民勢力連合（National Forces Alliance、以下NFA）の招待により二〇一三年三月一五日から一八日までリビアの首都トリポリを訪問しました。以下はその顛末と新生リビアの見聞記です。

私は二〇〇三年から二〇〇六年まで駐リビア日本国大使として勤務した後、二〇〇六年四月に外務省を退職してから、その年の一二月（私的訪問）及び二〇〇八年二月（企業の依頼による出張）にリビアを訪問しています。三度目で五年ぶりとなる今回は、カッザーフィー政権崩壊後初めての訪問でした。

NFAは政党であるが政府機関ではないので現職閣僚や次官など日本政府関係者が対応するのは難しいとしても、閣僚経験者を含めてリビアに所縁のある幾人かの要人の名前が頭に浮かびました。しかし、適切な要人を派遣するための人選が暗礁に乗り上げるなかで、折角の機会でもあり、時間的にも体力的にも比較的余裕のある私でよければ先方の招待に応じるとの方針が固まったのが、週末明けの三月一二日午前のことでした。そこで私は出発の二日前にジブリール総裁からの招待状を受領したのですが、その日付は二月二五日となっていました。つまり、もともと今回のリビア側の行事計画がそれほど余裕をもって整えられたという感じではありませんでした。

報道の自由が与えられたのか、トリポリでメディアに囲まれる。2013年3月。

◇五年ぶりのリビア

最初の電話を受けてから、わずか八日後の三月一五日午前九時半過ぎにトリポリ空港に到着し、リビア側関係者の出迎えを受けました。空港からから市内に向かう幹線道路は、渋滞こそありませんでしたが、間断なく車が行き交っていました。しかし、以前にあったカッザーフィーの肖像画や一九六九年革命を称える標語の立て看板は、今回の内戦で殉死した多くの人々の顔写真と名前を掲げる看板に変わっていました。また、以前はアラビア語表示だけであった商品や企業の広告表示にも英語が目立つようになっていました。市内に近付くと、かつてカッザーフィー政権の中枢部であり、彼の自宅でもあったバーブ・アル・アズィーズィーヤ基地が完全に破壊されてガレキとなっているのが見えました。リビア在勤中には外国要人の歓迎式典などで私も幾度か訪れたことがありますが、今や市民のごみ捨て場になっていると聞きました。市内に入ると多くの車や人が行き交い一見すると普段どおりの市民生活が戻っているようですが、よく見ると時代の大きな変化を感じられました。

◇ガーネム元首相の死

トリポリに到着すると宿舎のリクソス・ホテルに案内されました。リクソス・ホテルは旧政権との関係の深かったホテルで、以前、仕事で出会ったカッザーフィー政権時代の閣僚たちの顔が目に浮かんできました。特に石油産業の活性化や国営企業の民営化などで経済改革に腕を振るったシュクリー・ガーネム元首相のことを思い出しました。私はリビア在勤中に幾度か彼に会う機会がありましたが、温厚で社交的な彼はきわめて親日的でもありました。外務省退職後にも彼が来日の際に旧交を温めた思い出があります。国際的にもその動向が注目されていた彼も、内戦中の一時的にこのリクソス・ホテルに幽閉されていたと聞いた覚えがあります。ガーネム氏はその後二〇一一年五月にカッザーフィー政権から離反し、家族と共にウィーンに滞在していましたが、二〇一二年四月末に同市内のドナウ川で着衣のままの遺体となって発見されました。死因はいまだに不明です。知遇を得た人の不遇の死を聞くたびに残念で心が痛みました。

◇リビア社会の変化

トリポリ到着日の夕食後、私の接遇担当のリビア人の案内で、市内の一角にある喫茶店に立ち寄りました。スティール製の丸テーブルと椅子が五～六組あるだけの殺風景な店でした。既に二〇時を過ぎていましたが、前の通りには車も行き交い人通りもありました。そこにたむろしていた彼の友人たち五～六人に紹介されました。警察や軍幹部のOB、通信省など政府機関の中堅幹部などと名乗る彼らと一時間ほど歓談しました。彼らは、他の客や店の従業員などの存在を気にする様子もなく、現閣僚それぞれの人物評や最大政党NFAのジブリール総裁の権

コラム18

新生リビア見聞記（二〇一三年三月）

力志向を懸念する意見など、現在の政治動向についてかんかんがくがくの議論をしていました。

二〇一一年二月半ばにベンガジでカッザーフィー政権に反対する民衆蜂起が始まってから二年が経ちました。その間、多くの犠牲者を出しながら政権側と反政権側との内戦状態となりましたが、同年八月には反カッザーフィー勢力が首都トリポリを制圧し、一〇月にはカッザーフィーが殺害されて四二年余り続いた独裁政権が完全に崩壊しました。それから今日まで一年半ほどの期間ですが、新政権はカッザーフィー政権が崩壊した翌一一月に暫定内閣を立ち上げ、翌二〇一二年七月に国民議会選挙を実施し、八月には、それまで国民評議会が保持していた国家権限を国民議会に委譲し、一一月に移行内閣が成立して現在（私が訪問した二〇一三年三月）に至っています。紆余曲折はありながらも、新生リビアの国造りに向けての作業はこれまでのところ着実に進んでいるように思います。

私がリビアに着任した二〇〇三年当時は、いまだカッザーフィー（当時は革命指導者）は意気軒昂でした。彼は、国内での演説では「外国人を見たら、泥棒かスパイだと思え」とリビア国民に警告し、アフリカ首脳会議に出かけては「アメリカ帝国主義は植民地主義の再来である。その手先のイスラエルの謀略に警戒するべきである」と声高に訴えていたのを記憶しています。そのころ、カッザーフィー政権を批判する言動を行った者は、ある日こつ然と消えて消息不明のままになるか、数日後にどこかで遺体で見つかることになると噂されていました。

私が駐リビア日本国大使として在任中に同国は国際社会との関係正常化を指向し始めましたが、そのころに欧米マスコミがカッザーフィーの有力後継者と伝えていた彼の次男サイフ・アル・イスラームは、国内の政治・経済改革を唱えるなかで、治安当局の行き過ぎた行為は認められないとして暗にそのような事例があったことを示唆していました。今やそれが事実であったことは、カッザーフィー政権崩壊後の関係者の証言や資料からも明らかになっています。

常に微かな猜疑心や疑心暗鬼が漂っていたカッザーフィー時代のリビア社会を経験した私としては、周囲を警戒する必要もなく思いのたけを議論できる開放感のある社会状況となった大変化に驚くと共に感動さえ覚えました。異なった考えや意見を持つ人々が議論を尽くして、もっとも望ましい政策に収斂させていくのが民主主義の手法であると思いますが、四二年間以上も特異な独裁体制にあったリビア国民は、一般的に忍耐強く冷静な議論を行うことに慣れておらず、そのため、デモや暴力に訴えて自己の主張を実現しようとする人々もいて、政治不安や社会不安が続いているのが実情のようです。

街中にはいまだ閉鎖されたままとなっている以前の警察署や公安事務所の施設も散見されました。内戦によりカッザーフィー政権時代の軍や警察などの組織は崩壊しましたが、現在、日常生活の治安維持に必要な警察組織などの立て直しに向けた努力が続けられています。街角では交通信号が普通に守られていますし、交通整理を行う警察官の姿も見られました。夜の九時を過ぎても、主要な通りにはいまだ開いているレストランや店舗も少なくありませんでしたし、三〜四人連れのヨーロッパ人が散策しているのも見かけました。いまだにカッザーフィーの肖像画が付いた紙幣が流通していたり、旧政権時代の車のナンバープレートが使われていたり、細部に至ると改正が進まないような状況で、新生リビアの国づくり作業は道半ばです。以前に比べると警察権力に対する畏怖心が薄れて、無鉄砲な若者のイタズラがやや目立つようになっていると聞きましたが、一般市民の常識と良識によって基本的な社会秩序は維持されているようでした。

新生リビア見聞記（二〇一三年三月）

◇NFA創立一周年記念式典

トリポリに到着して二日目の三月一六日（土）午後に、リビア国民勢力連合（NFA）の創立一周年記念式典が開催されました。式典の開始は午後四時と聞いていましたので、三時四五分ころに宿舎のリクソス・ホテル前に用意された車に随行のリビア側担当者と一緒に乗り、他の招待客の車と共に車列を組んでパトカーの先導で出発し、一〇分ほどで会場の殉死者ホール（Martyrs' Hall）に到着しました。カッザーフィー時代には人民ホールと呼ばれて人民議会が開かれていた見覚えのある建物でした。

予定の開始時間から三〇分以上も経ってから、主催者側の要人たちが順次姿を現し始めました。アブドゥルアジーズ外相などの現閣僚や元閣僚などに混じって、カッザーフィー政権時代に外務大臣（当時の正式名称は「対外連絡・国際協力担当全国人民委員会書記」）を務めていたシャルガム氏も姿を見せました。彼はカッザーフィー政権最後の国連大使を務めましたが、私が駐リビア大使として駐在していた時の外務大臣でした。当時から温厚な人柄で知られていた彼とは、私も幾度か直接会談する機会がありましたが、常に協力的で、私個人としても好印象を抱いていました。

二〇一一年二月半ばからリビア内戦が始まってカッザーフィー政権に対する非難や制裁の国連決議案が議論される時期に、彼はリビア国連代表として苦渋に満ちた対応を迫られました。同年二月二五日に、彼は国連安保理でカッザーフィー政権の非人道的対応を非難する演説を行って同政権から離反しました。その後の消息が気になっていましたが、今回、元気な様子を見られて懐かしく嬉しく思いました。

午後五時少し前になって、当日の主役であるジブリールNFA総裁とザイダーン首相が最前列のソファーに着席しました。予定より一時間遅れの午後五時に式典が始まりました。開催に先立ち司会者から「テレビ中継の準備作業が手間取って開始が遅れたことをお詫びする」との説明がありました。私が駐在していたカッザーフィー政権時代には、リビア側主催の式典や晩餐会などの公式行事に招待されて、予定の時刻から何の説明もなく二時間以上も待たされることは珍しくなく、時には四、五時間にもなりました。それに比べると、相当改善されたと言うべきかもしれません。

先ずは制服を着た音楽隊による国歌吹奏がありました。前政権時代の国歌は「アッラーフ・アクバル（Allāh Akbar, 神は偉大なり）」と題する勇ましい行進曲で、もともとは、一九五六年の第二次中東戦争ころからエジプト軍の戦意高揚のために歌われていたものであったと聞いていました。今回演奏された国歌は私には耳新しいやや穏やかな調子のものでした。資料によれば、「ヤー・ビラーディー（おお、わが祖国）」と題する新しい国歌は、二〇一一年一〇月のカッザーフィー政権崩壊以降に王制時代のものを復活させて使われ始めたとのことです。

カッザーフィー政権崩壊を受けて、二〇一一年一〇月二三日にはベンガジで国民評議会（NTC）によるリビア解放宣言が行われました。その後、政治・行政・治安組織の再構築、経済再建、内戦による死者や負傷者への対応、社会インフラの修復と改善など多くの課題を抱えて試行錯誤を続けながら、新生リビアの国造りが進められていきました。私は、まさにその時期にトリポリを訪問したのです。

◇記念式典での要人の発言

記念式典は国歌吹奏で始まり、クルアーン（コーラン）の章句朗誦の後、シャルガム元外相、ザイダーン首相を含む数名の有力者に続き、最後にジブリールNFA総裁が登壇し、それぞれから挨拶を兼ねた演説が行われました。シャルガム元外相が登壇した際に、会場から特に大きな拍手と歓声が上がり、その人柄と知名度の高さから好感をもって迎えられていることが感じられました。

彼は、その発言のなかで「私はカッザーフィー政権下で政策遂行の一翼を担っていたことを否定するつもりはない。過激派は論外であるが、リビア社会はイスラーム的価値観に基づく社会であるとの信念を持って今後の国造りを進めるべきである。戦後の荒廃から立ち上がった日本国民も彼らなりの信念を持って驚異的な復興を遂げた」などと述べたことが印象に残っています。

ザイダーン首相は「私はNFAのメンバーではないが、NFAはその私を首相に選出してくれた。共に協力して新生リビアの国造りに努力して行きたい」と述べ、最後に登壇したジブリール総裁は「西はモロッコから東は日本から多くの国々の代表が遠路はるばるこの式典に出席して頂いたことに謝意を表する」とした上で、「これからの課題は多いが、特に若者と女性を中心とした国民勢力を結集して対応する必要がある。そのために、現在二七あるNFA国内支部を近く五七支部に倍増させ、それぞれの執行部は三五歳以下の若者に委ねる計画である」と述べたことでした。

◇晩餐会でのシャルガム元外相との再会

殉死者ホールでの式典は一九時ころに終了しました。その後、車で一五分ほど離れたイスラーム宣教センターで行われた晩餐会に出席しました。イスラーム宣教センターは、カッザーフィー政権時代からあった広大な施設で、国内外にイスラームを普及するための研究所や会議場などを備えています。私のリビア在勤中にも幾度か日本を含めた諸外国のイスラーム関係者を招いた国際会議が開かれたことがありました。構内は昔のままで、内戦により損傷した箇所などは見られませんでしたが、デモなどによる不

左から筆者、ジブリール・リビアNFA総裁、アメッド・ナイリ氏。

測の事態を警戒しているためなのか、他の施設に比べて警備兵の姿が異常に多く見られました。

晩餐会はイスラーム宣教センター構内の一角にある大食堂で行われました。食事前の歓談の席で、私はジブリール総裁、ザイダーン首相、アブドゥルアジーズ外相、シャルガム元外相らとも親しく言葉を交わしました。アラブ圏以外から出席したのはフェルホフスタット氏（ベルギー元首相）と私だけでしたので、いずれの人たちとの会話でも、私が遠路はるばる日本から訪問したことを労われました。

特にシャルガム元外相については、私が駐リビア大使として在任中の二〇〇四年六月、逢沢一郎外務副大臣が小泉純一郎総理の特使（肩書はいずれも当時）としてリビアを訪問した際、当時外相であった彼が逢沢特使一行をトリポリから車で二時間以上も離れた野営地で行われたカッザーフィー指導者との会談に案内してくれたことを懐かしく思い出しました。逢沢特使と私が彼の車に同乗し、道すがら三人でリビアの将来などと共に自らの個人的な趣味や生い立ちなどについて断片的な会話が行われたことを覚えています。その縁のある彼の元気な様子を目の当たりにし、旧交を温められたことを特に嬉しく思いました。

翌日の公開対話会議にも参加して発表を求められた私は「安定した新生リビアの実現に向けてのリビア国民の努力を見守っていることをお伝えしたい」と話し、日本は、アフリカ諸国に対する開発協力について協議するため、一九九三年に「アフリカ開発会議（TICAD）」を立ち上げ、五年ごとに首脳・閣僚レベルの会議を開催していることを説明しました。一方でリビアでは、カッザーフィー政権時代の一九九八年に、リビアの主導でサハラ砂漠周辺六ヶ国の協力組織CEN-SADが設立されました。その後、リビアの経済支援への期待感もあってか、このCEN-SADの加盟国は二八ヶ国（二〇〇八年）となりました。T-CADの開催時期が毎回CEN-SADと重なって、日本側が日程調整に苦労していました。

今回の公開対話終了後の立ち話で、アブドゥルアジーズ外相から「T-CADには私が出席する予定です」と声をかけられました。CEN-SADが機能しなくなった現在、リビア側もT-CADに関心を持つようになったようです。

晩餐会で元リビア・外務大臣の萌シャルガム氏と再会した。

◇今後の課題

現地での三年間の勤務を経験した私は、リビア国民は本質的には温厚で忍耐心のある人々であると感じています。一般のリビア人がいまだ先行き不透明な国造りの行方に不安を抱きながら日常生活を送っていることは、今回のリビア訪問中に見た街の様子や再会した旧友の言葉の端から感じられました。出来るだけ早期に安定した「新生リビア」が確立されるのを願わずにはおられませんが、国の統治体制を根底から変革して新たな政治体制が安定軌道に乗るまでには、我が国の明治維新や最近のイラクの例を考えても、大きな変革が起こった後は、社会の安定には相当な年数を要するものと予想されます。

※このコラムはウェブサイト『Asahi中東マガジン、中東レポート』、「新生リビア見聞記」（1）（2）（3）（2013年4月掲載）から要約したものである。

49

イスラーム主義勢力との抗争

★新たな危機の始まり★

【コラム18】にみられるように二〇一三年春までは、移行政府が成功裡に国内を支配すると期待されたものの、国内の治安状況は悪化の一途をたどった。私が二〇一三年六月にトリポリや南部のサブハーを訪れたとき、治安状況は比較的平穏に感じられた。しかし、ベンガジでは、二〇一三年六月以降、国軍指揮下の民兵集団と地元住民との間の衝突によって多くの死傷者を出す事件が起きた。また、治安部隊や国軍関係者が銃撃や爆弾によって暗殺される事件も度々発生した。七月末には、著名な政治活動家であり、ムスリム同胞団に批判的であったアブドゥルサラーム・アル・ムスマリーが何者かに撃たれ死亡した。これをきっかけに、大規模な抗議運動がベンガジとトリポリで行われ、一部は暴動に発展した。この暴動で、ムスリム同胞団系の建物やムスリム同胞団系の公正建設党（JCP）の事務所が放火・破壊された。一連の事態を受けて、リベラル派勢力とイスラーム主義勢力との緊張が高まり、事態を収拾するために、ザイダーン首相は内閣改造を行うと発表した。その後、さらに事態は悪化することになる。

八月には、イブラーヒーム・ジャドゥラーン率いる武装集団が東部の石油積出港を占拠し、操業停止に追い込んだ。このイブラーヒーム・ジャドゥラーンは、元々、二〇一一年の内戦中、反政権派部隊の若き指令官として活躍し、内戦終結後はリビア中部にある石油施設の防衛にあたる「石油施設防衛隊」の司令官を務めていた。ジャドゥラーンは、今回、こうした行動に出た理由として、「リビア東部が長い期間にわたり政治的に無視され、この地域の人々は石油から得られる富の配分を適切に受けていない」と主張した。さらには、「トリポリ（移行政府）の影響力は弱められなければならない」とも発言し、東部キレナイカの自治を求める「連邦主義」という考え方に呼応する姿勢も示し、新たな自治政府の創設をうたった「ラス・ラーヌーフ宣言」を発表した。

その後、この自治政府の執行機関であるキレナイカ移行評議会は、占拠していた石油積出港から独自のルートで石油輸出を試みた。これに対して、トリポリの中央政府は手をこまねいたわけではない。リビア海軍は、中央政府の許可を得ない石油取引は違法であるとして、ジャドゥラーン率いる「自治政府」が支配する石油積出港へのオイルタンカーの接岸を実力で阻止した。しかし、国内最大規模の石油積出港の閉鎖は、この後一年間も続いたことから、リビアに入る石油収入は大きく落ち込んだ。武装組織による石油施設の閉鎖は、国家再建を目指すリビアにとり復興の大きな足かせとなった。そして、この問題は、ザイダーン首相の進退に関わる政治危機へと発展することになる。

さて、リビアの国家再建にとってのもうひとつの課題は、内戦中に国内に流出した武器と旧政権打倒に貢献した民兵たちの処遇であった。内戦後のリビアの混乱を助長しているのが大量の重火器を持つ武装集団の存在であることは、誰の目にも明らかであった。ただし、こうした現状をトリポリの移行政府が変えることは容易ではなかった。一〇月には、ザイダーン首相がトリポリのホテルから「リビア革命戦士作戦司令室」（ＬＲＯＲ）所属の武装集団によって連れ去られ、その後間もなく解放されるという事件が起きた。この事件で問題とされたのは、首相誘拐に関与した「リビア革命戦士作戦司令室」が、ムスリム同胞団系の「公正建設党」の支持を受ける国民議会議長のヌーリー・アブー・サハミーンが創設した民兵組織であったことである。さらには、ＬＲＯＲは、国民議会に対する抗議運動や武装集団の襲撃に対処するために創設された国民議会指揮下の治安組織でもあった。

これを受けて、サハミーン議長による事件への関与が疑われ、国民議会ではＬＲＯＲからトリポリの治安維持の役割を剝奪することを求める議案が提出された。これに対して、ＬＲＯＲは国民議会議員への圧力とも取られかねない行動に出たこともあり、結果的に責任追及までには至らず、治安維持を担うＬＲＯＲの役割は温存された。こうした一連の動きから見えるものは、ザイダーン首相の指導力の低下であり、その一方で、ＬＲＯＲの後ろ盾であるイスラーム主義政党の勢力拡大であった。

誘拐事件以降、ザイダーン首相を取り巻く状況はより一層厳しさを増すことになる。他方で、市民の不満は、内戦終結後も武器を手に首都や主要都市に居座る民兵集団にも向かうことになる。一一月一五日には、トリポリのガルグーグ地区で、民兵集団に対して首都からの撤退を求める市民による抗議デモが行われた。これに対して、ミスラータ出身の民兵たちがデモ隊に発砲し、多数の死者が出る惨事となった。さらなる事態の悪化を恐れた政府は、トリポリに四八時間の非常事態を宣言した。しかし、ミスラータの民兵による攻撃をきっかけに、対立する民兵組織間の報復攻撃も起こり、混乱はさらに拡大した。こうした事態を受けて、ザイダーン首相は、市民に発砲した全ての勢力は例外なく首都から立ち去るべきである、との声明を出したが、移行政府主導で首都の混乱を治めることはできなかった。

事実上、トリポリの治安を担っているのは各地域からの戦闘員で構成される民兵集団であり、現実には、移行政府は各民兵集団に対して自制を呼びかけることしか手段がなかった。しかし、この事件を機に、民兵に対する批判が高まったことから、トリポリに居座っていた民兵集団の撤退が進んだ。ただ、民兵集団の処遇をめぐる問題は未解決のままであったため、混乱の火種はその後もくすぶり続けることになる。

（上山　一）

コラム19

陶器の町・ガルヤーンを目指して

上山　一

私は二〇一三年六月にリビアを再訪したとき、トリポリタニアにある幾つかの街を訪れた。特に、印象的であったのがトリポリの南約九〇キロに位置するガルヤーンでの出来事であった。ここでは、私が訪れたガルヤーンまでの道のりとそこでのささやかな出会いについて紹介したい。

ガルヤーンを訪問した理由は、この街がトリポリから日帰りできる場所にあることと、焼き物の産地であり、また、かつてベルベル人が住んでいたダッムースと呼ばれる穴居住宅があることでも有名であったからだ。その日は、まず、私の宿泊先からそれほど遠くない乗合タクシーが集まる小さな広場に行き、そこから八人乗りの車でガルヤーンへと向かうことになった。アラブ諸国で乗合タクシーを利用する場合、決まった区間を往復する一〇人ほどが乗車可能な自動車を利用することが多い。この乗合タクシーは、出発時間が特に決まっているわけではなく、満員になると目的地に向けて出発する。ガルヤーンはトリポリから比較的に近い距離にあることから、トリポリ・ガルヤーン間を行き来する人々が多く、乗合タクシーはほどなく満員となった。

ガルヤーン行きの乗合タクシーは、トリポリのターミナルを出発し、一路、ガルヤーンとトリポリとの中間に位置し、交通の要衝であるアル・アズィーズィーヤを目指した。アル・アズィーズィーヤまでの道のりは思った以上に順調であった。アル・アズィーズィーヤからガルヤーン街道を南下するにつれて車窓の風景も変わり、荒涼とした砂漠地域が現れ、緑のない山々が姿を現す。南方に見える山々はリビア北西部に広がるナフーサ山地であり、ガルヤーンはナフーサ山地の東端に位置する街である。ここで、私は小さなトラブルに遭遇することになる。

ガルヤーンにつながる街道を走っていた車は、山間部へと入る直前にあった検問所で停車を求められた。そこでは、ガルヤーン以南の山岳地帯へと向かう人々を監視する軍服姿の民兵たちが検問を行っていた。私が乗っていた車も民兵によって停止させられた。民兵が身なり風体もアジア系外国人であると明らかにわかる私を見逃すはずもなく、直ぐに私は彼の疑惑の的となった。民兵はライフル銃のような武器を抱えていたが、まず、身分証明書を出せと私に命じた。私は、命令に従って、パスポートを提示し、彼に渡した。しかし、民兵は私に対して、どこに行くのか、どのような理由でガルヤーンに行くのかと聞いてきた。私は英語とアラビア語で返答をしたが、なかなか理解してくれない。今振り返ってみれば、(初期の)内戦が終結してから日が浅いリビアでは治安状況が不安定であることから、この地域を訪れる外国人も少ないことが想像でき、民兵たちが私を疑ったのも無理はなかったかもしれない。

ガルヤーンの陶器の店、ガルヤーンは色とりどりの陶器と地下住居で有名。2013年6月。

民兵とやり取りが数分間続いた後、私に助け舟を出したのが、乗合タクシーのドライバーであった。ドライバーは、民兵に対して何やら説明をしていたが、結局、検問所通過は許された。このとき、私はドライバーに感謝したが、彼にとってみれば、乗合タクシーに乗っていた他の乗客のためにも、早く目的地のガルヤーンに向かいたかったのかもしれない。いずれにしても

ガルヤーンは海抜700メートルに位置する高台にある。トリポリ方面を望む風景。2013年6月。

無事に検問所を通過したのだが、帰路もまた同じ検問所を通ることになるかと思うと憂鬱な気持ちになったことが今でも思い出される。

私が乗る車は、くねくねと曲がった急な山道を登ってガルヤーンの市街地へ入り、市内西側にあるターミナルに到着した。街は落ち着いた雰囲気であり、特段に建物が破壊されたような形跡もなく、二〇一一年に起きた内戦による影響をそれほど受けていないとの印象を持った。お目当ての陶器を扱う店はガルヤーンから少し離れたハイウェイ沿いに点在しており、そこまでは町の中心部からタクシーで行かなければならなかった。その前に、街中を軽く散策してみることにした。

ガルヤーンを東西に貫くメインストリートを東に向かうと街のはずれにあるカフェにたどり着いた。そこは、トリポリ方面へと下るハイウェイを見渡せる場所であった。私はリビアの街を散策するときには、カフェに入ることを楽しみにしているが、この時も少しばかり休憩しようと思い、このカフェに入った。そこで、出会ったのが二人の青年であった。二人との会話はとり留めのない内容であったが、ふと私がガルヤーン訪問の目的である陶器市のことを話すと、彼らは郊外にある陶器店まで車で連れて行ってあげると言ってくれた。そこで、彼らの車で私はその場所へと向かった。そして、ガルヤーンからアル・アズィーズィーヤへと続くハイウェイ沿いにある陶器店にたどり着いた。店には色とりどりの大小様々な陶器が並んでいたが、私は花や魚の文様の入った小皿を数枚購入した。その後、ガルヤーン中心部に戻る途中で

ガルヤーンを案内してくれた若者たち。2013年6月8日。

彼らは地中海方面へと続く平地が一望できる高台へと案内してくれた。ガルヤーンはナフーサ山地の東端にあることから、そこからの眺めは素晴らしく、リビアの雄大さを改めて実感することができた。彼らは、さらにガルヤーンを案内すると言ってくれたが、夕暮れ前にトリポリに戻ろうと思っていたことから、彼らの善意に感謝しながらも、二人と別れることになった。

トリポリへの帰路も再び同じ検問所で、いぶかしげな顔をした民兵からの質問に答えなければならなかった。民兵は、往路と同様に、滞在許可証を意味するイカーマの提示を求めてきたが、私の場合、パスポートには入国許可証を意味するビザ（査証）しかなく、その説明に少々時間を要した。さらに時間がかかるかと思われたのだが、ガルヤーン滞在の目的がトリポリからの日帰り旅行であることを説明すると、ほどなく検問所の通過を許され、無事にトリポリに戻ることができた。これまでのリビア訪問を通して、これほど執拗に入国の目的を聞かれたことはなかったが、それは当時、内陸地域の治安情勢がきわめて不安定であったといえるのかもしれない。

他方で、ガルヤーンで出会った青年から受けた親切により、私のガルヤーン滞在は大変楽しい時間となった。今思うと、彼らの親切心は外国人が訪れることもなくなったガルヤーンにふと現れた私を珍しがってのものだったのだろうか、それとも、ガルヤーンへの郷土愛から来るものなのか。どちらにしても、リビア人の優しさを知る旅となった。

50

ハリーファ・ハフタルの登場

★行き詰まる新体制★

二〇一四年二月二〇日には、民主化に向けての重要なプロセスとなる憲法起草委員を選出するための選挙が行われた。この日、約一一〇万人の有権者が投票を行い、投票率は四五パーセントに上った。三月初めには、最高選挙管理委員会から、憲法起草委員会の定数六〇議席のうち四七議席の当選が確定したとの暫定結果が公表された。一方、再投票の結果、アマジグ族と東部ダルナに配分される四議席が未確定となった。憲法起草委員会の議席枠をめぐっては、少数民族への配慮が不十分であったことがアマジグ族やその他の部族による選挙ボイコットにつながったと言われている。選挙結果全般については、民主化プロセスへの失望感や選挙ボイコットが影響し、国民議会選挙に比べて有権者登録数や投票率が低かったことから、今後の民主化プロセスを危ぶむ声も聞かれた。事実、この後、リビアは内戦終結後、最大の政治危機に直面することとなる。その発端となる出来事は、二月七日に任期が終了する国民議会と武装集団の占拠により閉鎖が続く東部の主要石油積出港をめぐる問題であった。

国民議会は、既に二〇一三年一二月に当初の任期を二〇一四年一二月二四日まで延長することを決議していた。国民議会は、国民評議会（NTC）からの権限移譲後一八ヶ月以内に、憲法起草員会が策定した憲法草案を承認する必要があった。これに対して、二月七日には、任期延長に反対する抗議運動がリビア各地で行われた。この時期、国民議会内では、リベラル派政党の国民勢力連合とムスリム同胞団系の公正建設党との対立から議論は行き詰っており、一向に改善しない治安状況もあり、国民議会に対する市民の不満が高まった。

こうしたなか、内戦終結後、新たに編成された国軍への影響力を強めていたハリーファ・ハフタル退役少将は、国民議会の解散と新たに選挙が実施されるまでの暫定政府委員会の樹立を求めた。ザイダーン首相は、ハフタル退役少将よるクーデターの噂を打ち消し、「リビアは移行政府の統制下にあり、ハフタルにはいかなる権限もない」と反発した。実際、リビア軍によるクーデターを示す動きは見られなかった。だが、この時期、ハフタル退役少将がこうした要求を突きつけた背景には、移行政府が新たに編成された国軍や政府指揮下の民兵集団を掌握できていないという状況があったと思われる。さらには、二〇一二年に行われた国民議会への権限移譲以降の党派対立によって政治的停滞が続き、市民の間には政治家への不信感が強まっていたことも挙げられよう。この時点では、ハフタル退役少将が国軍や民兵集団に対してどれほどの影響力を及ぼしているかについては、明らかではなかった。だが、その後、市民による政治家への不満を背景に、彼の影響力は政治的にも軍事的にも増すことになる。

国民議会は、二〇一三年一月八日には国名を「リビア国」（State of Libya）に変更した。しかし、ザイダーン首相にとって、さらに頭を悩ます出来事が起きる。二〇一四年三月には、東部の主要石油積

ハリーファ・ハフタル将軍。
（Magharebia 撮影、CC BY ライセンスにて許諾）

出港を占拠してきたジャドゥラーン率いる武装組織が中央政府の許可なく、北朝鮮の旗を掲げる石油タンカーに原油の搬入を行ったことを明らかにした。これに対して、ザイダーン首相は、もし石油タンカーが国軍の指示に従わない場合には、武力攻撃を行うと発言した。しかし、タンカーはリビア海軍の警戒網を突破して公海に出港してしまった。こうした事態を受けて、国民議会はザイダーン首相が石油タンカーの出港を阻止できなかったとして、不信任決議を可決し、同首相は解任された。ザイダーンに代わって、新たに首相代行に任命されたのが国防大臣のアブドゥッラー・アル・シンニーであった。だが、その後、リビアの政治状況は、首相や閣僚の辞退と任命の連鎖が続き、さらに混迷を深めることとなる。こうして、リビアの政局が混乱するなかで、世俗派勢力を支持する民兵集団とイスラーム主義勢力を支持する民兵集団との対立が深まることになる。

（上山　一）

ハフタル将軍とは何者か

コラム20

塩尻和子

ハリーファ・ベルカーセム・ハフタルは一九四三年にイタリア植民地時代のリビア、アジュダービヤーで生まれた。学歴は一九六六年、ベンガジの王立士官学校を卒業し、一九七〇年代にモスクワの士官学校に留学している。

世俗派でナセリストであった彼は、士官学校卒業後間もなくカッザーフィーたちによる一九六九年九月革命に参加し、革命評議会メンバーとしてカッザーフィー政権下で頭角を表した。一九七三年の第四次中東戦争ではリビア派遣部隊指揮官として対イスラエル戦に参加した。しかし、リビア軍指揮官としてチャドの反政府勢力支援のために派遣されていた一九八七年に、不運なことに謀略にはまり、数百名の将兵と共に相手方の捕虜となった。

このままではカッザーフィー政権にとっては深刻な打撃となるので、カッザーフィーは、既にチャドとの間でリビア軍の撤収について合意済であったことや、この機を利用してハフタル大佐（当時）の影響力を殺ぐ目論見からも、リビア政権と捕虜となったリビア軍部隊との関係を否定した。チャド抑留中のハフタルはこの取引を知ると、仲間の将校らとカッザーフィー政権打倒を目指す集団を結成したが成功せず、一九九〇年にアメリカとの取引で釈放され、その後二〇年近くアメリカのバージニア州ラングレイで暮らすこととなり、アメリカ国籍を得た。その間一九九三年にはリビアでの欠席裁判で反逆罪により死刑を宣告されている。

その後、紆余曲折を経て、アメリカ国防省諜報部やCIAとの関係を緊密化させ、数多くのカッザーフィー打倒策や暗殺の企てを起こしてアメリカ側から支援を受けたが、いずれも成功しなかった。

彼は二〇一一年の民衆蜂起を機にリビアに戻り、アブドゥル・ファッターフ・ユーニスとともに反政権派に参加した。現在の彼の支持母体はトブルクに設置された「リビア代表議会」である。「リビア代表議会」は第51章で説明するが、トリポリの国民議会に対抗してトブルクに設置された議会であり、通称「トブルク政府」と言われる。彼は二〇一五年三月に代表議会によってリビア国民軍（LNA：Libyan National Army）総司令官に任命された。階級は当初は大将であったが、二〇一六年九月に元帥に昇進した。二〇一九年四月四日、ハフタルは自らの軍勢に対して、国際的に承認された政府の首都であるトリポリ制圧のために進軍を命じ、国連のグテーレス事務総長から非難を受けたが、その後、アメリカのトランプ大統領は「テロとの戦い及びリビア石油資源の安全確保」のためにハフタルの果たす役割の重要性を認めた。

旧政権との間に複雑な因縁を抱えているだけに、ハフタルはリビア国内で大きな軍事的影響力を保持しており、今や大統領の地位を窺うほどの実力を蓄えている。今後のリビア政情の行方を占うには、ハフタルの動向から目が離せない。二〇一九年末に予定されていたリビアの大統領選挙には、カッザーフィーの次男サイフ・アル・イスラームも出馬すると噂されていた。ハフタルが、かつて彼を裏切り罠にはめたカッザーフィーには怨念を抱いているとすれば、サイフ・アル・イスラームとの一騎打ちになった際には、何が起こるか、予測がつかない。

51

東西に二つの政府

★軍事的緊張の高まり★

二〇一四年五月一六日、イスラーム主義勢力をテロ集団と非難するハフタル率いる部隊は、ベンガジを拠点に活動するイスラーム過激派組織「アンサール・シャリーア」（イスラーム法の擁護者）への軍事作戦を開始した。この大規模な軍事作戦は「尊厳作戦」と名づけられた。アンサール・シャリーアは、二〇一二年九月にベンガジのアメリカ合衆国総領事館が襲撃され、クリストファー・スティーブンス・アメリカ大使が殺害された事件に深く関与した組織といわれている。

ハフタル将軍の部隊は、新たに「リビア国民軍」（LNA）と呼ばれる独自の軍事組織を結成した。これに対して、国軍の将校やベンガジの主要な民兵集団の幹部たちも尊厳作戦への支持を表明し、国軍の一部もこの作戦に加わった。さらには、LNAは地上軍に加えて空軍力も備えており、陸と空からアンサール・シャリーアに対して激しい攻撃を加えた。LNAによる攻撃は、その後、ムスリム同胞団を含むイスラーム主義勢力との全面衝突に発展することになる。

こうしたなかでも、民主化へのプロセスは緩やかながら進んでいた。六月二五日には、国民議会に代わる新たな議会を設置するための代表議会選挙が実施された。この代表議会（ＨｏＲ）の議席数は国民議会と同じ二〇〇議席であり、一二〇議席が選挙区枠、八〇議席が比例代表枠となり、政党間の緊張の高まりを考慮し、政党名ではなく個人名のみを記載する投票方式に変更がなされた。投票日には、一五〇万人の登録有権者の約四一パーセントにあたる六三万人が投票したが、治安状況の悪化や国民の関心低下から、国民議会選挙の投票率を大きく下回った。七月下旬に、最高選挙管理委員会は、代表議会選挙の最終結果を発表した。これにより、選挙ボイコットや治安の悪化から投票不能となった一二議席を除く一八八議席が確定し、リベラル派勢力が多くの議席を獲得した。その一方、イスラーム主義勢力は三〇議席程度にとどまり、リベラル派勢力に敗北した。

八月四日には、国民議会から代表議会への権限移譲式が開かれ、同日には代表議会も初招集された。ただし、開催地はトリポリやベンガジの治安悪化から、東部トブルク（バイダー）に変更された。これに対して、トリポリでの移譲式開催を主張したアブー・サハミーン旧国民議会議長やイスラーム主義勢力政党に所属する三〇人の議員は、トブルクで開催された代表会議をボイコットした。彼らは、トブルクでの代表議会の開催は違法であり、また代表議会への権限移譲プロセスそのものが違憲であると主張した。

この時期、トリポリでは、旧国民議会議長の指揮下にあるリビア革命戦士指令室とミスラータ革命連合が「リビアの夜明け」と呼ばれる軍事連合を新たに結成した。そして、「リビアの夜明け」は、旧国民議会を支持するイスラーム主義組織「リビア中央の盾」とともに、対立するジンターンからの民兵集団が支配下に置くトリポリ国際空港に攻撃を仕掛けた。八月末には、「リビアの夜明け」はジンターンからの民兵集団をトリポリから排除することに成功した。

イスラーム主義勢力を中心とする「リビアの夜明け」は、リベラル派勢力や連邦主義者が多数を占める代表議会の正統性を認めず、旧国民議会のイスラーム主義勢力を支持した。こうして、イスラーム主義勢力を中心とするトリポリの旧国民議会議員や民兵たちは、その後、代表議会やそれを支持するハフタル将軍との対立を深めて行くことになる。

八月末には、代表議会の正統性を認めない旧国民議会議員が中心となり、トリポリにて国民議会の復活を宣言した。そして、旧国民議会は、ウマル・ハーシーを首相に指名し、九月六日にはトリポリに「救国政府」（GNS）を発足させた。これにより、東部トブルクの「代表議会」との対立は決定的となり、リビア国内に東西に分かれて二つの「立法議会」が存在することになった。一方、リビア唯一の正統な立法議会として国際社会から認められたトブルクの「代表議会」は、九月にはシンニーを首相として指名し、九月末にはシンニー暫定内閣が正式に発足した。

これに対して、二〇一一年の民衆蜂起以降、反政権派を支持してきたトルコやカタールはイスラーム主義勢力から構成される旧国民議会（トリポリ政府）を支援する一方、アラブ首長国連邦やエジプトはリベラル派勢力と連邦主義者から構成されるトブルクの「代表議会」（トブルク政府）を支援したことから、イスラーム諸国のなかでも対応が分かれることになった。こうして、リビアに東西二つの政府が並立する形となり、それぞれを支持する民兵集団との対立が深まった。

この時期、ハフタルは、ベンガジを中心にイスラーム過激派への攻勢を強めていた。ハフタルの部隊は、イスラーム過激派のアンサール・シャリーアへの軍事作戦を有利に進めているかに見えた。だが、アンサール・シャリーアも強く反撃に出たことで、ハフタル将軍の支配地域が制圧されるなど、戦闘は一進一退の状況にあった。一〇月に入り、ハフタルの率いる軍事作戦は、ベンガジを拠点にするイスラーム過激派集団への攻勢を再開した。この戦闘で、ハフタルの部隊は強力な空軍力を見せつけ、過激派集団をベンガジから追い出すことに成功した。そのため、「トブルク政府」を支持するハフタル将軍の政治的影響力は、リビア東部での軍事的支配を固めるにつれて、より一層強まることになった。

（上山　一）

コラム21

人道的犯罪の露呈 ―― タワルガ避難民

上山　一

リビアの北西部、トリポリから約二六〇キロメートル東、ミスラータから約四〇キロメートル南に位置するタワルガと呼ばれる町には、かつて約四万人の人々が住んでいた。だが、今、この町からは、かつての面影が消え、まるでゴーストタウンのようになってしまった。なぜなら、タワルガの人々は内戦中に旧政権に加担してミスラータへの攻撃を手助けしたことを理由に故郷から追われた後、国内各地の避難所で厳しい生活を余儀なくされているからである。そして、内戦終結後、住民が去ったタワルガ市内の建物は、ミスラータの武装集団によって組織的に破壊され、多くの建物が放火された。こうした行為はタワルガ出身者を再びこの地へと戻らせないために意図的になされたものであった。また、ミスラータからの武装集団は、タワルガの制圧以降、トリポリのタワルガ難民キャンプに対しても度々攻撃を行い、タワルガ出身者への恣意的な拘禁、虐待、拷問、殺害に関与したとして、人道に対する罪を犯したとの非難も受けている。ミスラータの民兵集団による攻撃は現在も続いており、こうした行為を国民和解政府（GNA）も止めることができない。このため、タワルガの人々が安心して故郷に戻ることができない状況にある。だが、そもそもミスラータの民兵集団は、なぜ執拗なまでにタワルガの人々を攻撃し、苦しめるのだろうか。

タワルガは、地中海沿岸の交易ルート上に位置しており、また南部の砂漠地帯との交易ルートの結節点でもあったことから、古くから交通の要衝であった。タワルガの住人は、同じくリビアの地中海地域に住み着いたアラブ系や北アフリカの広範な地域に古くから住むアマジグ系でもなく、その多くは浅黒い肌をしたアフリカ系に起源を持つ人々である。歴史的には、その祖先はサハラ以南から奴隷として連れてこられた人々であった。そして、タワルガの人々は、ナツメヤシの木が豊富に自生したこの地に住み着き、そこから採れる実（デーツ）や葉から出来た雑貨を売って暮らしていたといわれている。リビアの地中海沿岸にある都市のなかでもアフリカ系の住民が大多数を占める地域はタワルガのみである。元々、奴隷としてこの地に連れてこられたタワルガの人々は、イタリアによる植民地時代を経て、長く続いた奴隷的な扱いから解放された。特に、アフリカの盟主になろうとしてアフリカ支援に力を注いできたカッザーフィー政権下では、彼らは公務員や軍人として、特別に重用されていた。タワルガの人々は、カッザーフィーが自らの体制を維持する手段として巧みに利用されてきたのである。

そのために、二〇一一年の内戦の際には、タワルガの町は、カッザーフィー政権軍によるミスラータ攻撃の拠点に利用され、タワルガ出身者も対ミスラータ攻撃に加わった。カッザーフィー政権でタワルガが重用されてきたことに加えて、もしタワルガが制圧された場合、ミスラータの反政権派によって奴隷のように扱われるとの懸念もあり、タワルガの人々はカッザーフィー政権軍を支援せざるを得ない立場にあった。ミスラータでの戦闘はきわめて激しいものとなり、ミスラータの民兵たちの間にタワルガの兵士たちに対する深い憎悪が生み出された。二〇一一年八月には、ミスラータの反政権派部隊によってタワルガの町が制圧され、復讐のためにタワルガの住民たちは町を追われ、その後も故郷に戻ることができず、八年以上が過ぎた今日でも長い避難生活を余儀なくされている。

国際人権団体や国連からの批判を受けて、GNAは国連リビア支援ミッションとともにミスラータとタワルガとの和解に向けて動きだした。二〇一六年八月には、双方の被害者に賠償金が支払われることで決着がついた。その後、第一回目の賠償金がGNAから双方に支払われたことで、タワルガへの帰還に向けて大きく前進するかに見えた。しかし、合意文書によってタワルガの帰還開始日とされた二〇一八年二月一日、故郷に戻ろうとするタワルガの人々の行く手をミスラータの民兵たちが実力で塞いだことで、彼らの帰還は阻止された。タワルガ市内からわずか十数キロメートル手前のところで、この日を待ち望んでいた人々は故郷を遠くから眺めただけで、再びタワルガから約六〇キロメートル離れた不衛生な避難民キャンプに戻らなければならなかった。その後もミスラータからの民兵集団による執拗な妨害行為によって、タワルガへの帰還はいまだ実現していない。

ミスラータの交渉担当者は、二〇一六年八月に合意された内容をタワルガ側が履行していないと主張し、合意内容の再交渉までも要求した。事実上、ミスラータ側によって約束が破られる格好となったが、仲介役を果たすべき肝心のGNAは、ミスラータの民兵集団による行動を非難はするものの、タワルガの人々の安全を保障し、故郷へ無事に帰還するための具体的な措置を何ら講じることができないでいる。

現在、推定で少なくとも一〇〇〇世帯ほどのタワルガ出身者がリビア各地の避難民キャンプで、故郷への帰還を待っている。タワルガの人々が故郷へ安全に帰還するためには、少なくともGNAはミスラータの民兵集団による報復から彼らを守る具体的な対応を採ることが必要であろう。まさに、GNAの統治能力が試されている。

しかし、リビア国内では、いまだ不安定な情勢によって、ベンガジ、ダルナ、ウバリ、キクラなどの地方の町では、故郷へ帰還できなくなった国内難民が数万人もいると言われている。

銃弾の痕が残るホテル。サブラータ市内、ハーテム氏撮影。
2018 年 10 月。

IX

統一国家
再建への期待

52

統一政府の樹立に向けて

★政治対話の開始★

二〇一四年一一月に入り、トリポリにある最高裁判所は、六月に行われた代表議会選挙は違憲であると判断し、トブルクの代表議会の法的正統性を否定する判決を下した。この判決に対して、トブルク政府は裁判所の決定はトリポリの旧国民議会勢力の脅しによるものであり、判決を拒否すると表明した。また、当時の国連リビア支援ミッション（UNSMIL）のベルナルディーノ・レオン特使は、今回の判決を尊重すると発言したものの、どちらか一方の側に同調する姿勢は見せず、あくまでも対話による解決を強調した。東西二つの政府の対立は、その後、各政府を支持する民兵集団に加えて、周辺諸国を巻き込む事態に発展することになる。

一一月末から一二月初めにかけて、トブルク政府を支援するリビア国民軍（LNA）は、トリポリのマイティーガ国際空港や北西部ズワーラにある「リビアの夜明け」の拠点を空爆した。一方、トリポリ政府を支援するミスラータの民兵集団や「リビアの夜明け」は、シドラ湾東部にある石油施設の制圧作戦を開始した。この軍事作戦は「リビアの日の出作戦」と名づけられた。これに対抗して、LNAは、「リビアの日の出作戦」の重

第52章

統一政府の樹立に向けて

要な出撃地であったミスラータの空爆も行った。

二〇一五年一月に入り、国連の仲介もあり、双方は停戦を発表した。ＬＮＡが持つ強力な航空戦力は、その後のイスラーム過激派との戦闘を有利に進める上で重要な要素となった。ただ、双方が停戦に至った背景には、両政府の支持部隊が軍事的対立を深めるなか、国内で過激派組織「イスラーム国」（ＩＳ）が勢力を伸長させていたという事情もあったと思われる。すでに二〇一四年一〇月に、東部ダルナでイスラーム主義のアンサール・シャリーアが「リビアのイスラーム首長国」の誕生と「イスラーム国」への忠誠を宣言していた。そして、このイスラーム過激派組織は、バルカ（キレナイカ）州の樹立を宣言した。これを受けて、「イスラーム国」の象徴である黒地に白い文字の書かれた旗を掲げた六〇台以上の戦闘車の車列がダルナ市内をパレードした映像は今も鮮明に人々の記憶に残っている。

イラクやシリアの拠点を追われたために、混乱の続くリビアに新拠点を構えようとする「イスラーム国」の存在は、リビアの国家建設にとって深刻な混乱を招くことになる。二〇一五年二月以降、「イスラーム国」の伸長が顕著となり、国内各地で同組織によるものと見られるテロ活動が頻発する。スルトでは、「イスラーム国」の武装集団による攻撃によって、この地域を統治していたミスラータからの民兵集団は撤退を余儀なくされた。「イスラーム国」は、政府庁舎や放送局を含むスルト市内の一部地域を制圧した。また、「イスラーム国」が、その支配地域で厳格な統治を行っていることはよく知られていた。スルトの海岸でエジプト人のコプト正教徒（エジプト独自のキリスト教徒）二一人が「イスラーム国」によって斬首される事件が起き、「イスラーム国」は斬首刑の映像も公開した。これに対して、エジプトは即座に反応し、トブルク政府と協力し、ダルナの「イスラーム国」の訓練キャンプや武器庫を標的に空爆を行った。一方、トリポリ政府を支持するイスラーム主義勢力もスルトの「イスラーム国」に対する攻撃を開始した。これに対しても「イスラーム国」は激しく抵抗を示し、さらなる過激なテロ活動、キリスト教徒の殺害、支配地域での厳しい統治など、態度を硬化させていった。

二〇一五年五月末には、「イスラーム国」はスルトに駐留するトリポリ政府の部隊に攻勢をかけ、市内や空軍基地を制圧し、市内全体を支配下に置くことに成功した。「イスラーム国」の制圧後のスルトでは、見せしめの公開処刑といった厳しい統治に対して、当初、地元住民による抵抗運動が起きた。しかし、「イスラーム国」は地元住民を虐殺するなど、徹底的に弾圧した。その後、「イスラーム国」は、東部ダルナ、中部スルト、そして西部サブラータ近郊を拠点として勢力を拡大させた。

東西二つの政府の対立による統治の空白は、結果として、リビアでの「イスラーム国」の伸長をもたらしたといえよう。両政府の長引く対立は、「イスラーム国」との戦いを進める上での大きな障害であり、早期の政治対話の実現が求められていた。

IX

統一国家再建への期待

こうした状況に対して、リビアの国家再建を支援するUNSMILは、二〇一五年一月、東西二つの政府を含む国内各勢力を集めた政治協議を開始した。ジュネーヴでの初会合を皮切りに、リビアのガダーミス、モロッコのスハイラート（スキラット）、アルジェリアのアルジェ、ドイツのベルリンで協議が行われた。これら協議における主なテーマは分裂状態にある統治機構の統合として「国民和解政府」（GNA）の樹立、武装勢力による戦闘停止、軍・治安機関の統合・再編成、そして憲法草案の起案であった。同年七月に開催されたモロッコのスハイラートでの政治対話会合では、トリポリ政府を除く各勢力の代表団が暫定合意文書に署名した。

トリポリ政府は、暫定合意案には旧国民議会（トリポリ側）がリビアの正統な議会であることが規定されていないことなどを理由に同会合を欠席した。その後、UNSMILと旧国民議会側との協議が持たれたが、旧国民議会側は合意文書に署名する条件として、トブルクの代表議会が行ったこれまでの決定を無効とすることに加えて、トブルク政府がLNAの総司令官に任命したハフタルの排除やエジプトとの防衛協力協定の破棄を要求した。トリポリ政府が暫定合意文書への署名に二の足を踏んだ理由として、ハフタル総司令官がリビア国内で軍事的にも政治的にも影響力を拡大していたこと、そして、UNSMILがトリポリ政府を支持するイスラーム主義勢力の一部を過激なテロリストと見なして対話を拒んでいたことが挙げられる。

UNSMILによる粘り強い仲介交渉を経て、二〇一五年一二月一七日には再びモロッコのスハイラートで、トブルク政府とトリポリ政府双方の代表団が最終政治合意文書に署名した「スハイラート合意」が成立した。最終合意文書の署名により、統一政府における執行機関としての役割を担う大統領評議会（議長を含む九人から構成される）、唯一正統な立法府としての代表議会、そして旧国民議会から移行した代表議会を補佐する国家最高評議会という新たな枠組みが確認された。これにより、リビアの政治状況はGNAの樹立に向けて、新たな段階を迎えたといえよう。ただし、今回、署名された最終文書については、対立する東西二つの議会の議長が反対を表明したことや合意内容の実施には両議会による承認が必要であったことから、統一政府の樹立が順調に進むかは不透明な状況にあった。

（上山　一）

コラム22

カッザーフィーの従弟は語る

塩尻和子

二〇一九年五月七日、朝日新聞ウェブ版にカッザーフィーの従弟アフマド・カッザーフダム（66）が朝日新聞の単独インタビューに応じたという記事が掲載された。前政権時代にアフマド・カッザーフダムは社会人民指導部の総合調整官というカッザーフィー直属の要職に就いていた。職名自体は穏やかに見えるもので、それほど権力があるようには思えなかったが、彼が実質的にカッザーフィーの右腕としてリビア政権の中枢にいることは疑いもなかった。

記事によれば、カッザーフダムは「（リビア国民軍の進軍は）首都から武装マフィアやイスラーム過激派を掃討するのが狙いだ。政府を樹立することではない」と述べたという。リビア国民軍（LNA）については二〇一一年にNATO軍と共に戦った正規軍を中心に組織さ

インタビューに答えるカッザーフダム。（朝日新聞社提供）

れており、単なる民兵組織ではないとして、今後のリビアが安定するために必要な軍事組織であると語ったという。カッザーフダムは旧政権の崩壊後、エジプトに逃れて現在もカイロに住んでいる。

同様の記事が二〇一六年三月の毎日新聞ウェブ版にも掲載されていたが、そこではカッザーフダムは、内戦後に公職追放されていた旧カッザーフィー政権派の軍人らが、過激派組織「イスラーム国」（IS）などと戦うため「政府軍と協力していると証言」したと記されていた。記事は「混乱が長引く中、旧政権派が復権をうかがう構図が浮き彫りになった」としているが、この記事から三年後の二〇二〇年二月現在のLNAとハフタル将軍の勢力を考えると、旧政権派がそれほど復権しているとは思えない。

53

「イスラーム国」との戦い

★厳しい船出となった国民和解政府★

第52章で記したように、国連の仲介によって、国内各派は統一政府の樹立に向け進み始めた。国民和解政府（GNA）は、トリポリ政府による反発からリビア入りできずに、当初、チュニジアを拠点に活動を行っていた。国際社会も統一政府の樹立を支援し、欧米諸国の一部はGNAをリビアの正統な政府として承認した。特に、EUは、GNAの承認に二の足を踏んでいたトリポリ政府のアブー・サハミーン旧国民議会議長とハリーファ・グワイル首相、そしてトブルク政府のサーラハ・イーサー代表議会議長を国連仲介による政治対話を妨げる人物として制裁対象とするなど、東西政府に対して圧力を強めた。こうしたなか、国内各派、特にトリポリ政府を支持していた西部の地方評議会からの支持が得られたこともあり、二〇一六年三月三〇日には、GNA議長に就任したファーイズ・アル・サッラージュを含む大統領評議会メンバーが旧国民議会の反対を押し切る形でトリポリ入りを果たした。当日は、トリポリ入りを阻止する旧国民議会支持派の民兵組織との衝突が懸念されていたことから、大統領評議会のメンバーはチュニジアから船でトリポリの海軍基地に到着した。一方、旧国民議会派内でもGN

Aの承認に賛同する勢力が相当な数に上っていた。こうした意向を踏まえて、四月初めには、トリポリ政府は大統領評議会に権限を委譲することを表明した。ただし、GNAはトリポリで執務を開始したものの、その場所は安全が保障された海軍基地内であった。この点において、リビアでのGNAの船出は厳しいものとなった。

この時期、国内の治安情勢はさらに悪化の一途をたどっていた。特に、国内で勢力を拡大していた「イスラーム国」の存在は、新たに誕生したGNAにとっても大きな課題であった。「イスラーム国」は、東部のダルナ、中部のスルト、そして西部のサブラータ近郊などに拠点を築き、軍や治安機関、石油施設、政府機関等の重要施設へのテロ攻撃を強めた。二〇一六年一月には、「イスラーム国」は西部のズリテンにある警察官訓練施設を標的にトラック爆弾攻撃を行った。この攻撃は、六〇人以上が死亡する国内最悪のテロ事件となった。この他にも、「イスラーム国」は、石油の三日月地帯にある石油施設への攻勢を強め、一部の施設では職員が退避したことから、石油輸出に支障を来す事態となった。このように、「イスラーム国」はリビアの社会的安定を妨げるだけではなく、国家再建にとって欠かすことができない石油産業を脅かす存在となった。

GNAのサッラージュ議長は、「イスラーム国」からリビアを守るための統合部隊の招集を国防大臣に指示し、「イスラーム国」にとって重要な拠点であったスルトの奪還作戦を行うことを明らかにした。五月半ばにはアメリカ・イギリス・イタリアの支援を受けたGNA連合軍によるスルト奪還作戦が始まった。同軍は、空軍基地、港、国際会議場を含むスルト近郊を次々と制圧し、六月半ばまでには市内中心部から約一〇キロメートル圏内を包囲することに成功した。

一方、ベンガジを中心にイスラーム主義武装勢力への攻勢を強めていたハフタル将軍は、スルト奪還作戦には参加しないとの立場を表明した。こうした姿勢には、リビア国民軍（LNA）が東部で進めていたイスラーム主義勢力との戦闘を続けていたため、その戦力をスルトでの戦闘に割く余裕がなかったことが関係していると思われる。また、こうした発言の裏には、「イスラーム国」の掃討作戦はGNAではなく、あくまでトブルク政府指揮下のLNAが主導することによって行われるべきであるという考え方があったと思われる。

こうした見方を反映するように、八月にはトブルクの代表議会は改めてGNAの承認案を否決した。これを受けて、ハフタル将軍の部隊は、GNA支持派の部隊が警備するシドラ湾東部の主要石油積出港を制圧した。これに対して、GNAのサッラージュ議長は、ハフタル将軍との対話を要請した。こうしたなか、一〇月一四日夜、職務を停止していた旧国民議会の支持部隊が、GNA国家最高評議会が議場として利用するホテルを制圧した。これに伴い、旧国民議会を代表するハリーファ・グワイルは新たに救国政府を樹立することを発表した。こうした動きに対して、GNAはもとより国連を中心とする国際社会は一斉に反発し、トブルク政府も冷ややかな反応を示した。これにより、トブルク政府とGNAに加えて、トリポリに新たに誕生した救国政府といった複数政府が乱立する状況となった。

一方、スルトでの「イスラーム国」掃討作戦は、米軍による空爆の効果もあり、九月末までに「イスラーム国」を市内の僅か一区画まで追い込んだものの、それ以降は膠着状態が続いた。GNA連合軍は地雷の撤去や住民の避難を進め、一一月末には「イスラーム国」への最後の攻勢をかけた。そして、二〇一六年一二月六日、「イスラーム国」の残党勢力との激しい戦闘の末、残る最後の一区画を制圧し、スルトから「イスラーム国」を追い出すことに成功した。これにより、六ヶ月以上におよぶスルトでの「イスラーム国」掃討作戦は終了し、GNAは「イスラーム国」からスルトを奪還した。この勝利は、GNA連合軍の主要部隊であるミスラータからの戦闘員を多く失う結果にもなり、大きな犠牲を伴った。こうして、「イスラーム国」は主要都市から駆逐されたものの、その脅威が完全に解消されたわけではなかった。

（上山　一）

54

複数政府体制

★困難になる国家再建★

国民和解政府（GNA）は、アメリカによる軍事支援を得て、スルトから「イスラーム国」の武装勢力を一掃することに成功した。他方で、モロッコ・スハイラートでの最終政治合意で唯一正統な立法府とされたトブルクの代表議会に対して、首都トリポリでは、旧国民議会支持派を中心とする救国政府もその正統性を主張し始めるなど、国内の政治情勢はより複雑さを増していた。トリポリでは、二〇一七年に入り、再び、救国政府を支持する武装勢力がGNAを支持する民兵集団との対立姿勢を強めることとなった。三月には、前年一〇月までGNA国家最高評議会が置かれていたリクソス・ホテルの支配をめぐって、双方の支持派部隊が激しく衝突した。時を同じくして、リビア東部の多くの地域を支配下に置いていたリビア国民軍（LNA）は、イスラーム主義武装勢力が占拠していたシドラ湾東部の石油積出港を制圧することに成功した。これによって、LNAは二〇一六年九月に制圧したGNA管理下の石油積出港に加えて、東部の主要な石油輸出ターミナルも支配下に置いた。これにより、石油部門に対するハフタル将軍の影響力はさらに強まることとなった。

国民議会がよく使うリクソスホテル。

一方、リビア西部では、政治的対立に呼応するように各政治勢力を支持する民兵集団間の衝突が激しさを増した。特に、ハリーファ・グワイル率いる救国政府（GNS）と国連を後ろ盾とするGNAをそれぞれ支援する民兵集団との緊張が高まった。グワイルは、GNA大統領評議会を「不面目の評議会」と表現して、その統治の正統性を認めない発言を繰り返していた。二〇一七年五月末には、トリポリで、救国政府や旧国民議会を支持するミスラータからの民兵集団とGNA支持部隊との戦闘が再燃し、GNA側で少なくとも三〇人以上の兵士が死亡する事態となった。これに対して、GNA側は激しい反撃を加え、救国政府支持部隊をトリポリから撤退させた。これを受けて、グワイルは、首都をこれ以上の被害から守る必要があるとして、同部隊をトリポリから撤退させることを表明した。

これにより、二〇一四年以降、ミスラータを中心とする旧国民議会支持勢力が握っていたトリポリ市内の支配権は、GNAに全面的に引き渡された。ただ、救国政府は依然として、GNAの正統性を認めておらず、救国政府支持部隊のトリポリ撤退によって事態が好転したといえる状況ではなかった。これ以降も、トリポリ周辺ではGNAと救国政府の各支持部隊との衝突が起きることになる。

（上山　一）

55

ハフタル将軍と東部政権

★有力政治家かそれとも新たな独裁者か★

リビア東部では、ハフタル将軍率いるリビア国民軍（LNA）がベンガジでイスラーム主義武装勢力への攻勢を強めていた。二〇一七年七月初めには、ハフタル将軍は、「三年以上続いたテロリストとの闘いの結果、ベンガジは解放された」と発表した。リビア第二の都市ベンガジの解放により、一般市民を含む多くの犠牲者を出したイスラーム主義勢力との戦いは終結に向かい、東部でのハフタル将軍の影響力はより盤石なものとなった。このことは、国民和解政府（GNA）が統一政府の樹立においてハフタルの意向を無視できなくなったことを示していた。

これを受けて、GNAのサッラージュ議長とLNAのハフタル将軍はフランスの仲介によりパリ郊外で会談を行い、早期の停戦（民兵集団の武装解除やリビア国軍の統合）に加えて、二〇一八年春を目途に議会選挙と大統領選挙を行うことで合意した。この会談は、二〇一六年一月のエジプト、二〇一七年五月のアラブ首長国連邦での会談に続くものとなった。今回の会談をめぐって、フランスのマクロン大統領がハフタル将軍とサッラージュ議長による「歴史的勇気」と発言したことは、事実上、フランスを含む欧米諸国がハフタルを正統な交渉相手として認めたことを示していた。

リビア西部の治安情勢は、「イスラーム国」の残存勢力、カッザーフィー支持派、その他の武装勢力が一定の影響力を保持していたことから、依然として流動的であった。首都トリポリから西に約七〇キロメートル離れたサブラータ近郊には、以前から「イスラーム国」の訓練キャンプが存在していた。このため、GNAによって新たに対「イスラーム国」作戦室が結成された。

しかし、同作戦室と同じくGNAを支持するダッバーシー旅団と呼ばれるサブラータの有力民兵集団が検問所で小競り合いを起こしたことをきっかけに、大規模な衝突へと発展した。ダッバーシー旅団は、二〇一五年以降、サブラータ西郊にある石油・ガス精製施設の警備を担っており、この地域での対「イスラーム国」掃討作戦にも参加していた。また、この民兵集団は、過去に地中海を渡る不法移民の人身売買によって利益を得ていたが、これまでの不法行為が免罪される代わりに治安要員として雇用されるというEUの提案を受け入れ、以後、不法移民を防止する役割を果たしてきた。

結果として、対「イスラーム国」作戦室は、サブラータを制圧したが、その一方で、ダッバーシー旅団を排除したことは、サブラータにおける部族間のパワーバランスに影響を与えたことで、同地域に混乱をもたらした。これに加えて、不法移民の抑制に向けたEUとの取り組みを挫折させる可能性もあり、不法移民対策に影を落とすこととなった。

一方、トリポリ最大の民兵組織であるトリポリ革命旅団とGNA内務省指揮下の特別防衛隊（RADA）は、二〇一七年一〇月以降、トリポリ南西のウェルシファナと呼ばれる地域で、旧政権支持派に加えて、ハフタル将軍の部隊に対しても攻勢を強めたことから、LNAとの緊張が高まった。

また、ＲＡＤＡはトリポリ市内にある国際空港の近くで、救国政府支持部隊とも衝突した。ＧＮＡが西部の治安情勢を一向に改善できないなか、一二月半ばには、ハフタル将軍が突如、二〇一五年末に合意した国連仲介のスハイラート合意は無効であるとして、この合意によって作られたどのような政府機関も認められないと宣言した。その一方、ハフタル将軍は、ＬＮＡは二〇一八年中ごろに行われる選挙と民主化プロセスを支持するとも発言した。

そこで、ハフタル将軍は、「もし選挙プロセスが失敗に終わった場合、いわゆる人民の委任によっては、自らを大統領と宣言するであろう」と発言した。こうした発言の背景には、まず、ハフタル将軍がエジプト、アラブ首長国連邦、ロシアといった国々からの支援を得て、国内での軍事的な優位が高まったという状況がある。もうひとつの背景として挙げられるのが、同じ時期に彼を支持する勢力がハフタルをリビアの大統領として委任するための一二〇万に及ぶ署名を集めるなど、国内での政治的な優位性が高まったことである。当然のことながら、ハフタル将軍の発言は、スハイラート合意を仲介した国々、ＧＮＡ、そして対立する政治勢力から大きな反発を受けた。ハフタル将軍の発言によって、国連仲介による統一政府の樹立は事実上、暗礁に乗り上げ、民主化プロセスの停滞は確実な情勢となった。

（上山　一）

56

民主化プロセスの停滞

★指導力を発揮できない国民和解政府★

既に記したように、ハフタル将軍率いるリビア国民軍（LNA）は、東部で支配地域を広げていった。一方、西部では、サッラージュ議長率いる国民和解政府（GNA）にとっての軍事的脅威であった救国政府（GNS）の支持部隊がトリポリから撤退した。しかしながら、GNAのトリポリでの影響力は依然として限定的なものであった。

スハイラート合意に従いトリポリに拠点を移したGNAに対して、当初、その承認に二の足を踏んでいた西部の有力部族やトリポリに居座る民兵組織は、徐々にGNAへの支持に傾いた。このことは、GNAを支持する見返りに、同政府指揮下の治安機関で雇用されること、そして、石油収入の分配などの同政府が持つ利権にあずかることを狙った動きと考えることができよう。GNA指揮下の治安機関とは名ばかりで、現実には、同政府は民兵組織の行動を統制することができず、時には暴走を許すことになった。このように、GNAが統一した軍事機構を持つことができないなかで、同政府指揮下にある民兵組織間の衝突に加えて、同政府から距離を置く民兵組織との対立が深まった。

二〇一八年一月に入り、トリポリのマイティーガ国際空港周辺で、市内東部のタジューラ地区を拠点にするイスラーム主義武装組織と、GNA国防省指揮下にあった第三三旅団を名乗る民兵集団が同空港を支配下に置く同政府内務省指揮下の特別防衛隊（RADA）と衝突した。この衝突は、第三三旅団が空港近くのRADA管理下の刑務所に拘束されていた仲間の脱獄を狙って攻撃を加えたことがきっかけであった。この攻撃は失敗に終わったが、その後も双方の民兵組織は支配地域をめぐって互いの民兵を逮捕・拉致するなど、対立を深めていった。こうした民兵組織間の縄張り争いは、首都の治安を揺るがす問題であり、夏以降、トリポリ全体を巻き込む戦闘に発展することになる。

一方、ハフタルが率いるLNAは、エジプト軍の支援を受けて、ダルナからイスラーム主義勢力（過激な宗教教義を掲げる戦闘的集団）を一掃するための準備に入った。ダルナはイスラーム主義勢力が集まる地域であり、過去には「イスラーム国」による国内拠点のひとつであった。同年五月には、LNAは、「ダルナ解放のためのゼロ時作戦」を宣言し、ダルナに進軍し、早々に同市を包囲することに成功した。この動きに対して、GNA国家最高評議会は即時の戦闘停止と国連リビア支援ミッション（UNSMIL）や代表議会による仲介を求めた。しかし、こうした懸念とは逆に、LNAはダルナへの攻勢を強めていった。

ダルナは元々、イスラーム主義者の影響力が強い地域であり、二〇一五年には「イスラーム国」でさえも地元のイスラーム主義武装勢力によって追放されるほどの独立心の強い地域でもあった。このため、LNAによる攻撃に対して、同地域での戦闘を主導したダルナ警護隊は当初、激しく抵抗した。元々、同組織は地元の有力なイスラーム主義民兵組織であり、アル・カーイダの関連組織とも指摘されていた「ダルナ聖戦士評議会」の後継組織であった。しかし、LNAによる激しい空爆によって、イスラーム主義民兵組織は六月半ばには市内中心部のわずか一〇平方キロメートルの区域まで追い詰められた。そして、六月末には、LNAは民兵集団による根強い抵抗が続いていたダルナ中心部の一区画を制圧し、市内全域を支配下に置いた。これによって、ハフタル将軍は、東部での軍事的な支配体制をより強固なものとした。

話は前後するが、二〇一七年五月末には、フランスのマクロン大統領の仲介により、再びGNAのサッラージュ議長とハフタル将軍との会談がパリで行われた。この会談で、二〇一八年春に実施される予定であった議会選挙と大統領選挙を同年一二月に行うことで合意した。今回も昨年のパリでの会談と同様に合意文書に署名されることはなかったが、選挙の実施日や選挙法の整備など、具体的な工程表が示されことは一定の前進と言える。だが、リビアの治安情勢に鑑みると、実現可能性はきわめて低いとの見方が一般的であった。

実際、この合意は守られることはなく、リビアでの民主化プロセスを再び妨げる出来事が首都トリポリで発生する。八月末には、トリポリを拠点にする四つの主要民兵組織とトリポリ南郊を本拠にするタルフーナからの第七旅団（アル・カーニー旅団）と名乗る民兵組織が衝突した。この衝突は、トリポリ郊外に支配地域を拡大していた第七旅団がトリポリ市内を拠点にする有力民兵組織の支配地域に突如、進軍したことによって引き起こされたものであった。第七旅団による制圧地域の拡大に伴い、衝突は瞬く間にトリポリ全域に拡大した。

こうした事態に対して、GNAのサッラージュ議長は非常事態を宣言した。衝突開始から一週間後には、UNSMILの仲介により停戦が合意された。だが、第七旅団やそれを支持するトリポリ周辺の民兵組織は、首都を支配する有力民兵組織への不満を表明した。これら対立する民兵組織は、トリポリ市内を実効支配する民兵組織がGNA指揮下にあることの特権を利用して、銀行で預金を引き出そうとする市民を脅迫し、彼らの目の前で平気で何万ドルもの銀行預金を取り上げ、ブラックマーケットを利用して不当に利益を得るなどの汚職行為に及んでおり、そうした勢力を一掃するために立ち上がったと主張した。

また、こうした主張に対して、UNSMILのガッサン・サラメ特使も耳を傾ける姿勢を示している。今回、民兵組織同士の衝突が起きた背景には、トリポリ市内の治安維持を担う見返りに、GNAから給与を受け取る一方で、支配地域での利権にあずかってきた主要民兵組織への不満の高まりが大きく関係している。第七旅団などの対立する民兵組織は、停戦合意後も制圧した地域からの撤退に応じなかったことから、戦闘再開の懸念が高まった。

二〇一八年九月半ばには、再び民兵組織間の戦闘が起き、停戦合意は早々に破られた。この戦闘再開は、旧国民議会支持派の軍事連合「リビアの夜明け」で中核を担ったミスラータの強硬派であり、GNAの正統性を認めないサラハ・バダイ率いる「アル・スムード（抵抗戦線）旅団」と名乗る民兵組織によって引き起こされた。アル・スムード旅団は、トリポリ中心部のアブー・サリーム地区を拠点にする民兵組織の支配地域に侵攻した。九月末には、GNAによって再び停戦合意がなされ、対立する第七旅団およびアル・スムード旅団はトリポリ市内の制圧地域から撤退した。ただし、八月末に始まった一連の戦闘により、少なくとも一一〇人以上が死亡したことは、GNAによる統治能力の欠如を示す結果となった。一連の大規模衝突は、カッザーフィー政権崩壊以降も首都に居座る民兵集団に治安維持を委ねたことに反発した他の民兵集団の不満を反映したものであった。リビア全体の治安情勢が安定しないなか、この年の一二月に予定されていた選挙の実施はさらに延期された。

（上山　一）

57

残る植民地支配の後遺症

★中東世界に共通する問題★

近代のリビアは長い間、西洋列強の標的とはならず空白地となっていた（第8章を参照）。ヨーロッパ列強による中東・アフリカへの帝国主義的侵略による分断と植民地支配の競争に乗り遅れたイタリアは、残った内陸部の「空き地」に目をつけて侵略したが、このようなイタリアの占領によって初めて「リビア」という国の枠組みが定められたのである。

一九一一年からイタリアによる過酷な植民地支配を受けることになったリビアは、その後もイタリアの軍事政権による長期間の独裁支配という苦難の歴史を引きずっていた。そのために、二〇一一年になって突発的に発生した民衆蜂起には、自国にふさわしい民主主義を打ち立てようとする市民の意識が働いていたことは、事実でもあった。しかし、両隣のチュニジアやエジプトと同様に、リビアでも独立以降の六〇～七〇年間、軍事独裁政権のもとで、言論の自由も奪われ、公正な総選挙も実施されることがないままで、いわば何らの経験もなく、初めて民衆蜂起を迎えてしまった。若者たちを中心とした民主革命は一応の成功を見たものの、その後に民主的な政権を打ち立てるための知識も政策も、十分に準備されてはいなかった。

第57章

残る植民地支配の後遺症

前述のように、北アフリカ各地では、初期の民衆蜂起の最中には、政治的イスラーム集団は影をひそめていたが、運動が一段落した途端に、新たに獲得した言論の自由を掲げて、どの国でも一様にイスラーム主義者が台頭してきた。

エジプトでは、革命後の一時、ムスリム同胞団が圧倒的多数の支持を受けて政権を掌握していたが、政権運営の失敗から、わずか一年で軍事独裁政権にとって代わられることになった。しかも、ムスリム同胞団は非合法化されてしまい、社会の情勢不安はますます深刻化している。チュニジアでは、新政権が約束した経済再生と失業対策が改善されないままになっており、その間隙をついて、若者の間で短絡的で過激なイスラーム主義が横行してきている。アラブの民衆蜂起の最大の成功国だと言われるチュニジアからは「イスラーム国」（IS）へ流入する若者の数がもっとも多くなり、推定で四〇〇〇〜五〇〇〇人にのぼる。エジプトやチュニジアの主な外貨獲得源は観光業であるが、国内の治安が安定しなければ、観光業は成り立たない。人影が消えゴミが舞う寂れた観光地では、誰もが悲しそうな顔で「前政権のほうがよかった」とつぶやいていた。

リビアでは両隣の二国とは異なり、早い段階で民主的な暫定政権が始動したが、それも二年間しか持たなかった。その後は正統な政権を名乗る複数の集団が跋扈し、内戦状態が繰り返されている。リビアは国内に豊富で高品質の原油や天然ガスを産出する資源大国であるが、特異な社会制度を敷いていた前政権の後遺症は深刻で、豊かな天然資源から得られる権益の配分が滞っている。さらに前政権に直接関わった人物の排除作業が続いており、新国家の運営に不可欠の熟練した政治家や公務員の多くが表舞台から消えてしまった。そのためにあらゆる面での事務処理や管理能力が失われ、不満を募

内戦を潜り抜け、保存状態の良い世界遺産サブラータの遺跡。ハーテム氏撮影、2019年5月。

らせた部族同士の利害関係をめぐって、市街戦も発生している。

リビアの事態をさらに悪化させているのは、武器の蔓延である。カッザーフィー政権を倒すためにNATOによって国内にばらまかれた大量の武器が、いまだに市民の手に残されている。市民から武器を買い集めて武装蜂起する集団も存在しており、統一政権の成立が困難となっている。リビアに正規の統一政府を結成するために、二〇一七年九月に「国連リビア支援ミッション」（UNSMIL）が、リビアの全勢力が参加できる「国民会議」を開催するという新たな和平案を提案しているが、統一政権が樹立され、リビアが「普通の国」になるには、まだ時間がかかりそうである。

（塩尻和子）

58

民衆蜂起の果てのカリスマ待望論

★カリスマを排除したものの★

チュニジアに始まり、エジプト、リビアへと移り、紆余曲折を経ながらもそれぞれの長期独裁政権を転覆させ、同時に周辺のイエメン、シリア、ヨルダン、バハレーンなどのアラブ諸国での反政府運動の引き金となった中東の「民衆蜂起」と呼ばれる現象は、何を意味していたのか。世界中から「アラブの春」という、やや侮蔑的な言葉をもって見つめられていたこれらの民衆蜂起は、現在では、かろうじてチュニジアで新政府が生き残っているものの、エジプトでは元の軍事独裁政権が舞い戻り、リビアでは、現在もなお、統一政府を樹立できないまま混乱が続いている。「民主主義的」な国家造りを希求して独裁者を排除したはずの社会では、複雑に絡み合った混乱を収拾するために再び「カリスマ」の待望論が展開している。

中東の国々は西洋列強による植民地支配と、独立後のアラブ・ナショナリズムに翻弄されただけでなく、一九四八年にイスラエル国が建設されるにともなって四次にわたる中東戦争を戦い、社会的にも経済的にも疲弊した地域となっていった。しかし、石油や天然ガスの発見によって、一部の地域は豊かな自然エネルギーの供給源としての重要な役割が認められるに至っ

トリポリの殉教者広場の独立記念日の集会。2012年12月24日。

て、非民主的な長期独裁政権の存在は、欧米にとっては戦略上、有利な材料となった。アラブの民衆蜂起が一応の終息を迎えた後も、欧米による軍事介入と政治的支配の政策がなにも変わっていないのは、豊かで安価な天然資源の供給地としての役割が残っているからである。チュニジアやエジプトが曲がりなりにも自らの政府を再建することができたのは、天然資源という国際的な重要度が乏しかったことにもよる。

四二年間にわたって、その独特の政治思想をもとにしてリビアを支配したカッザーフィーが殺されたあと、反政権闘争を成功させた国民評議会が直ちに民主的な政府

第58章

民衆蜂起の果てのカリスマ待望論

を樹立しようと努力してきたにもかかわらず、二〇一三年以降から今日に至るまで、リビアの国内は各種の政治的勢力や部族勢力によって、安定的に成立した政権を置くこともできず、二〇二〇年二月現在に至るも、いくつもの集団に分裂して激しい権力闘争を繰り返している。しかも、この混乱に乗じて、イラクやシリアで拠点を失った「イスラーム国」（IS）の兵士たちが、半ば空白地帯と化したスルト一帯で「ISリビア州」を立ち上げ、勢力の回復を画策している。このような収集のつかない大混乱のなかで、一般の人々は命の危険にさらされながらも、一度追い出したカリスマ的独裁者の存在を再び求め始めている。私のリビア人の友人たちも「リビアはカリスマ性のある独裁者でなければ、治められない」という。それでは、誰がその統治能力のある独裁者なのか。

次世代の指導者として、今日、多くの国民から期待されているのは、なんとカッザーフィーの次男で、カッザーフィーの生前から後継者と目されていたサイフ・アル・イスラームである。彼は二〇〇〇年のころから、父親の名代として世界を歩き回り、リビアが抱えていた多くの難問の解決に貢献してきた。（第22章を参照）

彼は一九九〇年代後半から海外留学の傍ら、父親であるカッザーフィー指導者の意向を受けて非公式な形で対外関係や国内の経済・社会開発計画の策定などに関与し始めた。二〇〇〇年代に入ると、カッザーフィー国際慈善団体の総裁としてロカビー事件（一九八八年一二月の米パンナム機爆破事件）やUTA（フランス民間航空）機爆破事件（一九八九年九月）犠牲者遺族との補償交渉（二〇〇三年八〜九月妥結）などを取り仕切り、また、リビアが支援していた世界各地の反政府組織の人質となっていた西欧諸国人の解放交渉などにも関与した。このような状況を背景に、二〇〇三年九月には国連の制裁（一

独立記念日に集まる若者たち。トリポリの殉教者広場、2012年12月24日。

九九二〜九八、その後一時停止）が正式に解除されてリビアは国際社会に復帰し、欧米を中心とする諸外国との関係が急速に緊密化した。

彼は特別に役職を与えられてはいなかったが、父に次ぐ実力者の一人として独裁体制を支えると同時に、国内の政治社会体制の改革を試みようとしていた。私も日本の国連大学での彼の講演を聞いて、次世代のリビアを担う開明的な人材だと感じたものである。

（塩尻和子）

59

大統領選挙への期待

★国家分断の解消に向けて★

カッザーフィーの次男サイフ・アル・イスラームは、二〇一一年二月に反政権闘争が起きると、父親のカッザーフィー、旧政権の諜報機関部長であったアブドゥッラー・アル・サヌースィーと共に反政権派への弾圧に加担したとして糾弾され、六月にはオランダ・ハーグの国際刑事裁判所（ICC）から人道に対する罪で逮捕状が出され指名手配されていた。

しかし、八月に反政権派がトリポリを制圧してカッザーフィー政権は崩壊し、一〇月にはカッザーフィーがスルト郊外で反体制派により殺害された。一一月にサイフ・アル・イスラームは南部の砂漠地帯にあるウバリ（トリポリ南方六四〇キロ）近郊でニジェールへの逃亡を企てていたところを反政権派民兵により身柄を拘束され、彼らの本拠地ジンターン（トリポリ南西一四〇キロの町）に移送された。

ジンターン及びトリポリでサイフ・アル・イスラームに対する裁判が断続的に行われ、二〇一五年七月にトリポリの裁判所が旧政権の要人四名と共に彼に対する銃殺刑の判決を下した。しかし、刑の執行はされないまま彼の身柄はジンターンの民兵集団が拘束を続けていた。

Ⅸ
統一国家再建への期待

二〇一七年六月に至り、ジンターンの民兵集団が「サイフ・アル・イスラームは既に釈放された」と発表し、二〇一八年三月には、彼の弁護団の一人がチュニジアから「サイフ・アル・イスラームは次の総選挙で大統領選挙に立候補する意向である」と発表した。彼の支持母体は二〇一六年一二月に彼の支持者が結成した民兵・政治活動組織「リビア解放人民戦線」で、トブルクを拠点とする東部政権とそれを支持するリビア国民軍（LNA）と協調していると伝えられる。サイフ・アル・イスラームは、旧政権時代に人気があったとはいえ、独裁者の後継者とみなされていて、反政権闘争の初期には、軍事力が勝っていたリビア政府軍を指揮して反体制派を攻撃した。カリスマ性があるとは言われるが、彼には、常に暗殺の危機がついて回る。そのためか、二〇二〇年二月現在、彼の居場所は極秘とされている。おそらく近隣の国で保護されているのであろう。

しかし、いまだリビア国内は二つの「政府」によって二分されたままであり、無事に大統領選挙が実施されるかどうかはわからない。トリポリを拠点とする国民和解政府（GNA）の統治能力は、いまだ弱く、それを見透かすように、東部の実力者であるハフタル将軍が軍事力に物を言わせて、旧政権の残党を取り込んで政治的復権を目指していると指摘されている。そうなれば、ハフタル将軍にとっては、サイフ・アル・イスラームの存在は彼の野望にとって邪魔な存在にしかすぎない。

時間ばかりが過ぎ、約束された大統領選挙も、憲法制定の作業もなかなか動きださなかった。二〇一八年二月にフランスのマクロン大統領がチュニジア国会での演説で「リビアへの軍事介入は大きな誤りであった」と発言したことは注目され、その年の五月にパリで開催されたリビア和平会議につながる成果もあった。会議では、サッラージュGNA首相、サーレハ代表議会議長、ミシュリー国家評議会議長、ハフタル将軍（LNA総司令官）が共同声明を発表し、二〇一八年一二月一〇日に議会選挙、大統領選挙を実施することで合意し、国家機関の統一に尽力することを約束した。

その一方で、ハフタル将軍は、「もし選挙プロセスが失敗に終わった場合、いわゆる人民の委任によっては、自らを大統領と宣言するであろう」とも発言したとされる。こうした発言の背景には、前述のように、ハフタル将軍がエジプト、アラブ首長国連邦、ロシア、さらにサウジアラビアといった国々からの支援を得て、国内での軍事的な優位が高まったという状況がある。それによってハフタル将軍の動きを軸として、中東諸国の立場が二分されることになった。この間、GNAを支持するトルコやカタールと、バイダーの東部政権を支援するエジプトやサウジアラビア、ロシアなどとの間の代理戦争に発展し、さらに泥沼化する危険性も危惧される。特にトルコが二〇一九年一一月に、リビアのGNAとの間で安全保障および軍事協力に関する覚書に合意したことに加え、広大な排他的経済水域を定める覚書にも合意し、東地中海でのガス田開発に参画することを表明するなど、トルコとの関係が深まっていることも、国際関係上の新たな問題となっている。

また、前述したようにハフタル将軍の発言によって、国連仲介による統一政府の樹立は事実上、暗礁に乗り上げ、民主化プロセスの停滞は確実な情勢となっている。実際に、いまだに議会選挙も大統領選挙も、なにひとつ実施されることなく混乱だけが続いている。その上、これまではトリポリのGNAを支持していたアメリカ合衆国が二〇一九年四月一九日にハフタル将軍を支援することを表明して、波紋が広がっている。

他方で、二〇一九年六月には、サッラージュGNA首相がテレビ演説でリビア危機の政治的解決案を発表し、年末までに国連との調整でリビアの全勢力が参加する国民会議を開催し、危機の平和的・民主的解決、軍事国家への反対、法治国家の建設、人民の意思の尊重を実現する憲法的基礎の検討などを議論した。その後、国民会議で憲法的原則が合意された後、二〇一九年末までに議会選挙と大統領選挙を実施すると発表されたが、実施されることはなかった。

（上山　一）

60

新生リビアの安定は可能か

★国際社会の支援と介入★

二〇一九年八月には、国民和解政府（GNA）のムハメッド・シアラ外務大臣ほか四名による代表団が、横浜で開催されたTICAD7に参加して、新生リビアの現状が安定してきたことを強調して、日本からの経済支援を要請した。

この間、リビアの国家再建を支援する国連リビア支援ミッション（UNSMIL）が、二〇一五年一月から、トリポリのGNAとバイダーに設置された東部政権という東西二つの政府を含む国内各勢力を集めて政治協議を開始したことは、第52章で説明した。初会合はジュネーヴで行われ、次いでリビアのガダーミス、モロッコのスハイラート、アルジェリアのアルジェ、ドイツのベルリンで協議が継続されてきた。しかし、数度に及ぶ停戦協定においても、各自の利害関係が競合して、合意に至ることができないでいる。

二〇二〇年一月二〇日には、ベルリンで開催された国際会議で、停戦条件に関する共同声明が発表されたが、その場には、敵対する当事者のサッラージュ暫定首相と軍事組織のハフタル将軍（バイダーの東部政権では総司令官）の二人は顔を合わせることがなく、代わりにロシアやトルコなど関係各国が集まり、持

国民和解政府の外務大臣シアラ氏、TICAD 7に参加、横浜で。2019年8月。

続的な停戦を目指すとした。ロシアのプーチン大統領やトルコのエルドアン大統領ら関係各国の首脳たちが一段と持続的な停戦を目指すことで合意し、委員会を設置して持続的な停戦の条件を議論することになった。

会議終了に際して発表された共同声明では、関係各国が「リビアの武力紛争ないし内政問題への介入を控える」よう努力するとともに、「国際的な全ての当事者に同様の対応を求める」とし、「停戦の取り決めに違反していることが分かった者」に対する国連安全保障理事会による適切な制裁を呼び掛けている。

今回の会議で決定されたことは、トルコが支援するサッラージュ暫定首相と、ロシアの支援を受け、東部を拠点とする有力軍事組織「リビア国民軍」（LNA）を率いるハフタル将軍とが、委員会メンバーを五人ずつ指名し、国連は数日中にジュネーヴで委員会会合を開くことを求めるというものである。

ただ、今回の国際会議の主催者は、サッラージュ暫定首相とハフタル将軍がベルリンで顔を合わせることがないよう慎重に手配し、二人とも国際会議が開かれた部屋に姿を見せず、別々のホテルにこもって過ごすなどしたと言われる。今回の会議の前に、ハフタル将軍の支持者は、同将軍の支配下にある港湾からの石油輸出阻止に動いた。これによりリビアの石油輸出は五〇%あまりも減少することになるとみられる。サッラージュ暫定首相はこの問題について、ハフタル将軍に停戦の用意がないことを示すとみて、警戒を強めている。

ドイツのメルケル首相は一九日夜、停戦への「道筋が難しくないという幻想は抱いていない」と記者団に述べた。同首相はサッラージュ、ハフタル両氏と会議前に個別に会談していた。メルケル首相は、会議に参加した首脳らがリビア国内の勢力へのさらなる軍事支援を行わず、政治的解決に取り組むことで合意したと発言した。リビアの石油収入を公平に分配することも和平プロセスに含まれるだろうと語った。

政権交代後のリビアを巡っては、欧米やアラブ諸国がそれぞれの利害関係に応じて二つの政府に食指を伸ばしており、武器の供与や軍隊派遣などの政治的軍事的な介入を強めてきているが、なかでもロシアとトルコの軍事的介入はむき出しの利害関係によるもので、新しい国際紛争が起こる不穏な状況を呈している。今回の会議でも、トルコはリビアの暫定政権（トリポリ）を、ロシアは反政府勢力（トブルクとバイダー）をそれぞれ軍事的に支援している。リビアの良質で豊富なエネルギー資源へのアクセスも、国際的な利害関係の要因となっている。あってはならないことであるが、リビア国民の生存に関わる「祖国の資源」が国際関係の餌食になっていることは、新生リビアの再建を阻害するものであると危惧される。リビアの人々が平和裏に生きていくために、一日も早い内戦終結が待たれる。

そのためには、同時に国際社会も何よりも人道的な配慮を優先するべきであろう。

これまでの経緯から考えると、この国際会議での共同声明が実行されるかどうかは不明であるが、一日も早く統一政府が樹立され、国民の生命・財産が守られるように、日常の平穏な暮らしが戻って来るように、リビアの人々の顔を思い浮かべて、心から祈る。先進国や近隣のアラブ諸国も、リビア社会の福利厚生を復興させるための支援は行っても、外部からの政治的経済的な利害関係に基づいた恣意的な支援や軍事介入は、決して行わないでほしいと願うものである。

リビアには、厳しい独裁政権のもとで四二年間を生き延びてきた逞しい人々が住んでいる。あるリビアの若者は、リビアの長所として、「砂漠と蒼い地中海と遺跡」を取り上げ、「なにより住んでいる人々のやさしさ」と付け加えた。これからリビアを訪れようとするすべての人が、忘れないようにしなければならない「心の言葉」である。終わりの見えない戦乱状態のなかにあっても、心のやさしさを失わない人々の姿が、次の【コラム23】からもうかがえる。

（塩尻和子）

コラム23

ハーテム・ムスタファ・ムフターフ／塩尻 宏 訳

祖国への想い

私の夢は、公正と安寧を与え、国民にとって価値ある祖国を持つことです。このような思いは、日本（私にとっては誇らしい第二の祖国）での留学期間中も私の脳裏から去ることはありませんでした。だから、祖国愛というものはいずれの人間もが生まれながらにして持つものなのだと思っています。

二〇一一年二月の出来事（リビア新政権の樹立）が一段落すると、リビア国内のあらゆるレベルで変化が見られるようになりました。私たちが待ち望んだ夢の実現が可能となったと思わせるものでした。

元サブラータ市長、ハーテム・ムスタファ・ムフターフ氏。

二〇一二年と二〇一三年の二年間は経済の活性化、期待感の高まり、市民社会の出現、自由環境の改善、地方自治法の交付など当時としては前向きな変化が見られました。二〇一三年末にはリビア地方自治体の選挙が宣言されました。

このような状況下で、私は何人かの友人の強い勧めで初めての地方選挙に立候補して最多得票で当選し、（私が育った町である）サブラータの市長となりました。私が構想したのは、正しい基礎を持ち、全ての人々が参加する協同的な戦略計画による地方都市を作ることでありました。しかし、このような希望や構想は、二つの当事者集団間の政治的分裂とぶつかることになりました。それらは西部の革命家たちを代表するアル・ファジュル（「夜明け」）と東部の軍人たちが率いるアル・カラーマ（「尊厳」）です。

私たちが選出された市議会もその活動を始めた途端に戦争が勃発し、国内に二つの政府と二つの議会ができ、予算もなくなってしまったのです。ガソリンがなくなり、食料は欠乏し、避難民がやって来ました。住民たちは生活必需品を要求していましたが、戦争に参加して負傷したり捕虜になったりした者たちの家族らには、それは当然の要求です。私たちは調停の努力を尽くしたのですが、中立の立場では、その声は弱いものでした。

どうやら、戦争の決定は国境の外から来ているようで、この戦争の指揮官たちにはそれを止める能力はないようでした。更には、双方の戦闘集団は調停の呼び掛けや助けを求める声、身内を失った嘆きや戦争を止めてほしいとの懇願に耳を貸すことはなく、むしろ、銃弾の音の方が強かったようです。しかし、ある日突然に銃弾の音が止み大砲は沈黙しました。しかしそれは一日だけで、真相は、女性の米国大使が無事にリビアを離れるための配慮であったのです。戦争指揮官に出されたこの大国からの指令は、大砲の音よりも救援を求める声よりも強力であったようです。

戦争の悪い側面としては、人を世界から精神的、経済的、その他地理的にも隔離することであり、私自身が酷く影響された状況と言えば第二の家族（日本のアカサカ・マコトさんとその夫人、アカサカ・カズコさん）を訪問できなかったことです。アカサカ夫人は私に、彼女が不治の病にかかっていてそう長くないと連絡してくれていました。祖国の戦争のため残念ながら第二の祖国を訪問してアカサカ夫人に会うことができず、会えないまま彼女は亡くなったのです。病も戦争も私を追い越して行ってしまいました。

※この文章は、元サブラータ市長ハーテム・ムスタファ・ムフターフ氏が上山一宛てに二〇一九年六月五日付けで送ってきた手紙である。ハーテム氏は日本の佐賀大学に留学した経験を持つ。原文アラビア語。

London, 1983.

Ham, Anthony, *Libya*, Lonely Planet Publication, 2nd Edition, 2007

Haynes, D. E. L., *Antiquities of Tripolitania*, Darf, London, 1965.

Kamiyama, Hajime, “The Libyan Economy After the 2011 Revolution — Economic Reform and Future of the Oil-producing Nation”, in Hiroko Isoda, Marcos Neves, Atsushi Kawachi (Eds), *Sustainable North African Society: Exploring Seeds and Resources for Innovation*, Nova Science Publishers, Inc, New York, 2014.

Khadduri, Majid, *Modern Libya: a study in political development*. Johns Hopkins Press, Baltimore, 1963.

Muscat, Frederick, *September One, a Story of Revolution*, Link Books, 1981.

——, *My Parents My Son*, Aedam Publishing House LTD. 1980.

Santarelli, Enzo et el, *Omar al-Mukhtar, The Italian Reconquest of Libya,* tr. by John Giblia, Darf, London, 1986.

Simpson, Macdonald K.B., *When Darkness Falls Across The Desert*, HAMILTON CO.

PUBLISHERS LTD, LONDON, 2004.

St. John, Ronald Bruce, *Libya: Continuity and Change*, Routledge, London and New York, 2015.

Vandewalle, Dirk, *A History of Modern Libya*, Cambridge University Press, New York, 2006.

――「リビア革命とカダフィの挑戦①」(『中東研究』第512号 Vol.II　2011年度)、中東調査会、2011年
――「リビア カダフィの理想と挫折」『世界』10月号、岩波書店、2011年
――「カダフィの死と新生リビアの展望」『季刊アラブ』No.139、2011年
――「リビア革命とカダフィの挑戦②」『中東研究』第513号、中東調査会、2011年
――「新生リビア見聞記」website『asahi 中東マガジン、中東レポート』、朝日新聞社、2013年
――「新生リビアの行方」外務省委託調査『北アフリカ地域における主要『部族』の役割に関する調査研究』、エリコ通信社、2014年。
田中友紀「カッザーフィー政権崩壊後の混乱要因と背景――ベンガージを中心としたリビア東部地域に着目して」平成26年度外務省外交・安全保障調査研究事業『サハラ地域におけるイスラーム急進派の活動と資源紛争の研究――中東諸国とグローバルアクターとの相互連関の視座から』日本国際問題研究所、2015年
――「現代リビア政治における『部族』と『地域』――カッザーフィー政権移行期の支配アクターに着目して」『イスラーム世界研究』第10号、2017年
――「カッザーフィー体制下の女性と結婚」『結婚と離婚』〈イスラーム・ジェンダー・スタディーズ 1〉、明石書店、2019年
野田正彰『リビア新書』情報センター出版局、1990年
――『砂漠の思想：リビアで考えたこと』(前掲書の改訂版) みすず書房、2005年
ムアンマル・カッザーフィー『緑の書』藤田進 (訳)、第三書館、1980年

欧　文

Blundy, David & Lycett, Andrew, *Qaddafi and Libyan Revolution*, Corgi Books, 1988.
Fergiani, Mohammed Bescir, *The Libyan Jamahiriya*, Darf Publishers LTD,

参考文献

和　文

江口朴郎・板垣雄三編『交感するリビア ―― 中東と日本を結ぶ』藤原書店、1990年4月
石毛直道『リビア砂漠探検記』講談社文庫、1973年
上山一「リビア経済と石油部門の動向」『季刊アラブNo.161』日本アラブ協会、2017年10月
最首公司『アラブの新しい星』弘報出版、1972年
佐々木良昭『リビアがわかる本』ダイナミックセラーズ、1986年7月
塩尻和子『リビアを知るための60章』明石書店、2006年
塩尻和子「リビア情勢を読み解く」『中東研究511号』中東調査会、2011年6月
――「民主化ドミノと脱宗教化という幻想」『現代宗教2012』国際宗教研究所編集、秋山書店、2012年7月
――「中東民主化過程における若者たちの苦悩の原因」『人間会議2012夏』宣伝会議、2012年6月
――「北アフリカの民衆蜂起と宗教回帰 ―― リビアを中心に」『中東研究』第515号、中東調査会、2012年10月
――「生きられる宗教と宗教学 ―― イスラーム研究再考」『東京大学宗教学年報第30号（特別号）東京大学宗教学研究室、2013年
――「北アフリカで再びのカリスマ待望論」『季刊アラブ』(2014年夏、No.149)、2014年
――「アラブの民衆蜂起からカリスマ待望論へ」『福音と世界』12月号、2017年
塩尻和子・小林周『中東・アフリカ』〈世界地名大事典 3〉、朝倉書店、2012年
塩尻宏「リビア情勢現地報告」『中東協力センターニュース』第29回中東協力現地会議特集号、中東協力センター、2004年
――「最近のリビア情勢」(中東情勢分析報告)、エネルギー経済研究所、中東研究センター、2006年

2016.3.12	国民和解政府（Government of National Accord, GNA）が暫定的に業務を開始、リビア国外で GNA 内閣の発足を宣言。
.3.3	サッラージュ GNA 首相と大統領評議会メンバーらがチュニジアから海路でトリポリに帰着。
.4.5	トリポリの救国政府（GNS）、国民和解政府（GNA）への権限移譲を発表。翌 4.6 に移譲を撤回。
.4.5	新国民議会、任期終了と国家最高評議会への改組を決議。
.4.19	EU が国民和解政府をリビアの正統な政府として承認するとの声明。
.8.22	トブルクの代表議会が国民和解政府の承認を否決。
2017.3.29	ヨルダンで開催されたアラブ首脳会議で、国民和解政府の大統領評議会を支持の声明。
.5 下旬～	救国政府や旧国民議会を支持するミスラータからの民兵集団と国民和解政府支持部隊との戦闘がトリポリで再燃。
.6.9	カッザーフィーの次男、サイフ・アル・イスラームがジンターンの刑務所から釈放される。
.7.16	サッラージュ GNA 首相が改革案を発表、2018 年 4 月に議会選挙と大統領選挙を実施と発表。
.9.2	サッラージュ GNA 首相が国連総会で演説。
2018.5.30	パリでリビア和平会議が開催。
.12.6	最高選挙委員会が憲法草案国民投票の予定日程を 2019 年 2 月にすると発表。
2019.4.4	リビア国民軍（LNA）のハフタル総司令官がトリポリへの進軍を命令。
.6.16	サッラージュ GNA 首相がリビア危機の政治的解決案を発表、国連との調整でリビアの全勢力が入る国民会議の開催を呼びかける。
.8.26～30	GNA のムハメッド・シアラ外務大臣ほか 4 名による代表団が横浜で開催された TICAD7 に参加のため来日。
.9.12	国連安保理が、国連リビア支援ミッション（UNSMIL）の任期を 2020 年 9 月 15 日まで延長と決議。
2020.1.20	ベルリンで関係各国がリビアの停戦条件を協議。

2011.3.5	反体制派によって国民評議会（National Transitional Council, NTC）が発足。
.3.17	国連安保理、対リビア制裁強化（飛行禁止区域設定を含む）決議1973号。
.3.19	多国籍軍による対リビア軍事作戦が始まる。
.3.29	イギリス、フランスなどの有志国がリビアに対する連絡調整会合（Contact Group Meeting）設立。
.8.3	国民評議会が憲法宣言公布。
.8.22	国民評議会派勢力が首都トリポリを制圧、ジャマーヒーリーヤ体制崩壊。
.9.16	国連総会、国民評議会をリビア代表として承認、国連リビア支援ミッション（UNSMIL）が設置される。
.10.2	国民評議会派勢力がスルト（シルテ）を制圧、カッザーフィー指導者殺害される。
.10.23	国民評議会がベンガジでリビア全土の「解放宣言」を行う。
2012.7.7	国民議会選挙実施。
.8.8	国民評議会、国民議会（GNC）に権限移譲。
.11.4	移行内閣成立。
2013.1.8	国民議会、国名をリビア国（State of Libya）と決議。
2014.2.20	憲法起草委員会選挙。
.6.25	代表議会選挙。
.8.4	トブルクで代表議会（HoR）開催、トリポリの国民議会政権は新国民議会として継続。リビア議会が東西に分裂する。
.9.6	トリポリに救国政府（GNS）が成立。
.9.22	バイダー（ベイダ）に、トブルクの代表議会の認証を得て、東部政権が成立。
2015.1～	国連リビア支援ミッション（UNSMIL）主催リビア政治協議開始。
.7.28	トリポリ刑事裁判所での欠席裁判でカッザーフィーの次男サイフ・アル・イスラームを含む旧政権幹部9名に銃殺刑の判決。
.12.17	東西両議会の代表団、モロッコのスハイラート（スキラット、Sukhairāt）でリビア政治合意に署名

.9.11	カッザーフィー国際慈善基金、UTA機爆破事件犠牲者遺族との補償交渉で合意に達したと発表。リビアの国際社会復帰を公表。
.9.12	国連安保理、対リビア制裁解除決議（賛成13、反対0、棄権はフランスとアメリカの2ヶ国)。
.12.19	大量破壊兵器放棄宣言、国際査察団の受け入れを表明。
2004.1.6	化学兵器禁止条約（CWC）加入書寄託、包括的核兵器禁止条約（CTBT）を批准。
.2.5	化学兵器禁止条約発効（159番目の締約国となる)。
.2.8	アメリカ外交当局者、在リビア利益代表部を再開。
.4.27	カッザーフィー、ベルギー（EU）訪問。
.6.8	逢沢外務副大臣リビア訪問、カッザーフィー指導者と会談（～10)。
.6.27	バーンズ・アメリカ国務次官補リビア訪問（～28)
.6.28	アメリカ、在リビア利益代表部を連絡事務所に格上げ。
.9.3	ベルリンのディスコ「ラ・ベル」事件補償合意調印。
.9.20	アメリカ、対リビア制裁一部解除（86年国際緊急経済権限法(IEEPA)に基づく国家緊急事態を解除(対リビア貿易制限解除、リビア資産凍結解除、対リビア飛行制限解除)、しかしテロ支援国指定は解除されず。
2005.4.3	セイフ・アル・イスラーム来日（愛知万博賓客）(～9)。
.10	日本企業5社が6石油鉱区落札。
2006.3	全国人民委員会書記（首相格）のガーネム氏更迭、石油公団総裁に。後任の首相格には元副首相格のマフムーディー氏を登用。
.5.15	アメリカ国務省、在リビア・アメリカ大使館開設（15日以内)、リビアをテロ支援国リストから削除する（45日以内）ことを発表。
2011.2.17	ベンガジで大規模な反体制デモが発生、キレナイカ地方に拡大する。
.2.22	国連安保理がリビア非難決議、アラブ連盟がリビアの会議出席停止を決議。
.2.26	国連安保理が対リビア制裁決議1970号を採択。

1984.4	在イギリス・リビア人民局（ロンドン）で発砲事件、イギリス人婦人警官殺害。イギリス、対リビア断交。
1986.1	アメリカ、対リビア経済制裁発動。
.3	アメリカ艦載機、リビア軍機を撃墜。
.4.5	西ベルリンのディスコ「ラ・ベル」で爆破事件（死者：米兵2名、トルコ女性1名、負傷者260名）。
.4.15～16	アメリカ軍機、トリポリおよびベンガジを空爆、カッザーフィー大佐の自宅も攻撃される。
.4.18	カッザーフィー、「大リビア・アラブ人民社会主義ジャマーヒーリーヤ」に国名改称。
1988.12.21	ロンドン発ニューヨーク行きパンアメリカン航空103便がスコットランド・ロカビー村上空で爆破（死者270名）。
1989.1.4	アメリカ艦載機、リビア軍機2機を撃墜。
.9.19	フランスのUTAフランス航空機、ニジェール上空で爆破（死者170名）。
1992.3	国連安保理、対リビア制裁決議（決議748）。
.11	国連安保理、対リビア制裁強化決議（決議883）。
1992.4	日本、対リビア中長期貿易保険の引き受けを停止。
1996.8	アメリカ、イラン・リビア制裁法制定。
1998.11	日・リビア友好協会使節団リビア訪問（団長：柿澤弘治会長・元外相）。
1999.4	「ロカビー事件」の実行犯2名をイギリスに引き渡す。国連安保理、リビア制裁停止。
.7	イギリス、対リビア外交関係再開。
.12	リビア、テロ活動支援の放棄を宣言。
2000.2	ズリティニ経済貿易書記（経済貿易大臣格）、訪日（高級実務者招聘）。
2001.11	ドイツ裁判所、「ラ・ベル事件」判決（リビア情報機関が関与と非難）。
2003.8.15	リビア、テロ活動支援の放棄を宣言。国連安保理に対して、「ロカビー事件」の責任を認め遺族に対して総額27億ドルの補償金を支払うことで合意と報告。

1951.12	ムハンマド・イドリースを国王として連邦制のリビア連合王国が成立。
1957.2	日本、リビア連合王国を承認。
1959.6	エッソ石油、リビアでズリテン大油田発見。
1963	連邦制を廃止してリビア王国と改称。
1969.9.1	カッザーフィー大尉を中心とする自由将校団による革命が成功。リビア・アラブ共和国成立。革命評議会議長はカッザーフィー大尉（27 歳）。
1970.1	カッザーフィー議長、首相兼国防相に就任。
1970.3	イギリス軍、リビアから撤退。
.7	リビア在住イタリア人引き上げる。
1971.8	在日リビア大使館開設。
.12	ブリティッシュ・ペトローリアム国有化。
1972.7	カッザーフィー、首相職を辞任、ジャルード内閣成立。
1973.1	在リビア日本国大使館開設。
.4	カッザーフィー、文化革命として「人民革命」を宣言。
.7	日本赤軍によって日航ジャンボ機がハイジャックされ、ベンガジ空港で爆破。
.10	リビア・エジプト統合宣言（実現せず）。
1974.1	リビア・エジプト合併宣言（直後に取り消し）。
1977.3.2	「社会主義リビア・アラブ・ジャマーヒーリーヤ」に国名解消。革命指導評議会廃止、人民主権とジャマーヒーリーヤ体制の設置。
1979.3	カッザーフィー議長（大佐）ら旧革命評議会メンバー、公職離脱、直接民主主義体制へ。
1980.1	在日リビア大使館、在日リビア人民局に名称変更。
.4	在リビア・アメリカ大使館閉鎖。
1981.1	リビア・チャド統合宣言（実現せず）。
.8	アメリカ軍機、リビア軍機を撃墜。
.12	アメリカ、アメリカ人のリビア渡航を禁止、在リビア・アメリカ人の退去を勧告。
1982.2	アメリカ空母、スルト湾に派遣。

リビア略史

193	レプティス・マグナ出身のセプティミウス・セヴェルスがローマ皇帝位に就く（～211)。
429	ゲルマン系のバンダル人が侵入、カルタゴの地にバンダル王国を建設。
534	東ローマ帝国皇帝ユスティニアヌス一世、バンダル王国を滅ぼし、トリポリタニアの再生を図る。
635	トリポリタニア一帯に大地震が起こり、主要都市が破壊される。
642	イスラーム軍がエジプトからキレナイカに侵入。
644	再度のイスラーム軍の侵攻によって、トリポリタニア一帯がイスラームの支配下に入り、アラビア語が普及し始める。
1510	スペイン軍、トリポリに侵入、イスラーム教徒の大虐殺が起こる。
1530	スペイン、トリポリを聖ヨハネ騎士団に譲渡。
1538	バルバロス、トリポリを占領。
1551	スレイマン一世支配下のオスマン帝国がトリポリを占領、統治(～1711)。
1711	オスマン帝国の軍人アフマド・カラマンリーが王朝を興す（～1835)。
1801	トリポリ港にアメリカ海軍が侵攻、リビア・アメリカ戦争が始まる（～05)。
1835	オスマン帝国、トリポリを再支配（～1911)。
1911	イタリア軍、リビアに侵攻。
1912	ローザンヌ条約によってイタリアがリビアの支配権を獲得。イタリアのリビア支配が始まる（～1943)
1931	リビアの対イタリア抵抗運動が激化、ウマル・アル・ムフタール処刑される。
c. 1942	カッザーフィー、スルト砂漠の遊牧民のテントで生まれる。
1942	イギリスがトリポリタニア・キレナイカを管轄、フランスがフェッザーンを管轄。イタリアのリビア支配が終了する。
1949.11	国連総会でリビア独立が決議される。

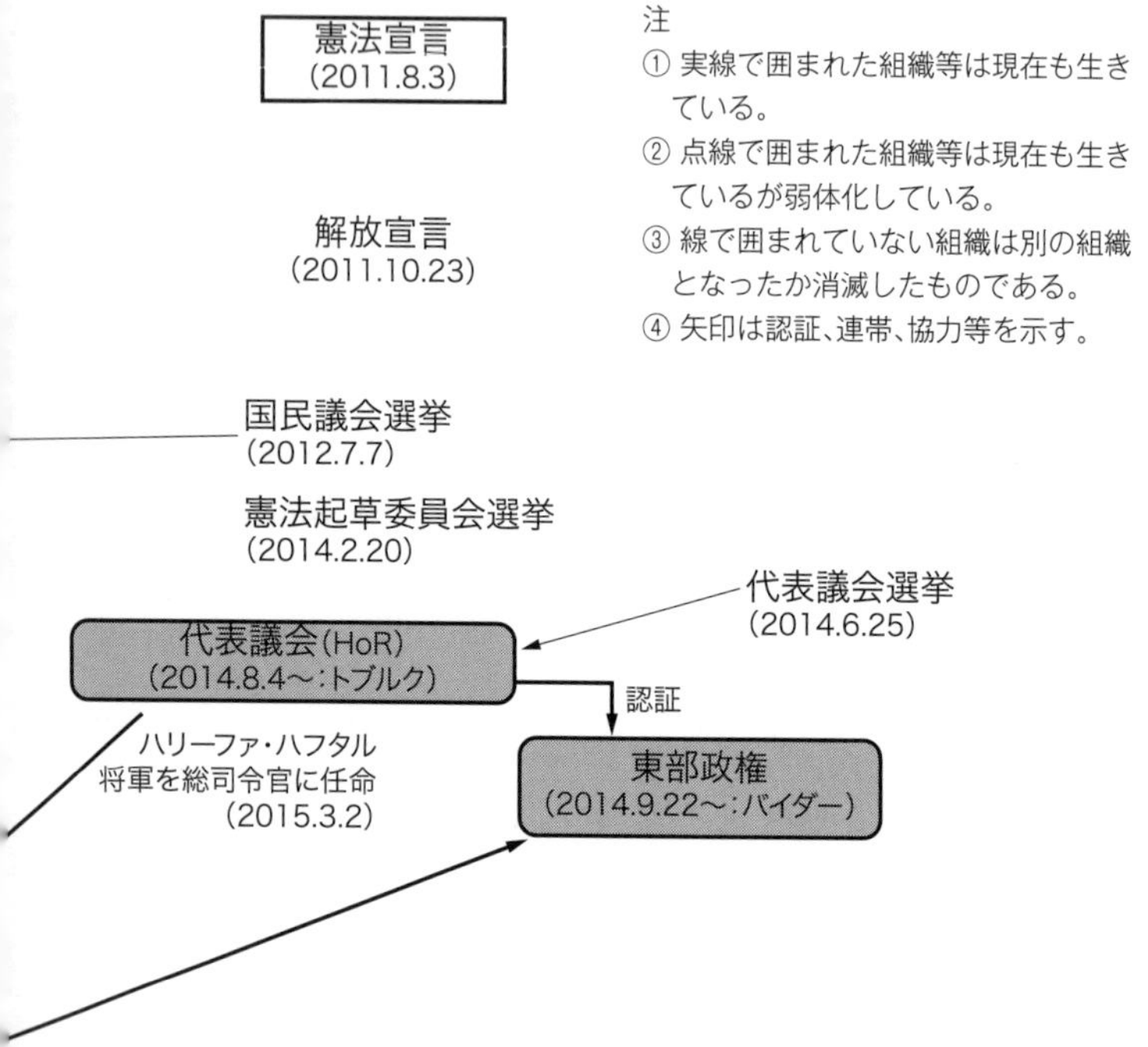

憲法宣言
(2011.8.3)

解放宣言
(2011.10.23)

注
① 実線で囲まれた組織等は現在も生きている。
② 点線で囲まれた組織等は現在も生きているが弱体化している。
③ 線で囲まれていない組織は別の組織となったか消滅したものである。
④ 矢印は認証、連帯、協力等を示す。

国民議会選挙
(2012.7.7)

憲法起草委員会選挙
(2014.2.20)

代表議会選挙
(2014.6.25)

代表議会(HoR)
(2014.8.4〜:トブルク)

認証

東部政権
(2014.9.22〜:バイダー)

ハリーファ・ハフタル
将軍を総司令官に任命
(2015.3.2)

・2016年3月12日 「政治合意」に基づく「大統領評議会」と「国民和解政府」についての代表議会の信任手続きが未完了のまま、「大統領評議会」は代表議会で100名の議員が信任表明(2月23日)したことを根拠に、「国民和解政府」がリビアの唯一正統政府であると国外で宣言(3月30日、サッラージュ首相兼大統領評議会議長らがトリポリ帰着)。
・2016年8月22日 トブルクの代表議会がサッラージュ首相の組閣案を否決(反対61 棄権39 賛成1、出席200名中101名)。

(外務省資料、報道等を基に塩尻宏作成)

新生リビア政権の系譜

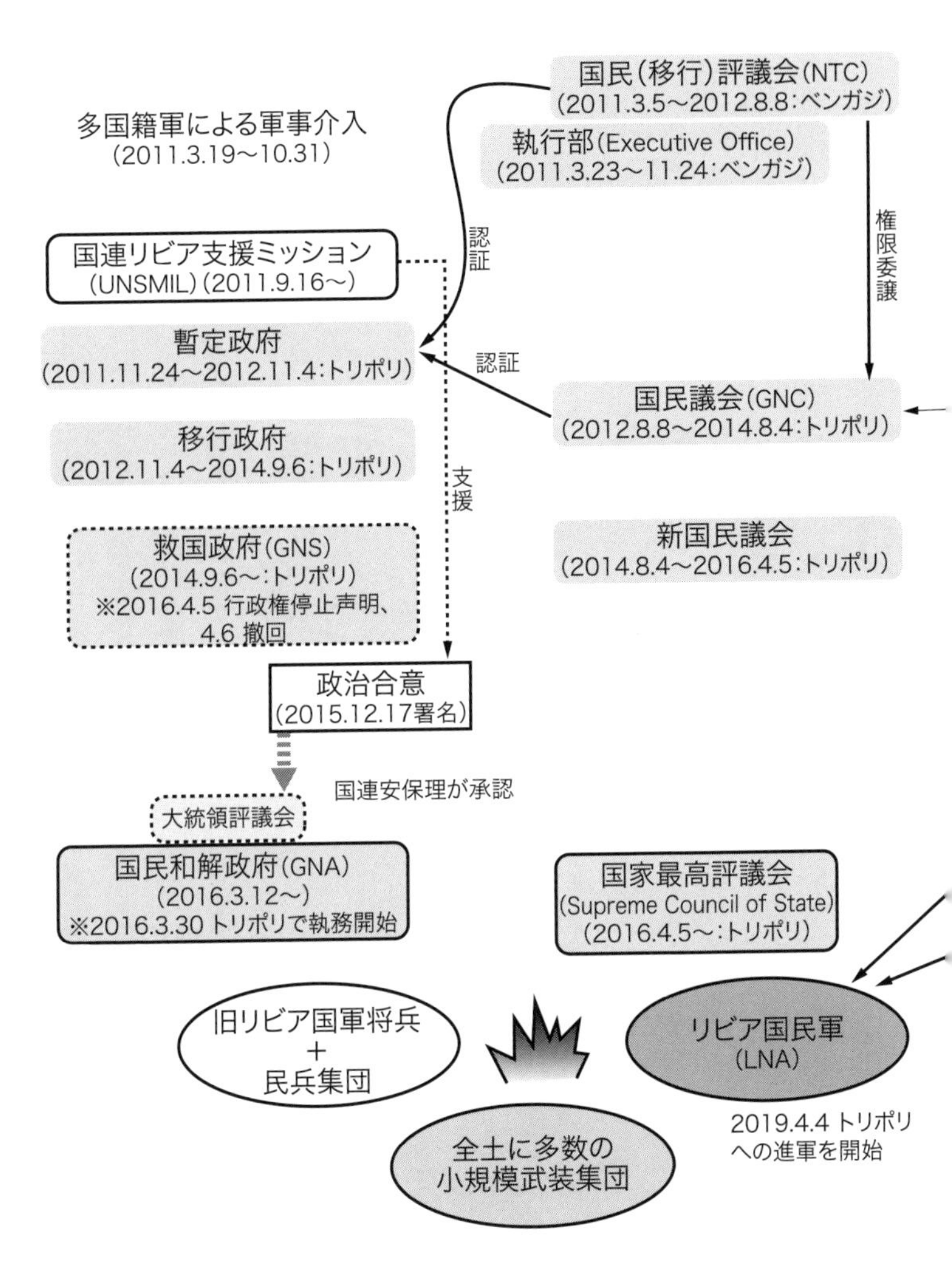

国民(移行)評議会(NTC)
(2011.3.5〜2012.8.8:ベンガジ)
多国籍軍による軍事介入
(2011.3.19〜10.31)
執行部(Executive Office)
(2011.3.23〜11.24:ベンガジ)
認証
権限委譲
国連リビア支援ミッション
(UNSMIL)(2011.9.16〜)
暫定政府
(2011.11.24〜2012.11.4:トリポリ)
認証
国民議会(GNC)
(2012.8.8〜2014.8.4:トリポリ)
移行政府
(2012.11.4〜2014.9.6:トリポリ)
支援
救国政府(GNS)
(2014.9.6〜:トリポリ)
※2016.4.5 行政権停止声明、
4.6 撤回
新国民議会
(2014.8.4〜2016.4.5:トリポリ)
政治合意
(2015.12.17署名)
国連安保理が承認
大統領評議会
国民和解政府(GNA)
(2016.3.12〜)
※2016.3.30 トリポリで執務開始
国家最高評議会
(Supreme Council of State)
(2016.4.5〜:トリポリ)
旧リビア国軍将兵
+
民兵集団
リビア国民軍
(LNA)
2019.4.4 トリポリ
への進軍を開始
全土に多数の
小規模武装集団

や

ら

わ

な

は

ま

た

さ

か

索　引

アルファベット

あ

塩尻　宏（しおじり・ひろし）［コラム18、翻訳：コラム16、コラム17、コラム23］

1941年大阪市生まれ。

1967年大阪外国語大学アラビア語学科卒業、同年、外務省入省。1999年欧亜局新独立国家室長、2001年在ドバイ総領事、2003年駐リビア特命全権大使、2006年外務省を退官。2006年（財）中東調査会顧問・常任理事、2012年（公財）中東調査会副理事長・業務執行理事、2014年〜現在、参与。2006年〜現在、日本リビア友好協会特別顧問。

主な論文："Al-'Ilāqāt al-Yābānīyah Al-Miṣrīyah" Al-Siyāsah Al-Dawlīyah," pp. 142–147. *AL-SIASSA AL-DAWLIYA* 101, JULY, 1990, Quarterly Magazine, the Center for Political and Strategic Studies (Al-Ahrām), Cairo;「リビア情勢現地報告」（『中東協力センターニュース』「第29回中東協力現地会議特集号」中東協力センター、2004年）、「最近のリビア情勢」（『中東情勢分析報告』（財）エネルギー経済研究所、中東研究センター、2006年）、「リビア革命とカダフィの挑戦①」（『中東研究』第512号 Vol. II 2011年度（財）中東調査会、2011年）、「リビア　カダフィの理想と挫折」（『世界』10月号、岩波書店、2011年）、「カダフィの死と新生リビアの展望」（『季刊アラブ』No.1393、2011年）、「リビア革命とカダフィの挑戦②」（『中東研究』第513号、中東調査会、2011年）、「アラビスト外交官の39年」（website『Asahi中東マガジン、中東レポート』、朝日新聞社、2012年〜2013年）、「新生エジプト見聞録」（website『Asahi中東マガジン、中東レポート』、朝日新聞社、2013年）、「新生リビア見聞記」（website『Asahi中東マガジン、中東レポート』、朝日新聞社、2013年）、「新生リビアの行方」（外務省委託調査「北アフリカ地域における主要『部族』の役割」に関する調査研究、エリコ通信社、2014年）、「1973年　第1次石油危機で三木・ファイサル会談「友好国扱い」に決定的な影響もたらす」（「現代史の証言」『季刊アラブ』No.152、2015年）、ほか多数。

ハーテム・ムスタファ・ムフターフ（Ḥātem Muṣṭafā Muftāḥ）［コラム23］

1975年トリポリ生まれ。

佐賀大学大学院工学系研究科博士課程修了、博士（工学、佐賀大学）。

Sabratha Faculty of Engineering, University of Zawia, Libyaの工学部長を経て、サブラータ市長、現在、International Governance Academy（トリポリの人材育成の専門学校）CEO。

最近の論文："Experimental and Analytical Investigation of Ammonia Absorption into Ammonia-water Solution: Free Absorption" *Defect and Diffusion Forum* Vols. 334–335 (2013), "Experimental and Analytical Investigation of Ammonia Absorption into Ammonia-water Solution: Interface Concentration at Free Absorption" *Azzawia University Bulletin*, ISSUE No.14 (2012) .

ーム世界研究』第10号、2017年)、「カッザーフィー体制下の女性と結婚」(『結婚と離婚』〈イスラーム・ジェンダー・スタディーズ1〉明石書店、2019年)。

上山　一（かみやま・はじめ）［26、38、39、コラム13、40、41、42、43、44、45、46、コラム15、47、48、49、コラム19、50、51、コラム21、52、53、54、55、56、59］

1977年北海道生れ。

一橋大学大学院経済学研究科博士課程単位修得退学（博士（経済学））。

国際協力機構専門調査員、筑波大学大学院ビジネス科学研究科助教等を経て2018年4月より釧路公立大学経済学部専任講師。

専攻・専門は金融論、中東経済論（GCC諸国、リビア、エジプト）、応用経済学。

主な著書・論文:「イスラム銀行に関する金融論的考察」(『現代の中東』No.46、2009年)、『アラブ首長国連邦（UAE）を知るための60章』(分担著、明石書店、2011年)、『サウジアラビアを知るための65章【第2版】』(分担著、明石書店、2015年)、「イスラム銀行利用者による金融商品の利用動機と継続的取引の決定要因――ヨルダンの事例から」(共著、『アジア経済』56巻4号、2015年)、「利子なし銀行の発展と実態――ヨルダンにおけるイスラーム金融の行方」(『変革期イスラーム社会の宗教と紛争』明石書店、2016年)、「GCC諸国のマクロ経済情勢と今後の政策課題」(『中東協力センターニュース』41 (2)、2016年)、「中東産油国の経済動向」(『世界経済評論』686号、2016年)、「リビア経済と石油部門の動向」(『季刊アラブ』No. 161、2017年)。

インティサール・ラジャバーニー（Intiṣār K. Rajabāny）［コラム12］

1994年、リビア、トリポリ大学（旧ファーティフ大学）薬学部を卒業、2005年、英国ウォーリック大学大学院修士課程で国際関係学の修士号を取得。2006–2010年、ブリティッシュカウンシル・リビアの理事長補佐。2013年から現在まで、MEDA (Mennonite Economic Development Association) のリビア国担当プロジェクトマネージャー、「リビア女性経済的自立促進計画」のチーフとしてUSAID実施計画の責任者を務めている。

アメッド・ナイリ（Aḥmed Naili）［コラム16、コラム17］

1967年ジュネーヴ生まれ。

明治大学大学院商学研究科博士課程修了、博士（商学）。

2015年～2016年リビア国外務大臣付参事官、外務大臣室代理室長、2017年5月～2018年5月、ハーグ化学兵器禁止機関秘密保全委員会副委員長、2017年8月から在日リビア大使館臨時代理大使、2006年から筑波大学北アフリカ地中海研究センター客員協力研究員、2005年から明治大学軍縮平和研究所客員研究員。

最近のエッセー「リビア国民議会選挙とその後」(Website『Asahi中東マガジン、中東レポート』、2012年) の要約を本書【コラム16】【コラム17】に掲載した。

◉編著者紹介　[　] 内は担当章

塩尻和子（しおじり・かずこ）[1、2、3、4、5、コラム1、6、7、8、9、10、コラム3、コラム4、11、12、13、14、15、16、17、18、19、コラム5、コラム6、20、21、22、23、24、27、28、29、30、コラム9、コラム10、コラム11、31、32、33、34、35、36、37、コラム14、コラム20、コラム22、57、58、60、翻訳：コラム12]

1944年岡山市生まれ。

東京大学大学院人文社会科学研究科博士課程単位取得退学（博士（文学）東京大学）。

筑波大学教授、同大北アフリカ研究センター長、同大理事・副学長（国際担当）、東京国際大学特命教授、同大国際交流研究所・所長を経て、現在、筑波大学名誉教授。

専門分野は、イスラーム神学思想、比較宗教学、宗教間対話、中東地域研究。

最近の主な著書・論文：「公共宗教としてみたイスラームの世俗性と普遍性」（『ピューリタニズム研究第13号』日本ピューリタニズム学会、2019年）、「イスラーム・ジェンダー論の行方」（『いま宗教に向き合う』第4巻、岩波書店、2018年）、「宗教間対話運動と日本のイスラーム理解」（『宗教と対話――多文化共生社会の中で』教文館、2017年）、「ジハードとは何か――クルアーンの教義と過激派組織の論理」（『変革期イスラーム社会の宗教と紛争』明石書店、2016年）、『イスラームを学ぶ』（NHK出版、2015年）、「初期イスラーム思想における理性主義的人間観と宗教倫理」（『イスラム哲学とキリスト教中世II　実践哲学』、岩波書店、2012年）、『イスラームの人間観・世界観』（筑波大学出版会、2008年）、『イスラームを学ぼう』（秋山書店、2007年）、『リビアを知るための60章』（明石書店、2006年）、『イスラームの生活を知る事典』（東京堂出版、2004年、池田美佐子と共著）、『イスラームの倫理――アブドゥル・ジャッバール研究』（未來社、2001年）、ほか多数。

◉執筆者紹介　執筆順、[　] 内は担当章

田中友紀（たなか・ゆき）[コラム2、コラム7、25、コラム8]

1973年山口県生まれ。

The Australian National University, Graduate Studies in International Affairs (GSIA) 修了。国際情勢学修士（Master of International Affairs）。九州大学大学院比較社会文化学府博士課程単位取得満期退学。

2017年～2019年、公益財団法人中東調査会特別研究員。

専門：中東地域研究（リビア、マグリブ諸国）。

主な論文：「カッザーフィー政権崩壊後の混乱要因と背景――ベンガージを中心としたリビア東部地域に着目して」（平成26年度外務省外交・安全保障調査研究事業『サハラ地域におけるイスラーム急進派の活動と資源紛争の研究――中東諸国とグローバルアクターとの相互連関の視座から』日本国際問題研究所、2015年）、「現代リビア政治における「部族」と「地域」――カッザーフィー政権移行期の支配アクターに着目して」（『イスラ

エリア・スタディーズ 59
リビアを知るための60章【第2版】

2006年 8月15日 初 版第1刷発行
2020年 3月30日 第2版第1刷発行

編著者 塩 尻 和 子
発行者 大 江 道 雅
発行所 株式会社明石書店
〒101-0021 東京都千代田区外神田6-9-5
電 話 03 (5818) 1171
FAX 03 (5818) 1174
振 替 00100-7-24505
http://www.akashi.co.jp/

装 丁 明石書店デザイン室
印刷・製本 モリモト印刷株式会社

(定価はカバーに表示してあります) ISBN 978-4-7503-4973-2

エリア・スタディーズ

1 **現代アメリカ社会を知るための60章**
明石紀雄、川島浩平 編著

2 **イタリアを知るための62章【第2版】**
村上義和 編著

3 **イギリスを旅する35章**
辻野功 編著

4 **モンゴルを知るための65章【第2版】**
金岡秀郎 著

5 **パリ・フランスを知るための44章**
梅本洋一、大里俊晴、木下長宏 編著

6 **現代韓国を知るための60章【第2版】**
石坂浩一、福島みのり 編著

7 **オーストラリアを知るための58章【第3版】**
越智道雄 著

8 **現代中国を知るための52章【第6版】**
藤野彰 編著

9 **ネパールを知るための60章**
日本ネパール協会 編

10 **アメリカの歴史を知るための63章【第3版】**
富田虎男、鵜月裕典、佐藤円 編著

11 **現代フィリピンを知るための61章【第2版】**
大野拓司、寺田勇文 編著

12 **ポルトガルを知るための55章【第2版】**
村上義和、池俊介 編著

13 **北欧を知るための43章**
武田龍夫 著

14 **ブラジルを知るための56章【第2版】**
アンジェロ・イシ 著

15 **ドイツを知るための60章**
早川東三、工藤幹巳 編著

16 **ポーランドを知るための60章**
渡辺克義 編著

17 **シンガポールを知るための65章【第4版】**
田村慶子 編著

18 **現代ドイツを知るための67章【第3版】**
浜本隆志、髙橋憲 編著

19 **ウィーン・オーストリアを知るための57章【第2版】**
広瀬佳一、今井顕 編著

20 **ハンガリーを知るための60章【第2版】** ドナウの宝石
羽場久美子 編著

21 **現代ロシアを知るための60章【第2版】**
下斗米伸夫、島田博 編著

22 **21世紀アメリカ社会を知るための67章**
明石紀雄 監修　赤尾千波、大類久恵、小塩和人、
落合明子、川島浩平、高野泰 編

23 **スペインを知るための60章**
野々山真輝帆 著

24 **キューバを知るための52章**
後藤政子、樋口聡 編著

25 **カナダを知るための60章**
綾部恒雄、飯野正子 編著

26 **中央アジアを知るための60章【第2版】**
宇山智彦 編著

27 **チェコとスロヴァキアを知るための56章【第2版】**
薩摩秀登 編著

28 **現代ドイツの社会・文化を知るための48章**
田村光彰、村上和光、岩淵正明 編著

29 **インドを知るための50章**
重松伸司、三田昌彦 編著

30 **タイを知るための72章【第2版】**
綾部真雄 編著

31 **パキスタンを知るための60章**
広瀬崇子、山根聡、小田尚也 編著

32 **バングラデシュを知るための66章【第3版】**
大橋正明、村山真弓、日下部尚徳、安達淳哉 編著

33 **イギリスを知るための65章【第2版】**
近藤久雄、細川祐子、阿部美春 編著

34 **現代台湾を知るための60章【第2版】**
亜洲奈みづほ 著

35 **ペルーを知るための66章【第2版】**
細谷広美 編著

エリア・スタディーズ

36 マラウィを知るための45章【第2版】 栗田和明 著
37 コスタリカを知るための60章【第2版】 国本伊代 編著
38 チベットを知るための50章 石濱裕美子 編著
39 現代ベトナムを知るための60章【第2版】 今井昭夫、岩井美佐紀 編著
40 インドネシアを知るための50章 村井吉敬、佐伯奈津子 編著
41 エルサルバドル、ホンジュラス、ニカラグアを知るための45章 田中高 編著
42 パナマを知るための70章【第2版】 国本伊代 編著
43 イランを知るための65章 岡田恵美子、北原圭一、鈴木珠里 編著
44 アイルランドを知るための70章【第3版】 海老島均、山下理恵子 編著
45 メキシコを知るための60章 吉田栄人 編著
46 中国の暮らしと文化を知るための40章 東洋文化研究会 編
47 現代ブータンを知るための60章【第2版】 平山修一 著
48 バルカンを知るための66章【第2版】 柴宜弘 編著
49 現代イタリアを知るための44章 村上義和 編著
50 アルゼンチンを知るための54章 アルベルト松本 著
51 ミクロネシアを知るための60章【第2版】 印東道子 編著
52 アメリカのヒスパニック＝ラティーノ社会を知るための55章 大泉光一、牛島万 編著
53 北朝鮮を知るための55章【第2版】 石坂浩一 編著
54 ボリビアを知るための73章【第2版】 真鍋周三 編著
55 コーカサスを知るための60章 北川誠一、前田弘毅、廣瀬陽子、吉村貴之 編著
56 カンボジアを知るための62章【第2版】 上田広美、岡田知子 編著
57 エクアドルを知るための60章【第2版】 新木秀和 編著
58 タンザニアを知るための60章【第2版】 栗田和明、根本利通 編著
59 リビアを知るための60章【第2版】 塩尻和子 編著
60 東ティモールを知るための50章 山田満 編著
61 グアテマラを知るための67章【第2版】 桜井三枝子 編著
62 オランダを知るための60章 長坂寿久 著
63 モロッコを知るための65章 私市正年、佐藤健太郎 編著
64 サウジアラビアを知るための63章【第2版】 中村覚 編著
65 韓国の歴史を知るための66章 金両基 編著
66 ルーマニアを知るための60章 六鹿茂夫 編著
67 現代インドを知るための60章 広瀬崇子、近藤正規、井上恭子、南埜猛 編著
68 エチオピアを知るための50章 岡倉登志 編著
69 フィンランドを知るための44章 百瀬宏、石野裕子 編著
70 ニュージーランドを知るための63章 青柳まちこ 編著
71 ベルギーを知るための52章 小川秀樹 編著

エリア・スタディーズ

72 **ケベックを知るための54章**
小畑精和、竹中豊 編著

73 **アルジェリアを知るための62章**
私市正年 編著

74 **アルメニアを知るための65章**
中島偉晴、メラニア・バグダサリヤン 編著

75 **スウェーデンを知るための60章**
村井誠人 編著

76 **デンマークを知るための68章**
村井誠人 編著

77 **最新ドイツ事情を知るための50章**
浜本隆志、柳原初樹 著

78 **セネガルとカーボベルデを知るための60章**
小川了 編著

79 **南アフリカを知るための60章**
峯陽一 編著

80 **エルサルバドルを知るための55章**
細野昭雄、田中高 編著

81 **チュニジアを知るための60章**
鷹木恵子 編著

82 **南太平洋を知るための58章** メラネシア ポリネシア
吉岡政德、石森大知 編著

83 **現代カナダを知るための57章**
飯野正子、竹中豊 編著

84 **現代フランス社会を知るための62章**
三浦信孝、西山教行 編著

85 **ラオスを知るための60章**
菊池陽子、鈴木玲子、阿部健一 編著

86 **パラグアイを知るための50章**
田島久歳、武田和久 編著

87 **中国の歴史を知るための60章**
並木頼壽、杉山文彦 編著

88 **スペインのガリシアを知るための50章**
坂東省次、桑原真夫、浅香武和 編著

89 **アラブ首長国連邦（UAE）を知るための60章**
細井長 編著

90 **コロンビアを知るための60章**
二村久則 編著

91 **現代メキシコを知るための70章【第2版】**
国本伊代 編著

92 **ガーナを知るための47章**
高根務、山田肖子 編著

93 **ウガンダを知るための53章**
吉田昌夫、白石壮一郎 編著

94 **ケルトを旅する52章** イギリス・アイルランド
永田喜文 著

95 **トルコを知るための53章**
大村幸弘、永田雄三、内藤正典 編著

96 **イタリアを旅する24章**
内田俊秀 編著

97 **大統領選からアメリカを知るための57章**
越智道雄 著

98 **現代バスクを知るための50章**
萩尾生、吉田浩美 編著

99 **ボツワナを知るための52章**
池谷和信 編著

100 **ロンドンを旅する60章**
川成洋、石原孝哉 編著

101 **ケニアを知るための55章**
松田素二、津田みわ 編著

102 **ニューヨークからアメリカを知るための76章**
越智道雄 著

103 **カリフォルニアからアメリカを知るための54章**
越智道雄 著

104 **イスラエルを知るための62章【第2版】**
立山良司 編著

105 **グアム・サイパン・マリアナ諸島を知るための54章**
中山京子 編著

106 **中国のムスリムを知るための60章**
中国ムスリム研究会 編

107 **現代エジプトを知るための60章**
鈴木恵美 編著

エリア・スタディーズ

108 カーストから現代インドを知るための30章　金基淑 編著

109 カナダを旅する37章　飯野正子、竹中豊 編著

110 アンダルシアを知るための53章　立石博高、塩見千加子 編著

111 エストニアを知るための59章　小森宏美 編著

112 韓国の暮らしと文化を知るための70章　舘野晳 編著

113 現代インドネシアを知るための60章　村井吉敬、佐伯奈津子、間瀬朋子 編著

114 ハワイを知るための60章　山本真鳥、山田亨 編著

115 現代イラクを知るための60章　酒井啓子、吉岡明子、山尾大 編著

116 現代スペインを知るための60章　坂東省次 編著

117 スリランカを知るための58章　杉本良男、高桑史子、鈴木晋介 編著

118 マダガスカルを知るための62章　飯田卓、深澤秀夫、森山工 編著

119 新時代アメリカ社会を知るための60章　明石紀雄 監修　大類久恵、落合明子、赤尾千波 編著

120 現代アラブを知るための56章　松本弘 編著

121 クロアチアを知るための60章　柴宜弘、石田信一 編著

122 ドミニカ共和国を知るための60章　国本伊代 編著

123 シリア・レバノンを知るための64章　黒木英充 編著

124 EU（欧州連合）を知るための63章　羽場久美子 編著

125 ミャンマーを知るための60章　田村克己、松田正彦 編著

126 カタルーニャを知るための50章　立石博高、奥野良知 編著

127 ホンジュラスを知るための60章　桜井三枝子、中原篤史 編著

128 スイスを知るための60章　スイス文学研究会 編

129 東南アジアを知るための50章　今井昭夫 編集代表　東京外国語大学東南アジア課程 編

130 メソアメリカを知るための58章　井上幸孝 編著

131 マドリードとカスティーリャを知るための60章　川成洋、下山静香 編著

132 ノルウェーを知るための60章　大島美穂、岡本健志 編著

133 現代モンゴルを知るための50章　小長谷有紀、前川愛 編著

134 カザフスタンを知るための60章　宇山智彦、藤本透子 編著

135 内モンゴルを知るための60章　ボルジギン・ブレンサイン 編著　赤坂恒明 編集協力

136 スコットランドを知るための65章　木村正俊 編著

137 セルビアを知るための60章　柴宜弘、山崎信一 編著

138 マリを知るための58章　竹沢尚一郎 編著

139 ASEANを知るための50章　黒柳米司、金子芳樹、吉野文雄 編著

140 アイスランド・グリーンランド・北極を知るための65章　小澤実、中丸禎子、高橋美野梨 編著

141 ナミビアを知るための53章　水野一晴、永原陽子 編著

142 香港を知るための60章　吉川雅之、倉田徹 編著

143 タスマニアを旅する60章　宮本忠 著

エリア・スタディーズ

144 **パレスチナを知るための60章**
臼杵陽、鈴木啓之 編著

145 **ラトヴィアを知るための47章**
志摩園子 編著

146 **ニカラグアを知るための55章**
田中高 編著

147 **台湾を知るための60章**
赤松美和子、若松大祐 編著

148 **テュルクを知るための61章**
小松久男 編著

149 **アメリカ先住民を知るための62章**
阿部珠理 編著

150 **イギリスの歴史を知るための50章**
川成洋 編著

151 **ドイツの歴史を知るための50章**
森井裕一 編著

152 **ロシアの歴史を知るための50章**
下斗米伸夫 編著

153 **スペインの歴史を知るための50章**
立石博高、内村俊太 編著

154 **フィリピンを知るための64章**
大野拓司、鈴木伸隆、日下渉 編著

155 **バルト海を旅する40章** 7つの島の物語
小柏葉子 著

156 **カナダの歴史を知るための50章**
細川道久 編著

157 **カリブ海世界を知るための70章**
国本伊代 編著

158 **ベラルーシを知るための50章**
服部倫卓、越野剛 編著

159 **スロヴェニアを知るための60章**
柴宜弘、アンドレイ・ベケシュ、山崎信一 編著

160 **北京を知るための52章**
櫻井澄夫、人見豊、森田憲司 編著

161 **イタリアの歴史を知るための50章**
高橋進、村上義和 編著

162 **ケルトを知るための65章**
木村正俊 編著

163 **オマーンを知るための55章**
松尾昌樹 編著

164 **ウズベキスタンを知るための60章**
帯谷知可 編著

165 **アゼルバイジャンを知るための67章**
廣瀬陽子 編著

166 **済州島を知るための55章**
梁聖宗、金良淑、伊地知紀子 編著

167 **イギリス文学を旅する60章**
石原孝哉、市川仁 編著

168 **フランス文学を旅する60章**
野崎歓 編著

169 **ウクライナを知るための65章**
服部倫卓、原田義也 編著

170 **クルド人を知るための55章**
山口昭彦 編著

171 **ルクセンブルクを知るための50章**
田原憲和、木戸紗織 編著

172 **地中海を旅する62章** 歴史と文化の都市探訪
松原康介 編著

173 **ボスニア・ヘルツェゴヴィナを知るための60章**
柴宜弘、山崎信一 編著

174 **チリを知るための60章**
細野昭雄、工藤章、桑山幹夫 編著

175 **ウェールズを知るための60章**
吉賀憲夫 編著

176 **太平洋諸島の歴史を知るための60章** 日本とのかかわり
石森大知、丹羽典生 編著

177 **リトアニアを知るための60章**
櫻井映子 編著

——以下続刊

◎各巻2000円
（一部1800円）

〈価格は本体価格です〉